*Pedro Henríquez
Ureña en México*

Colección Cátedras

Alfredo A. Roggiano

Pedro Henríquez Ureña en México

COLECCIÓN CÁTEDRAS

Facultad de Filosofía y Letras
Universidad Nacional Autónoma de México. 1989

Primera edición: 1989
DR © 1989. Facultad de Filosofía y Letras
Universidad Nacional Autónoma de México
Ciudad Universitaria, 04510 México, D. F.
Impreso y hecho en México
ISBN 968-36-0962-7

Palabras liminares

Este libro forma parte de una "vida cultural" de Pedro Henríquez Ureña concebida en tres volúmenes. El primero, *Pedro Henríquez Ureña en los Estados Unidos*, fue publicado en México, por la Editorial Cultura, en 1961.* De inmediato decidí iniciar mis investigaciones para documentar, en todo lo que me fuera posible, la participación de Pedro Henríquez Ureña en la vida cultural de México. Durante siete veranos (mis vacaciones de las universidades norteamericanas, donde enseñaba) me dediqué a revisar los diarios y publicaciones periódicas existentes en la Hemeroteca Nacional de la ciudad de México, a partir de 1906, año de la llegada del biografiado a este país, hasta sus partidas, primero a los Estados Unidos y después a la Argentina. Me sirvió de guía una copia mecanografiada de las "Memorias" y "Diario" que conservaba su viuda, doña Isabel Lombardo Toledano, en su casa de la capital mexicana. Con esa base orienté mis búsquedas en diarios y revistas y entrevisté a cuanta persona, entonces viva, que de alguna manera hubiera estado relacionada con don Pedro, dentro y fuera de México, para que su presentación en el contexto histórico y cultural estudiado fuera lo más completa y exacta posible. El lector dirá si he logrado lo que se proponía mi empeño y dirección por el Maestro.

A fines de 1967 di por concluida la investigación y entregué el texto a don Rafael Loera y Chávez, dueño de la Editorial Cultura, cuya amistad con Pedro Henríquez Ureña en los "días alcíoneos" había permitido la publicación del primer volumen. Don Rafael, en cuya casa editorial se imprimía la *Revista Iberoamericana* y la "Biblioteca del Nuevo Mundo", ambas dirigidas por mí, consideró que el texto sobre "Pedro Henríquez Ureña en México" era una contribución fundamental —cito— "no sólo al estudio y divulgación de la obra del hombre que más ha hecho por el estudio de la literatura hispanoamericana, sino por el impacto producido en

---

* El segundo es éste dedicado a "Pedro Henríquez Ureña en México" y el tercero comprenderá la actuación del maestro en Argentina.

8

un momento crucial de nuestra historia cultural". Y decidió que el libro se imprimiría inmediatamente, tan pronto como fuera posible, en 1968.

Pero vinieron las huelgas y las revueltas estudiantiles de ese año, y con ellas, el incendio de la imprenta de la Editorial Cultura, cuando mi libro estaba en pruebas de plana, ya corregidas y listas para la impresión. Felizmente yo me había quedado con otro *set* de pruebas y pude salvar el texto de mis siete años de trabajo. Lo que vino después es historia de la cual no quiero acordarme. Mi manuscrito durmió durante veinte años en los estantes de mi biblioteca particular. Ahora, gracias a la generosa intervención del maestro Arturo Azuela, director de la Facultad de Filosofía y Letras de la UNAM, albergo la esperanza de que salga a luz en momentos en que dicha casa de estudios se propone crear una "Cátedra Pedro Henríquez Ureña".

Agradezco a todos los amigos y discípulos del gran humanista, mexicanos o no, la parte de sus conocimientos e información con que contribuyeron a que mi libro pudiera ser lo que es, y a los que enriquecieron ese conocimiento e información desde 1968 a 1988, que dejo constancia en notas agregadas oportunamente, en especial a José Luis Martínez y a Serge Zaïtzeff. Asimismo dejo constancia de mi reconocimiento a la Universidad de Pittsburgh y a su Center for Latin American Studies por la ayuda económica que me permitió pasar temporadas en México para realizar mis investigaciones, así como a la Universidad Nacional Autónoma de México por acometer la edición de este libro.

México, 20 de junio de 1988

Alfredo A. Roggiano

Primera época
1906-1914

La vida y obra de Pedro Henríquez Ureña en México comprende dos etapas: la primera, de 1906 a 1914, con la interrupción de un viaje a Cuba en 1911; la segunda, de 1921 a 1924, con la interrupción de un viaje a la Argentina en 1922. En este libro nos proponemos documentar la actuación de Pedro Henríquez Ureña en México durante estas dos etapas: sus amistades, sus triunfos y vicisitudes, su labor de periodista, de animador de agrupaciones culturales, su magisterio en la cátedra y en la orientación personal de figuras después notables en la vida mexicana y, en fin, su indudable influencia en un momento definidor de la cultura de este país.

I. Veracruz y la *Revista Crítica*

Corría el año 1905. Pedro Henríquez Ureña, joven de veintiún años de edad, se hallaba en La Habana, Cuba, a donde había ido en 1904, después de una experiencia de varios años en Estados Unidos de Norteamérica.[1] Pero el ambiente de La Habana no le satisfacía, según dejó constancia en unas "Memorias", aún inéditas:[2] ". . . me parecía estrecho campo el de Cuba —asienta—; detalles de las costumbres y tendencias cubanas me chocaban, y hacia fines de 1905 mi mayor deseo era salir de allí.[3] Deseaba al mismo tiempo publicar un libro, y antes de abandonar dicho país reunió trece artículos que tenía dispersos en diarios y revistas y for-

[1] Alfredo A. Roggiano, *Pedro Henríquez Ureña en los Estados Unidos* (State University of Iowa Studies in Spanish Languages and Literature. México: Editorial Cultura, 1961).

[2] Estas "Memorias" se conservaban, en copia a máquina, en el archivo de Pedro Henríquez Ureña que custodiaba su esposa en México. Poseemos una copia que hemos obtenido de la señora Isabel Lombardo Toledano de Henríquez Ureña en 1958. La parte que se refiere a la estancia de Pedro Henríquez Ureña en Estados Unidos ha sido utilizada en la introducción al libro que citamos en la nota 1. Véase también Alfredo Roggiano "Las Memorias de Pedro Henríquez Ureña" (*Revista Interamericana*, No. 142, enero-marzo, 1988, pp. 331 y ss. La Academia Argentina de Letras anuncia, por fin, la publicación de dichas "Memorias".

[3] "Memorias", p. 14, vuelta; p. 60 en la copia que poseemos, en adelante indicaré la página según esta copia.

mó un "folleto de ciento veinte páginas" —así dice en sus "Memorias"—, que tituló *Ensayos críticos*.[4] Era éste su primer libro y el principal pasaporte intelectual con el cual intentaría abrir nuevos caminos y entrar en otros ámbitos de más amplia y deseada cultura. Un amigo cubano, Arturo R. de Carricarte, le había precedido en la aventura, y ahora lo llamaba desde Veracruz. Así lo consigna nuestro autor en sus "Memorias":

> Al fin, vino a decidirme a salir de Cuba el ejemplo de Carricarte, el cual se había ido a instalar a Veracruz como periodista, y nos había escrito pintándonos una brillante situación. Creí en su dicho y me alisté a partir, sin avisarle a mi padre, quien sabía yo que se opondría. El 28 de diciembre de 1905 me fué entregado mi libro *Ensayos críticos*; y el día 4 de enero me embarqué para Veracruz. Ese mismo día había escrito a mi padre comunicándole mi resolución, a fin de que la carta le llegara cuando me encontrara yo en alta mar. Así sucedió en efecto, pero mi padre hizo un último esfuerzo telegrafiando a mis hermanos para que impidieran mi viaje si aún no me había embarcado.[5]

En sus "Memorias", Pedro Henríquez Ureña nos da abundantes detalles de su llegada a Veracruz y de la impresión que recibió, así de la ciudad como de la situación pintada por su amigo Carricarte:

> Llegué a Veracruz el 7 de enero de 1906. Gusté del paisaje (la vista del Orizaba, nevado), desde el buque, pero la población me produjo impresión desastrosa; no había coches, las calles casi se parecían a las del Cabo Haitiano, las casas eran en su mayoría de aspecto pobre, y en suma, todo el caserío tenía un aspecto de pobreza al cual no estaba yo acostumbrado. Y para colmo, la brillante situación pintada por Carricarte era fantasía; y ni siquiera había gentes con quien tratar de cuestiones intelectuales, pues los periodistas del lugar no son [*sic*] ilustrados y apenas si D. José Luis Prado tiene la ilustración suficiente para que una conversación sea agradable a cualquier persona culta.
>
> Carricarte, además, era todo un tipo; hasta sus amistades eran cosa singular. Para muestra un botón: el poeta colombiano Israel Vásquez Yepes, individuo abandonado y perezoso, a quien Carricarte mantenía.
>
> Sin embargo, como por su indicación había ido allí, tuve con él intimidad y afecto; pues sus *rarezas* no las descubrí en seguida.[6]

Pedro Henríquez Ureña vivió tres meses y medio en Veracruz, desde el 7 de enero al 21 de abril de 1906. Por supuesto, su situación económica fue precaria.

[4] Pedro Henríquez Ureña, *Ensayos críticos* (La Habana, Cuba: Imprenta Esteban Fernández, 1905).
[5] "Memorias", p. 61.
[6] *Idem*, p. 61.

En Cuba había trabajado en la casa Silveira y Cía. Su comportamiento le había gran-
jeado el afecto del gerente, quien, al despedirse, le obsequió cierta suma de dinero
para que se costeara el viaje y pudiera afrontar la situación de los primeros meses
en México.[7] También con ese dinero se arriesgó a emprender una idea sugerida
por Carricarte: la publicación de una *Revista Crítica*. Los detalles de la preparación
de esta revista, sus planes e intenciones, figuran, con cierto detalle, en las ya mencionadas "Memorias":

> La idea tenía mucho de fantástica, en una ciudad como Veracruz y para un
> público tan poco crítico como el hispano-americano; pero Carricarte había
> calculado un costo mínimo, el cual, sin embargo, creció hasta duplicarse; ob-
> tuvo un buen número de anuncios en la misma Veracruz, y, apenas estuvo
> listo el primer número, en la imprenta de *El Dictamen*, emprendió (y me hizo
> emprender) una extensa labor de correspondencia: primero, a los periódicos
> de México, todos los cuales (excepto *El Imparcial*) dieron cuenta de la Revista
> en términos elogiosos; luego, a una multitud de personas tanto de México co-
> mo de América y aun de Europa. Nuestro atrevimiento llegó hasta nombrar
> corresponsales, sin previo aviso, y escribirles en seguida rogándoles aceptaran
> y enviándoles el primer número; algunos, como Fitzmaurice Kelly, no contes-
> taron; pero la mayoría aceptó: por ejemplo, Johann Fastenrath, en Colonia;
> y no se diga los de Hispano América. Nos dirigimos a Roosevelt, quien contes-
> tó por medio de su secretario que le era imposible, en su carácter de presiden-
> te, dar opinión sobre una publicación; en cambio, contestaron elogiosamente,
> en México, Porfirio Díaz como presidente y Justo Sierra como Ministro de
> Instrucción; y entre las cartas importantes que recibimos, recuerdo las de Char-
> les Leonard Moore, el crítico norteamericano (carta tan hermosa que la tra-
> dujimos y publicamos). Rafael Altamira (otra carta no menos interesante, en
> la cual hablaba de la influencia hispanoamericana en España). Enrique José
> Varona (con valiosos consejos) y Aurelio Castillo de González.[8]

En realidad, si la intención era alta, el periódico dejaba mucho que desear.
El artículo-programa, escrito por Carricarte, contenía demasiada divagación;
seguía un artículo mío sobre *Cuba* (nota de psicología literaria) en el cual quise sostener que "el espíritu cubano es más filosófico que poético"; y una larga
serie de notas, en las cuales Carricarte derramó elogios a diestra y siniestra.
Como a mí, personalmente, no me agradaba el sistema de elogios, convine
en que desde el siguiente número pusiéramos cada uno nuestras respectivas
iniciales al pie de nuestras notas; y así lo hicimos en el segundo número, cuya
aparición nos costó no poco trabajo.[9]

7 *Idem*, p. 62.
8 *Idem*, p. 62.
9 *Idem*, p. 63.

La *Revista Crítica* se publicó como "Organo Oficial de la Asociación Literaria Internacional Americana", asociación que se había formado en Cuba, según comprobamos con un folleto que tenemos a la vista y que contiene el "programa" y los "estatutos" de la misma.[10] Hemos podido ver los dos números de la *Revista Crítica* (los editores los llaman "fascículos"): el primero es de enero de 1906, y en su portada se lee: Enero 1906/REVISTA CRITICA/Organo Oficial de la "Asociación Literaria Internacional Americana"/1er. Fascículo/Veracruz". Tamaño: 22 por 18 cms. Color: amarillo en la portada y blanco en las 40 páginas de texto. Lleva cinco páginas adicionales de anuncios y una con la lista de los "Corresponsales de esta Revista", en América y en Europa.[11] En la contra-portada figuran los "Editores": Pedro Henríquez Ureña, en primer término, y Arturo R. de Carricarte, debajo. Hay un dibujo en el centro, y al pie trae la dirección: así: "Oficinas: Francisco Canal 25, Apartado Núm. 183. Veracruz, Méx.". Las cinco primeras páginas están ocupadas por "La intelectualidad hispano-americana", artículo-programa que aparece firmado por Pedro Henríquez Ureña y Arturo R. de Carricarte, pero que —como hemos visto por la transcripción anterior— fue escrito por Carricarte. Dada la rareza de esta revista,[12] y para comprobar que realmente el artículo-programa "contenía demasiada divagación", creemos necesario dar el texto completo del mismo:

La intelectualidad hispano-americana

Quien pretenda estudiar con espíritu analítico, ó ya por simple curiosidad crítica, el movimiento intelectual, poderoso y brillante, que existe realmente

---

[10] *Asociación Literaria Internacional Americana. Comité Organizador. Cuba.* (La Habana: Imprenta de Rambla y Bouza. Obispo números 33 y 35, 1905.) Folleto de 29 páginas.

[11] He aquí la lista de dichos corresponsales: AMERICA: *Argentina,* Eugenio C. Noé, Buenos Aires; Ricardo Jaimes Freire, Tucumán. *Bolivia,* Angel Díez de Medina, La Paz. *Chile,* Manuel Magallanes Moore, Santiago. *Colombia,* Antonio Quijano Torres, Bogotá; Abraham López Peña, Barranquilla. *Costa Rica,* Antonio Zambrana, San José. *Cuba,* José de Armas y Cárdenas (Justo de Lara), Habana; Max Henríquez Ureña, Habana. *Ecuador,* Remigio Crespo Toral, Quito. *Estados Unidos,* Fabio Fiallo, New York; Luis Ramón Guzmán, New York. *Guatemala,* Pío M. Riépele, Guatemala. *Honduras,* Froilán Turcios, Tegucigalpa. *Nicaragua,* Santiago Argüello, León; Antonio Medrano, León. *Panamá,* Emiliano Hernández, Panamá. *Paraguay,* José Segundo Decoud, Asunción. *Perú,* Clemente Palma, Lima. *Puerto Rico,* Félix Matos Bernier. *Salvador,* Vicente Acosta, San Salvador; Julián López Pineda, San Salvador. *Santo Domingo,* Tulio M. Cestero, Santo Domingo. *Uruguay,* Manuel Pérez y Curis, Montevideo. *Venezuela,* Alejandro Fernández García, Caracas. EUROPA: *Alemania,* Santiago Pérez Triana, Berlín; Johann Fastenrath, Colonia. *España,* Luis Morote, Madrid; Enrique Deschamps, Barcelona. *Francia,* Gil Fortoul, París; Enrique Gómez Carrillo, París. *Inglaterra,* James Fitzmaurice Kelly, Londres. *Italia,* Francisco García Cisneros, Milano; Francisco Pérez Cisneros, Roma.

[12] Poseo los dos ejemplares de la *Revista Crítica.* El profesor Ernesto Mejía Sánchez me informó que también se encuentran en la Biblioteca "Menéndez y Pelayo" de Santander.

en toda la América de origen español, desde la grandiosa Argentina hasta las modestas Antillas, se encontrará con un singular fenómeno: la absoluta carencia de relaciones entre unos y otros países, el total desconocimiento que acerca de las naciones hermanas tienen hasta las más inmediatas en vecindad geográfica.

Posible es que de uno á otro extremo del continente, y aún en las desperdigadas islas que esmaltan el Atlántico con sus verdes bosques y blancas ciudades, sean populares nombres que comienzan á abrirse paso en Europa. Probablemente autores suecos, polacos, rusos, italianos, ingleses, sean conocidos con familiaridad tanta como los franceses y españoles, en tanto que nombres "impuestos" en el viejo mundo, pertenecientes á ibero-americanos, son absolutamente extraños en la mayoría de nuestras naciones.

Una carencia total de relaciones existe á lo largo de las costas atlánticas, y no hablemos del legendario Pacífico porque sus olas majestuosas parecen huir de las riberas separadas por líneas ideológicas que trazan las demarcaciones políticas en la geografía internacional.

Por lo general llegan á nosotros los nombres de los artistas ó pensadores americanos re-expedidos por Europa. Antes alcanzan el triunfo en París, en Roma o Madrid que logran una simple mención en otras tierras americanas que no sean las nativas, y aun en éstas la reputación es siempre relativa.

Podrá objetarse que Hostos, Martí, Casal, Díaz Mirón, Valencia, Lugones y otros príncipes del arte ó de la ciencia conquistaron la inmarcesible gloria que nimba sus nombres sin haber solicitado de Europa la aprobación ó el aplauso; pero la objeción no es seria. Junto á esos nombres preeminentes podríamos catalogar otros mil de producción copiosísima y genial que se mantienen casi anónimos, conocidos á medias en el propio país y absolutamente ignorados en el exterior. Ni un solo caciquillo bufonesco y trágico ha ensangrentado el suelo patrio sin que una convulsión, ora de cólera, ora de indignación, recorriera toda la América llevando en oriflama de escándalo su nombre oscuro por todo el continente. El tiranuelo avaro y sanguinario tiene asegurado un renombre por el cual inútilmente luchará en el curso de una prolongada vida de noble esfuerzo y de perseverante estudio, el más genial de nuestros sociólogos ó el más inspirado de nuestros bardos.

Pie de imprenta europeo llevan todos los libros de autores ibero-americanos que circulan en países de América que no sea el de su origen. Inútil será buscar con empeño de arqueólogo paciente en las librerías de nuestras grandes ciudades las obras de Pérez Bonalde, de Silva, de Berisso, de Leopoldo Díaz, de Doña Salomé Ureña . . .

La prensa de nuestra América, servil imitadora de la tendencia escandalosa del periódico amarillo de los Estados Unidos, llena sus columnas de noticias locales ó universales, nos habla de escándalos judiciales, de quiebras fraudulentas, de aventuras amorosas de actrices y personajes de real alcurnia;

la literatura se abisma en aquel fárrago noticieril insustancial y necio. Los grandes periódicos de América cuidan de dar la llamada "nota de actualidad" ruidosa y nefanda, descuidando lo que al arte se debe como elemento de educación y de progreso. Nuestra prensa sigue las corrientes de mercantilismo del diario yankee, pero olvidando que en la Gran República la revista literaria, los magazines de ciencia y de artes ocupan lugar principalísimo en la labor editorial, y que es abrumador el número de revistas que se dedican exclusivamente á cuestiones de crítica, literatura pura, música, pintura, ciencias, en una palabra, á todas las manifestaciones del esfuerzo mental, espléndidamente retribuído y afanosamente alentado. Primeros son los ilustradores yankees en el rango universal, asombrosos los cuentistas, notables los músicos, escultores y pintores. Nosotros, en tanto, ¿qué podemos ofrecer que contrabalancee tan indiscutible superioridad? Revistas en que se hace una reproducción perenne de trabajos ya conocidos, no por carencia de producción original é inédita, sino por rehuír, dicho prosaicamente, el pago al autor, por no tomarse la molestia de seleccionar, por falta de amor al adelanto patrio, por carencia de sutil y clarividente dirección que haga comprender que una revista consagrada de un modo exclusivo á proteger y desarrollar el movimiento literario internacional de Ibero-América, sería un factor honroso de progreso que nos llevaría pronta y seguramente á un rango literario de que hoy carecemos por el desconocimiento en que los extraños están acerca del intenso y maravilloso renacimiento, y hasta diríamos iniciación, de las letras en toda la América española.

La grande y cosmopolita Francia ha comenzado, es cierto, á reconocer, por boca de autoridades como Maurice Barrés y Remy de Gourmont, el alto valer de nuestros escritores; y en la *Historia de las literaturas comparadas* [obra sin rival en su género] Fréderic Loliée ha afirmado que en muchos respectos el movimiento intelectual hispano-americano es tan brillante como el de cualquier otra colectividad.

Es hora de proclamar, sin titubeos, que el continente que cuenta con poetas como Zorrilla de San Martín y Rubén Darío y críticos como Rodó y Sanín Cano, el continente que ha producido á Montalvo y á Hostos, respectivamente el primer literato y el primer sociólogo de la raza española en nuestros días, no tiene que envidiar á Europa sino dos cosas: la tradición, herencia de los siglos, y la significación social del arte en su vida colectiva.

La ausencia de esta *socialización* es el verdadero mal y el gravísimo problema de nuestra vida intelectual. Hasta ahora, nuestra labor literaria es producto de una minoría que generalmente, por orgullo ó por escepticismo, se aísla. De ahí que los géneros cultivados sean siempre los menos populares: la poesía, á quien la evolución de los tiempos no ha matado sino para el vulgo, convirtiéndola en arte selecto, impopular, como lo es hoy en todas partes, y los trabajos de crítica y literatura filosófica, que solo en casos excepcionales serán leídos por el gran público. La novela y el drama, que son hoy las verdaderas formas *sociales* del arte literario, principian á aparecer en dos maneras opuestas: por un lado, la antiartística forma del género chico teatral y de las novelas sensacionales; por otro lado la labor refinada ¡demasiada refinada! de José León Pagano, Manuel Zeno Gandía, Osvaldo Saavedra, Carlos Reyles, Carlos María Ocantos.

En modo alguno diríamos esto como censura á quienes trabajan dirigiendo á tan hermosa altura la devoción artística; jamás querríamos que hicieran descender el nivel de sus obras para ponerlo al alcance de la mentalidad actual de la masa popular en nuestras naciones. No es eso lo que se ha de hacer. El trabajo del inmediato porvenir es elevar el nivel del público hispanoamericano. Y ese trabajo deben iniciarlo los *de arriba*, al parecer tan poco penetrados de la inagotable virtualidad social de ese arte y esa ciencia que cultivan: deben generalizar la educación, la educación científica y práctica, que haga concebir á los ciudadanos una noción clara y real de la vida y del porvenir individuales y colectivos.

Si los que escriben y piensan en América, á regenerar á América consagraran sus esfuerzos, si las desesperantes millonadas de analfabetos que pueblan nuestros estados tuvieran maestros que los educaran, si al descarriado poetastro que jamás llegará á subir se le cerraran las puertas del libro y del diario induciéndolo á tareas que dándole á él más fruto beneficiaran también, en proporción estrechamente directa, á su país, entonces nos sentiríamos en América como en nuestro verdadero territorio, querríamos saber de Europa como de tierra fraternal, no como de tierra *maestra*; lucharíamos *en América por América y para América*, y nuestra hermosa América nos bastaría; pero lejos de hacerlo así nos sumimos en la desesperación ó el abatimiento, esto con mayor frecuencia, y el mal se extiende, la carie avanza y el embrutecimiento crece lejos de desaparecer. Exigimos mucho sin dar nada. Vivimos en mundos de ensueños infecundos, lejos de tratar de acercarnos á la bendita *realidad* que salva y produce; luchamos por ideales que no son ya de estos tiempos, y en la lucha usamos de armas también en desuso ¡como si la alabarda y el mosquete pudieran enfrentarse al maüser ó al Colt! Nos creemos acorazados por que hablamos de *ideal*, cuando el Ideal para que sea fecundo debe ser *realizable* como si bastara pensar y la acción pudiera abandonarse, como si el deseo no requiriera el esfuerzo para llegar á alcanzarse. . .

Maldecimos nuestras tierras porque son incultas, porque el esfuerzo no se alienta, porque la labor se esteriliza en medio de una general indiferencia; pero, lejos de combatir el mal, nos entregamos á estériles lamentaciones; nuestra indignación es, siempre, una indignación perfectamente literaria . . .

Es necesario dejar el sueño á un lado y pensar en que nos debemos á la humanidad, que para ésta no hay fronteras ni razas, sino un mundo que gira en el éter y que reunidos en él para un viaje común debemos acondicionarnos y dar cada uno de nosotros al acervo común, la mayor cantidad de fuerza y de Verdad que atesoremos para que el esfuerzo unido impulse con mayor ímpetu nuestro paso vacilante.

Pensando así, viendo estos males, y creyendo firmemente que no solo no son incurables sino que la terapéutica podría aplicarse con éxito rápido con un poco de buena voluntad y un mucho de constancia, los editores de esta revista iniciaron á mediados del año último en la Isla de Cuba el pensamiento de una Asociación Internacional, cuya tendencia principal fuera estrechar los vínculos que unen, ó debieran unir, á las Repúblicas de este Continente, propendiendo á la difusión de la literatura y de las artes y ciencias en todo el Nuevo Mundo.

Denomínase dicha entidad *Asociación Literaria Internacional Americana* y sus esfuerzos, hasta el presente, por un previo acuerdo que figura en el Programa, se han mantenido secretos.

Juzgamos que es llegado el momento de darle mayor incremento á la Asociación; parécenos que es necesario laborar más y más activamente, y con la cooperación de entidades tan salientes de la intelectualidad americana como lo son: Ricardo Palma, Froilán Turcios, Gil Fortoul, Díaz Rodríguez, Bunge y toda la brillante falange de los literatos jóvenes de Centro y Sur América, emprendemos en estas páginas una campaña ardorosa en la que nos sostiene nuestro amor inquebrantable a la América Latina, y en general á la literatura y al progreso de los pueblos.

América necesita un heraldo de sus triunfos y una piqueta que destruya sus errores; en el florido campo de la intelectualidad ibero-americana, donde se irguen tan altivos robles, donde florecen tan lujuriantes madreselvas, donde trinan tantos alados ruiseñores, hay mucha yedra, mucha liana parásita, mucho cardo que reclaman el almocafre implacable de una crítica seria y desinteresada; es preciso que el maravilloso ruiseñor no vea turbado su canto peregrino con el graznido del cuervo; entre los colosos del pensamiento en América hay enanos paupérrimos de cerebro y de voluntad que se arrastran pretendiendo subir, sirviendo de obstáculos á quienes, más fuertes y más grandes, aspiran al cielo en un aleteo de sus alas gigantescas. No impiden el ascenso del cóndor: pero lo retrasan

Es, pues, necesario desbrozar, allanar el sendero, limpiar el valle para que luzca sus colores la violeta; purificar el aire para que cante el jilguero tímido á quien el gavilán insaciable de la envidia persigue con saña.

Y eso intentamos: que la *Revista Crítica* sea un periódico *Internacional,* donde se analice madura y honradamente la labor de cada país y dentro de cada país la de cada escritor; que sea, el andar del tiempo, un aporte valioso por la suma de datos, ya que no por la perfección de nuestro esfuerzo, á la historia del movimiento intelectual de América en las postrimerías del siglo XIX y aurora de la vigésima Centuria.

Para ello contamos con el esfuerzo de todos; con la cooperación, tan desinteresada como lo es la nuestra, de todos los pensadores y artistas de Ibero-América. Este periódico no es un instrumento de negocio ni un arma de mercantilismo, es un tributo al Arte, una oblación á las letras, sin aspiración á recompensa ni anhelos utilitarios. Que sea útil nuestro esfuerzo, á eso nada más aspiramos.

Del éxito no dudamos; las buenas causas triunfan siempre. Pero nuestra labor aislada no es bastante para hacer de *Revista Crítica* el magazine que América necesita: un periódico de propaganda rico en datos, nutrido en información, amplia y extensa: emplazamos á nuestros hermanos de Centro y Sur América, á los de nuestras nativas antillas y sus compañeras en el vasto Atlántico para que secunden nuestra labor; no vamos á hacer obra de bibliófilo ni de cataloguista: vamos á hacer obra de crítica, asignando á cada país el puesto que le corresponde en el gran concierto de la producción artística y científica, y dentro de cada Nación la influencia de cada escritor. Esa será nuestra obra.

¿Qué necesitamos? Que llegue á nuestra Redacción el eco de la producción de América, que se nos envíe la revista, el libro, el folleto, la carta amiga portadora de noticias, en una palabra, un verdadero cambio de ideas de que seremos nosotros receptores para enviarlas después, con toda la amplitud y universalidad necesarias, á toda la América y á toda la Europa, porque la *Revista Crítica* no tiene limitado su canje y visitará al escritor en su despacho, al periódico en su Redacción, lo mismo en este hemisferio que en las capitales de importancia de Europa en las que, como en París entre otras, se consagran secciones especiales en la prensa y á la producción iberoamericana.

No estaremos solos, porque nuestra obra para ser fructuosa debe ser la obra de todos, y no podemos dudar de que se nos prodigue el auxilio que reclamamos. No hemos querido anunciar la aparición de la *Revista*; esperamos que, no su factura, no las galas literarias de sus editoriales, pero sí su buena intención, sus propósitos desinteresados y su vasto programa, nos conquisten la simpatía y el apoyo que para lograr éxito necesitamos. Si, como esperamos, el periódico logra despertar interés en el mundo intelectual americano y á nuestra invitación responden nuestros compañeros de profesión, la *Revista Crítica* se transformará, dentro de poco, en un *Boletín Crítico* de la *Revista de América*, periódico de literatura internacional que publicaremos ilustrado, dos veces al mes, ampliando las dimensiones del *Boletín* y dando á la *Revista* las proporciones y al cachet de *El Cojo Ilustrado* de Caracas, pero siempre en las mismas condiciones que la *Revista* cuyo es este primer número: periódico de propaganda, exclusivamente dedicada á las letras que no habrá de sostenerse ni con la venta en librerías ni con las suscripciones, sino con el esfuerzo de todos y la protección del anunciante.

Tócanos ahora probar, en los próximos números, que el programa expuesto será un hecho y no mera disertación de soñadores.

PEDRO HENRÍQUEZ UREÑA   ARTURO R. DE CARRICARTE

A continuación aparece el ensayo de Pedro Henríquez Ureña titulado "Cuba (Notas de psicología literaria)" (pp. 10-19). El ensayo, además de dar un panorama sintético de la poesía cubana, muestra dos cosas: a) la tendencia de nuestro autor a medir la poesía con patrones filosóficos, y b) una marcada predilección por el determinismo psicológico (de la psicología experimental, social y positivista) de la segunda mitad del siglo XIX. Su tesis es que Cuba no tuvo grandes poetas, como otros países de Hispanoamérica, y que el carácter sobresaliente o "el verdadero campo de acción de la inteligencia cubana ha sido siempre el de los estudios de filosofía, de sociología y de crítica literaria" (p. 14). El resto de la revista (pp. 20-40) está destinado a las "Notas editoriales y de información". No creo que sea difícil, dado el estilo redundante de Carricarte, el identificar las notas que fueron escritas por Pedro Henríquez Ureña: Las dedicadas a Barrero Argüelles, a Enrique José Varona, a Carrera y Jústiz, a la muerte de Bartolomé Mitre, no cabe duda de que pertenecen a Don Pedro. Cuba y México son los países cuyos autores han sido preferentemente tratados en las notas. Los escritores mexicanos que, en general, reciben elogios son: Justo Sierra, Luis González Obregón, Carlos González Peña, José Peón y Contreras y Joaquín D. Casasús, entre otros. Ecuador, Argentina, Venezuela, Puerto Rico, Chile, España y, por supuesto, la República Dominicana, están también representados en estas notas, que evidencían amplia información aunque una orientación ecléctica y dispar.

El "Segundo Fascículo" de la *Revista Crítica* lleva fecha de febrero de 1906. La cubierta es de un verde azulado y el tamaño un poco menor: 16 por 22 cms. La numeración de las páginas sigue a la del primer número, o sea, que empieza en la 41 y termina en la 80. Precede el siguiente *Sumario*: "Juárez", por Arturo R. de Carricarte (pp. 41-47); "Sobre un libro de Márquez Sterling", por Arturo R. de Carricarte (pp. 48-59); "La Asociación Literaria Internacional y la *Revista Crítica*" (pp. 60-64), mención de todos los sueltos y escritores que elogian la *Revista Crítica* e inclusión de la carta del crítico norteamericano Charles Leonard Moore, traducida al español (pp. 63-64). Las "Notas editoriales e información" que se insertan desde la página 65 a la 75 llevan las iniciales P.H.U. Las cuatro primeras (pp. 65-72) tratan de autores mexicanos, por cuya razón las transcribimos completas.

Notas editoriales e información

Claudio Oronoz, novela por Rubén M. Campos.— México. J. Ballescá y Co. Sucs. Editores, 1906.— El florecimiento de la novela corresponde, en los tiempos modernos, al más alto y vario desarrollo de las literaturas nacionales, y se relaciona, además, con la evolución general del país en que se produce. Así se observa que entre los pueblos hispano-americanos, los que principian á tener producción novelesca abundante y arraigada son aquellos cuyo progreso material es más completo y rápido: Chile, la Argentina y el Uruguay en el sur; México en el norte. Se dan casos raros: Puerto Rico, que ni en el orden literario ni en ningún otro puede presentar más que un mediocre desarrollo, ha producido á Zeno Gandía, uno de los más genuinos y poderosos novelistas de nuestra América; Cuba, isla próspera, no ha dado uno solo que pueda llamarse tal. Pero Cuba y Puerto Rico, pueblos de escasa imaginación, aunque no desprovista de fantasía el primero, de excepciones siempre asombrosas el segundo, han seguido como colonias una evolución normal. Estúdiense las literaturas de Colombia y Venezuela, y se encontrará en sus novelas, notables á veces por el estilo ó por la psicología, la falta de cierta seguridad en el procedimiento, sobre todo en el dibujo del medio ambiente, que evidencia en el novelista la certeza de contar con un público, siquiera corto, pero cercano y *nacional*; en cambio, esta seguridad se descubre (y escogiendo al azar) en el chileno Rodríguez Mendoza, en el uruguayo Acevedo Díaz ó en el argentino Ocantos.

La nueva obra de Rubén M. Campos no está total pero sí suficientemente "adaptada al medio" en que se produjo: denuncia, por su factura, que no habría podido ser escrita si no la hubiesen precedido otras muchas narraciones mexicanas que han comenzado á preparar el terreno para los florecimientos del futuro. *Claudio Oronoz*, sin contener una sola concesión al mal gusto, no es una novela escrita exclusivamente para intelectuales. Y esta circunstancia es tanto más digna de atención cuanto que el autor es de antaño conocido por sus refinados gustos literarios y su estilo elaborado. Joven aún, no lo es ya tanto para lanzarse en las orgías de intelectualismo que suelen ser los primeros frutos de los noveles noveladores de nuestras tierras.

Campos no ha pecado de este modo: las inseguridades y deficiencias que pueden censurársele son de otro género. Primeramente, hay falta de rigor en su realismo, por otra parte vigoroso y discreto: esto, por la tendencia á desenvolver algunos sucesos con excesiva facilidad ó prescindiendo de los detalles, como ocurre en todo lo referente al *modus vivendi* de José Abreu. La realidad resulta, si no falseada, amputada, por el deseo de presentarla sólo en los aspectos que se desearía tuviese. A más, la declaración de la enfermedad de Oronoz, hecha desde los comienzos, sin duda por evitar que luego pareciese un recurso melodramático, resta á la narración el interés de la lucha y obliga á desarrollarla con cierta uniformidad monótona. Con todo, la novela de Campos tiene rasgos de maestro: distínguese por un dibujo psicológico sencillo y correcto, sin desigualdades, que no es analítico ni pretende ser útil o atrevido; abunda en situaciones hermosas, llenas de sentimiento y verdad humana, momentos magníficos, como el final del baño en el lago Chapala y detalles curiosos y pintorescos como los de la vida bohemia de la capital mexicana.

En cuanto á la descripción y el estilo, son por todo punto admirables y brillantes en plenitud de audacia y originalidad; en modo alguno disonantes ni prolijos. Mérito eminente de Campos es la habilidad con que adapta su estilo d'annunziano á la pintura de la vida moderna y ciudadana, sosteniéndolo siempre en una altura de pulcritud intachable que no traspasa los límites en que la elegancia se transforma en afectación y el himno entusiasta en tirada declamatoria.

Claudio Oronoz es obra reveladora de un gran temperamento artístico, de un espíritu elevado que contempla la vida universal con ojos de panteísta y funde en un solo credo sus sentimientos humanos y sus ideales poéticos. Ese espíritu está destinado á producir, en el porvenir inmediato, algunas de las páginas más brillantes de la nueva literatura mexicana.

P.H.U.

* * *

Alma y sangre, por Luis Rosado Vega. Comprende: *Las peregrinaciones del amor y del ensueño, otras visiones y otras ansias,* y *Los poemas.*— Mérida, México, Imprenta Gamboa Guzmán, 1906.

El poeta yucateco Luis Rosado Vega acaba de presentar al público el fruto preciado y espléndido de sus empeños juveniles. La brillante colección de poemas *Alma y sangre* es obra juvenil, ciertamente, pero producida en el momento en que la inteligencia entra en el desarrollo pleno, en la senda de una evolución fecunda y gloriosa.

Alma y sangre es la canción poderosa de un bardo que pide su puesto de honor en la falange poética mexicana, tan asombrosamente nutrida y brillante, que sólo la falange argentina compite con ella en el concierto de la juventud hispano-americana.

Luis Rosado Vega tiene todas las cualidades del poeta moderno; sensibilidad exquisita, fantasía discreta, inspiración fluyente é infatigable, dominio perfecto del ritmo, expresión original y sugestiva. Su personalidad, que aún no aparece completamente definida, se caracteriza hasta ahora por el sentimiento. Una suavísima y persistente melancolía domina en todos los poemas: es

la melancolía de las lágrimas que no llegan á ser vertidas, de las nostalgias in-
definibles, el sentimiento otoñal del español Juan R. Jiménez; pero no es la
tristeza: cuando el poeta dice: Seamos tristes (*Cristo*), su voz suena forzada.
Quizás en el futuro sus dolores cristalicen en la "malinconia virile" del maestro D'Annunzio, y entonces su espíritu, más atento á la universal alegría de
vivir, entone himnos optimistas al alma de las cosas cuyo secreto ya le seduce:

—¡Oh peregrino, cree
Que todo tiene un alma y un acento
Y una existencia prodigiosa!
　　　　　—Creo!

Rosado Vega vive en el ambiente de ideas y sentimientos modernos, de vida
superior y de ensueño, que se respira en los centros de sus poetas favoritos:
Darío, Nervo, Silva, Lugones, *Almafuerte*. Alguna vez, sin embargo, recuerda
á Cervantes (*Tres inmortales*) y á Fray Luis de León (*Copa antigua*). Como ima-
ginativo, es discreto, excesivo casi nunca: describe, y sus tropicales *Marinas*
sugieren los paisajes de Bahamas dibujados por el admirable pintor norteamericano Winalow Homer; fantasea, y un hermoso sentimiento panteísta le inspira *Las voces del bosque*.

Como versificador, es ya un maestro: posee una rara habilidad para combi-
nar versos distintos y producir un ritmo que puede llamarse interno, el estro;
pero no domina la frase: su expresión se resiente de rudezas ó ligeros prosaís-
mos, que son tanto más de lamentar, cuanto que el poeta es fecundo en rasgos admirables:

—¿Qué llevas en la alforja, extraño peregrino?
El pan de una esperanza y el oro de una idea.
Era un viejo decir el que en el aire había.
Pequé, pequé, Señor, y á tí me acuso...
Pero ¡Señor, Señor! soñaba tanto.
¡Oh, ven, que hay muchas rosas que aguardan tu venida
y en nombre de esas rosas yo te llamo!

Con sus excelentes facultades, Rosado Vega, conquistará un porvenir glo-
rioso: su libro es un triunfo. Libro que, además, es una magnífica obra de arte
tipográfico que hace honor á Mérida.

　　　　　　　　　　　　　　　　　　　　　　　　　　P.H.U

* * *

Algunos versos, por Francisco Elguero-México, 1906.— Tal es el modesto título del volumen de poesías del abogado michoacano Lic. Francis-

co Elguero. Revelan ellas un espíritu culto, pero sencillo, sincero, apegado á las viejas tradiciones de la religión y de las ideas filosóficas y sociales generosas y levantadas.

La nota religiosa predomina en ellos, firme pero serena, sin el estrépito de inútiles invectivas contra la ciencia y el progreso. Cuando Elguero no canta los ideales cristianos, discurre sobre temas dignificadores, exalta las cosas simbólicas, narra grandezas y miserias de los hombres eminentes: Virgilio, Tomás de Aquino, Alighieri, Cervantes, Goethe, Napoleón, Maximiliano, ó imita y traduce grandes poetas de lenguas extrañas: Shakespeare y Malherbe, Hugo y Lamartine, Banville y José María de Heredia, Jacinto Verdaguer . . .

Elguero escribe en estilo correcto y sencillo; con frecuencia es inhábil para evitar el prosaísmo, pero su verso tiene sonoridad y suele alcanzar verdadera hermosura, notablemente en los sonetos *El árbol de invierno* y *La campana*, reminiscente del gran canto de Schiller.

Como muestra de los mejores momentos de este estimable poeta, citaremos los dos admirables cuartetos del *El árbol de invierno*:

> ¡Qué triste estás! Deshízose la blonda
> copa otoñal en tu nevada frente;
> ya no regalas ámbar al ambiente,
> ni palpita á tus piés la móvil onda.
>
> Ya no hay rumor de abeja que responda
> á tus dulces rumores blandamente;
> ya no llora la tórtola inocente
> en el discreto asilo de tu fronda.

P.H.U.

* * *

El sargento primero, novela por Delio Moreno Cantón, Mérida, 1905.— La reciente producción del Lic. Delio Moreno, Director del diario "La Revista de Mérida", es una novela corta y sencilla. Al abrir sus páginas, los pensamientos de Goethe y D'Annunzio, que sirven de epígrafe, hacen esperar una obra de grandes pretensiones artísticas. Pero no ha sustentado tales pretensiones el autor. *El Sargento primero* es un bosquejo de psicología sin complicaciones ni sutilezas: su argumento es sencillo y con sencillez está desarrollado.

Seguramente podría haberse prescindido del capítulo inicial, que es un recurso siglo XVIII. Por lo demás, todo el diario de Cecilia, que constituye la novela, está escrito con hábil facilidad: sentimientos, ideas, observaciones, estilo, todo en esas páginas resulta perfectamente femenino y cónsono con la situación de la protagonista, cuyo carácter se destaca completo y sugestivo. Tiene también episodios interesantes, como el hermoso y valiente final de los amores de Rosa.

Con mayor amplitud de ejecución y mejor dominio del estilo, no hay duda que el Lic. Moreno Cantón podrá acometer trabajos de más aliento que *El Sargento primero*, que es una modesta pero valiosa promesa.

P.H.U.

* * *

La siguiente reseña es sobre un poeta nicaragüense:

El grito de las islas, poesía por Solón Argüello, México, 1906.— Aunque la crítica lo ha acogido con censuras, *El grito de las islas* no es un libro vulgar: sus defectos provienen, no de falta de ciencia, sino de ciencia mal aplicada. Así se nota, desde el principio, en la factura de los versos: el poeta nicaragüense conoce las sabias innovaciones métricas intentadas por los maestros modernistas, algunas de ellas impuestas y triunfantes, y ha ensayado nuevas combinaciones, aceptables unas, discutibles otras.

Siendo el ritmo la ley de la métrica, toda combinación de versos debe someterse á esa ley: quien es deudo [*sic*] del ya eminente Santiago Argüello (cuyo poema *El Martirio de Santa Agueda* acaba de recorrer en triunfo la prensa de nuestra América) ha revelado, en poesías sinceras y sencillas como *Y prosiguió en su signo* . . . y *Al ver su aldea*, ser capaz de esa expresión humana. Hacia esa meta es de esperar que dirija sus póximos pasos.

P.H.U.

Además de la repercusión que tuvo la *Revista Crítica*, sobre todo por lo que tocaba a México, el nombre de Pedro Henríquez Ureña fue adquiriendo cada vez más resonancia gracias a la apreciación, casi siempre favorable, que la crítica hizo de sus *Ensayos Críticos*. La misma *Revista Crítica* (1er. Fascículo, p. 39) hace discreta mención del éxito de la obra:

Ensayos Críticos, por Pedro Henríquez Ureña, Habana, 1905.— Sobre este libro, que ha sido ya juzgado por la prensa cubana y la de México en términos sumamente halagadores para el autor, nos abstenemos de formular juicio por tratarse de uno de los editores de este periódico, limitándonos á dar cuenta de su aparición por ser obra de las más recientes.

Arturo R. de Carricarte le dedicó una extensa reseña, a tres columnas, en *El Dictamen*, principal diario de Veracruz, en la edición del 8 de enero de 1906. Y en las del 24-25 de enero y 21 de mayo, el mismo diario reproduce juicios publicados en periódicos de Cuba y de otros países de América y de España [13] En la ciudad de México, diarios como *La Patria, El Progreso Latino* y *El Correo Español*, y la revista *Savia Moderna*, encargaron a personas reconocidas que comenten los *Ensayos Críticos*. Carlos González Peña inicia la serie de elogios capitalinos, en su sección de "Páginas Nuevas" que llevaba semanalmente en *La Patria*.[14] En un lenguaje muy de la época, dice el comentarista:

Lo afirmo rotundamente. Pedro Enríquez [*sic*] Ureña es un crítico de buena cepa, un refinado, un temperamento que considero producto legítimo de nuestros tiempos y de nuestro arte.

Me preguntaréis: ¿es romántico? ¿es naturalista? ¿es modernista? O por el contrario, ¿es un dómine de aquéllos de la época de Mari-Castaña, que pega a diestro y a siniestro, gramática en mano? Nada de eso.

Henríquez Ureña es un impresionista y un ecléctico; no se sujeta á sistema alguno preconcebido, ni se aferra a escuela determinada. Guiado por su espíritu sutilmente exquisito, echa a andar por los prados floridos de la poesía d'annunziana, por las rumorosas selvas de la música wagneriana, por los mustios paisajes de los estetas ingleses, por las sendas luminosas del porvenir, trazadas por los sociólogos, por lo que, fijos los ojos en el más allá, desde la montaña abrupta de su ciencia, marcan al hombre el camino de la dicha.

[13] "Juicios sobre un compañero. El literato Pedro Henríquez Ureña", *El Dictamen*, de 21 de mayo de 1906. Se da preferencia a la reproducción del juicio de Luis de Vargas [Andrés González Blanco], publicado en *Nuestro tiempo* de Madrid. En *El Dictamen* del 24-25 de enero se reproducen juicios de Ruy Díaz (Enrique Corzo), publicado en *El Fígaro* de La Habana, de Joaquín N. Arámburu, del *Diario de la Marina*, de Néstor Carbonell, de *Letras*, y de Ramiro Hernández Portela, de *Cuba y América*.

En la ciudad de México elogiaron la *Revista Crítica*, Carlos González Peña en *La Patria* (Año XXX, No. 8742, 6 de febrero de 1906, p. 2, col. 2); *La Patria* también publica, en forma anónima, un editorial bajo el título de "La intelectualidad hispanoamericana", en el número de 2 de marzo de 1906 (Año XXX, No. 8763, p. 1, cols. 1 y 2); *Savia Moderna* (31 de mayo de 1906, p. 69, anónimo), y *El Correo Español* (Año XVII, No. 4905, 4 de abril de 1906, p. 1, col. 5), donde —acaso sea José Escofet— se comenta elogiosamente el 2. Fascículo.

[14] Carlos González Peña, "Páginas nuevas. *Ensayos críticos*. Por Pedro Henríquez Ureña", *La Patria* (Año XII No. 8731, 23 de enero de 1906, p. 1, cols. 1 y 2). Véanse las "Memorias" de Pedro Henríquez Ureña para las relaciones de ambos escritores. Pedro Henríquez Ureña dejó escrita su opinión sobre Carlos González Peña en varios pasajes de sus "Memorias" y publicó un artículo sobre su novela *La Chiquilla*, bajo el título de "Los de la nueva hora. Carlos González Peña" (*Crónica*, de Guadalajara, 15 de noviembre de 1907). También sobre *Musa Bohemia*, en las "Memorias", p. 125. González Peña, a su vez, escribió una reseña sobre *Horas de estudio* en *El Mundo Ilustrado*, de México (noviembre de 1910), que fue reproducido en *Ateneo*, de Santo Domingo (No. 13, enero de 1911). Esto, por sólo citar la recíproca amistad y aprecio que se prodigaron en la primera estancia de Pedro Henríquez Ureña en México.

Marcha despacio, escudriñando y apurando hasta las heces divinos cálices de belleza. Y tanto le cautiva D'Annunzio como Wilde como Wagner, Lluria y Hostos.

No por eso diré que pertenece al número de los de la *manga ancha*. Lejos de mí tal idea. Henríquez Ureña señala lunares y defectos, puntos negros que escaparían al análisis del vulgo, pero más se absorbe y se detiene ante los destellos vivísimos del genio, como verdadero artista.

Así, por ejemplo, aunque comprenda que el *Parsifal* está ya fuera de nuestra época, por su hondo espíritu religioso, no por eso deja de admirarle, de arrodillarse devoto ante el raudal de armonías del excelso y doloroso poeta épico de *Tristán é Isolda*.

Y si al talento crítico del distinguido escritor dominicano, se agrega una erudición bien digerida, amplia y ordenadísima, se tendrá no un simple ensayador del arte de Taine, sino un crítico de cuerpo entero.

José Escofet, en el diario de la comunidad española de México, no es menos encomiástico. Sus muchos ditirambos, pueden sintetizarse en uno de sus parágrafos iniciales:

He leído el libro con gusto, porque es una obra rara y amena, bella y concienzuda. Los *Ensayos Críticos* no son sólo ensayos; son estudios completos, profundos, llenos de una erudición bien adquirida y bien conservada.[15]

Hasta el temido Ciro B. Ceballos admite:

Veo en él un pensador que, proscribiendo el ultraje, critica sin denigrar; un analista imparcial, sin acrimonias, que desdeñando la malevolencia defiende los fueros del arte poseído de un entusiasmo que arroba; un literato de convicción, tolerante, capaz, instruído, que no cae en el dogmatismo, que diseca con paciencia los factores determinantes de lo que estudia, circunscribiéndose a las fórmulas resueltas ya, en medio de una quietud que enamora porque no es producto del escepticismo; sino, antes bien, de una fe sincera inspirada por una hermosa concepción de la vida . . .[16]

---

[15] José Escofet, "Ensayos críticos. Libro de Pedro Henríquez Ureña", *El Correo Español*, México (Año XVIII, No. 4856, 26 de enero de 1906, p. 1, cols. 1-3). Véase las "Memorias" de Pedro Henríquez Ureña para su amistad con Escofet. Pedro Henríquez Ureña lo elogia en varios pasajes de esas "Memorias", y con motivo de la aparición de *La tragedia de las rosas: El Correo Español*, México, 28 de febrero de 1910. Escofet, a su vez, reseña *Horas de estudio* (*El Correo Español*, 18 de noviembre de 1910, p. 1).
[16] Ciro B. Ceballos, *Ensayos críticos*. Por Pedro Henández [sic] Ureña", *El Progreso Latino* (Tomo IV, No. 9, 7 de marzo de 1906, p. 276).

Pero, sin duda, lo que más halagó al joven dominicano fue lo que publicó una de las figuras más destacadas del momento cultural de México, Ricardo Gómez Robelo, en la revista *Savia Moderna:*

> Es ésta una Obra de escritor erudito y sereno; no quiso el autor penetrar en los lugares recónditos de las almas ni contemplar las obras desde el reino de las ideas. El prolijo estudio concreto, la acumulación de datos y la preocupación de conocer sus numerosos hechos a fin de presentarlos al lector, hacen de ella útil y segura guía para recorrer la intrincada selva de la producción novísima.
>
> Puede dividirse el libro en dos series: de críticas una y la segunda de crónicas. Entre las primeras descuella la sutil observación que desentrañó la prosodia de Rubén Darío y, con ella, la de algunos poetas inventores de nuevas liras. La crítica a que nos referimos es clara y completa idea de las tendencias de Henríquez Ureña, amante refinado de la música y de la forma: los sortilegios de la palabra le hacen parecer bellas las ideas, y la fluidez del verso o la rara melodía del acento permiten que se deslice, en su oído educado, con verdadero encanto, la ligereza del asunto.[17]

No obstante estos éxitos, la vida en Veracruz no proporcionaba al recién llegado todos los elementos de satisfacción que él hubiera querido. Vino el rompimiento con Carricarte, quien se fue de la ciudad y dejó vacante el puesto que ocupaba en *El Dictamen,* cuyo director, José Hinojosa, se apresuró a ofrecérselo a don Pedro. Sigamos con sus propias palabras:

> Pero si mi éxito literario parecía asegurado, mi situación económica iba a ponerse complicada. Mi padre me escribió censurando mi partida; pero yo logré convencerlo a medias, con razones, sobre todo diciéndole que mi idea no era quedarme en Veracruz, sino pasar a México, y acabó por contentarlo la aparición de la *Revista Crítica.* No tenía trabajo al principio; pero antes de terminar el mes de enero, el director de *El Dictamen,* José Hinojosa, que era al mismo tiempo agente del Ministerio Público, me encomendó la Secretaría de su cargo, puesto que, aunque mal retribuido, me permitiría gastar menos aprisa el dinero que tenía. A fines de febrero, Carricarte marchó a Orizaba; así es que su compañía sólo me duró mes y medio, y luego tuve motivos serios para considerar necesario abandonar la *Revista Crítica* y tratar de lejos a mi antiguo compañero.
>
> Al irse él, Hinojosa me encomendó la redacción de algunos artículos de *El Dictamen,* especialmente las "Crónicas de la semana", de las que llegué

---

[17] Ricardo Gómez Robelo, "*Ensayos críticos,* por Pedro Henríquez Ureña", *Savia Moderna* (No. 5, julio de 1906, pp. 313-315). La cita es de la p. 313.

a escribir seis u ocho; pero la retribución era cortísima, llegó a acabárseme el dinero, y así llegué a encontrarme casi atado al comenzar mi *primera salida.* Sin embargo, nunca me desanimé: recordaba un dicho de Máximo Gómez, el cual aseguraba haberse visto alguna vez desterrado y sin recursos para mantener la familia, y en esa situación había dicho a su mujer angustiada: "Hemos llegado a la peor situación; como esto ya no puede empeorar, es inevitable que mejore".

[. . .] En Veracruz mi optimismo tampoco cedió; me hallaba en deplorable situación económica; sin la posibilidad de trasladarme a México, como deseaba; sin deseo de regresar a Cuba, puesto que de allí había querido alejarme, y mi regreso implicaría una derrota, y a falta de un puesto en la Habana, habría tenido que refugiarme con mi padre; no tenía aquí amistades que me estimularan intelectualmente; acababa de tener que desprenderme de una que llegué a estimar; y a pesar de ello, me reía del paso.[18]

Las "Impresiones de la Semana" de *El Dictamen* estaban a cargo de Arturo R. de Carricarte. En las del 13 y 14 de enero de 1906, el cronista, después de lamentarse de que, ya en la segunda semana del nuevo año, sus "impresiones" no habían encontrado motivos que pudieran satisfacer la curiosidad del lector, se refiere a Pedro Henríquez Ureña en los siguientes términos:

Tenemos entre nosotros (valioso contingente que viene a engrosar la, por desgracia, no muy nutrida falange intelectual veracruzana) a un literato antillano, don Pedro Henríquez Ureña, dominicano distinguido, que adolescente apenas, ha sabido ya grabar su nombre con tinta imborrable en la lista, tan poco extensa, de los exquisitos de aquel país, que para gloria de las letras cuenta con los Henríquez y Carvajal, los Galván y los del Monte.[19]

Poco después, Pedro Henríquez Ureña envía su primera "crónica", titulada "Oyendo la Banda de Artillería",[20] que es un pretexto para hablar de la "Segunda Rapsodia" de Liszt y de un fragmento de la ópera *Tosca* de Puccini.

El 27 de enero aparece en *El Dictamen* el cuento "¡Ríe, Payaso!", del cual, según nota de puño y letra de Pedro Henríquez Ureña en su libro de recortes, "solamente la firma y la idea son de Pedro Henríquez Ureña, la factura y el estilo son de Arturo R. de Carricarte".

Del 3 de marzo al 8 de mayo de 1906 se publicaron las siete "Impresiones de la Semana" que nuestro autor envió a *El Dictamen.* Además, el 21 de marzo dio, con el título de "El Nuevo Indígena", unas importantes reflexiones filosóficas acer-

---

[18] "Memorias", p. 64.
[19] "Impresiones de la semana", *El Dictamen*, Veracruz (Tomo IX, No. 39, 13-14 de enero de 1906).
[20] *El Dictamen* (20 de enero de 1906).

ca de las "Ideas-fuerzas" (nótese ya la influencia de Fouillée), que determinan el tipo racial, a propósito del centenario de Juárez. Completan estas colaboraciones otras dos más: la del 9-10 de abril sobre "Benavente. *Los malhechores del bien*", y la del 10-11 de abril, "Noches de Arte. *La desequilibrada* de Echegaray. *El flechazo* de los hermanos Quintero". Posteriormente, y ya enviada desde la ciudad de México, se publica en *El Dictamen* del 7-8 de mayo la crónica "Los teatros de México", y en una edición del mes de julio, *El Dictamen* reproduce de *El Imparcial*, de México, el artículo "La resurrección de Don Juan", que se había publicado con las iniciales P.H.U.

Las "Impresiones" tocan temas tan diversos como son los de la inauguración de un lugar de recreo, la prohibición de un drama de Bernard Shaw en Nueva York, la muerte de un escritor o de un músico de España, el fusilamiento de un reo, que le da pie para tratar filosóficamente el tema de la pena capital, la Conferencia de Algeciras, el Centenario de Juárez, la reunión del Congreso Panamericano, el estreno de la zarzuela *Zazá*, el triunfo en Europa de las óperas *Salomé* de Strauss y *La Figlia di Iorio* de Franchetti, el paso por Veracruz del escritor cubano Esteban Borrero Echeverría, el terremoto de San Francisco, etc. Transcribimos, por su novedad en la actitud filosófica de Pedro Henríquez Ureña (un franco antideterminismo en la constitución del tipo racial) y debido a su interés mexicano, la nota titulada:

El nuevo indígena

Sociológicamente, las razas constitutoras de las modernas nacionalidades no se caracterizan por el predominio de los factores étnicos que entran en su composición, sino por el tipo que en ellas determinan las condiciones del medio en que se desarrollan y por el conjunto de *ideas-fuerzas* que distinguen sus más altas manifestaciones.

Así, por ejemplo, es una concepción tácitamente aceptada la de la existencia de una raza hispanoamericana, aunque formada, en las distintas naciones que puebla, por diversísimos elementos étnicos, uniformes en su fisonomía psíquica y en sus aspiraciones superiores, y radicalmente diversa de la raza española que reside en Europa.

Recientes estudios, realizados en Norte América, parecen demostrar que el medio ambiente del Nuevo Mundo llega a desarrollar, aun en descendientes puros del rubio teutón boreal, rasgos embrionarios del indio piel-roja; pero sin ahondar en la influencia que pueda tener el clima en la modificación del tipo biológico, cabe afirmar que, al cabo de cuatro siglos de adaptación del hombre europeo a nuestro continente y de adaptación del indígena americano a la civilización del viejo mundo, se ha producido un nuevo tipo humano, EL NUEVO INDIGENA que ha cantado el poeta dominicano José Joaquín Pérez en uno de los más vibrantes himnos de la moderna musa castellana.

Ese "vencedor, dueño y árbitro de esta inmensa región", que lleva "toda un alma ruda evocada del fondo de un abismo", es un nuevo gladiador que sereno se enfrenta a Europa, "la vetusta madre".

Dice el poeta:

> ¡Ese es el de la gloria de Ayacucho,
> el que en México un trono vil sepulta,
> el que nos dió de Capotillo el triunfo,
> el que su nombre inmortaliza en Cuba!

Típico de esa nueva raza fué *Juárez,* **a un tiempo mismo defensor de** la tierra nativa y mantenedor de la civilización heredada de Europa. Hombre simbólico, perteneció a la época en que comenzaba en la nación mexicana su proceso de *intelección,* y personifica ese proceso.

Con efecto: en las guerras de independencia, los países de Hispano América atravesaron un verdadero período heroico. En períodos tales, basta el patriotismo para crear los héroes: una sola idea, un sólo anhelo popular, se condensan en un solo esfuerzo y los hombres que lo realizan se lanzan sin titubeo al martirio como Hidalgo y Morelos, sabiendo que su ejemplo ha de ser fructífero.

Pero después, cuando la nueva entidad nacional es dueña de sus destinos, se presentan los graves problemas interiores: el pueblo principia a formar su espíritu cívico, y necesita entonces representativos que sean algo más que patriotas, hombres de inteligencia superior que estimulen el proceso de *intelección,* o sea, de formación de la conciencia nacional, y encaucen la evolución del país, armonizando las fuerzas de progreso y conservación latentes en todo organismo social.

Los hombres representativos de tales épocas son, por lo general, hombres de heroicidades menos brillantes pero no menos efectivas que las de los libertadores de los períodos iniciales. Su labor es, en gran parte, cerebral y no puede ser tan decidida y certera como la del guerrero que lucha por la independencia.

Pero en *Juárez* **coincidieron ambos tipos. Fué a un tiempo legislador** y libertador. Después de haber dotado al país de su constitución liberal, tocóle defenderlo de nueva agresión extraña. Es entonces cuando se levanta a la altura simbólica.

Los organismos nacionales de la América atravesaron, en la séptima década del siglo XIX, el período crítico de su consolidación. Precedió a esa década una serie de cataclismos y devastadoras tiranías en todo el continente hispanizado, a tal extremo, que muchos patriotas llegaron a dudar de la bondad de nuestras democracias independientes, y Europa, con su inextinta sed de expansión y conquista, amenazó refluír de nuevo sobre los antiguos dominios de América. El Perú fué víctima de sanguinario ataque; en Santo Domingo se ensayó una torpe re-anexión a España; y México hubo de ser la nueva presa codiciada. Y entonces resurgió vigorosa la dignidad de la conciencia del "nue-vo indígena"; despertó de nuevo a la epopeya, realizó las heroicas defensas de la costa peruana, arrojó a España de Santo Domingo, cuatro años después de la re-anexión, y en México, enfrentándose a la Europa coaligada, afirmó el prestigio de su derecho y la austera dignidad de su independencia.

Juárez simboliza, por lo tanto, una época de heroísmo consciente, y un esfuerzo de consolidación a la vez que un testimonio de fé en la bondad de la democracia hispano-americana, que a través de caídas y errores se enca-mina hacia la cumbre de una civilización propia y nueva. Al hacer el análisis de su vida, la posteridad, serena y justa, lleva sus actos a la luz de la crítica histórica, y, escogiendo los grandes momentos y los grandes impulsos de esa existencia, lo presenta al pueblo en la altura de las consagraciones inmortales: en esa cima resplandece el héroe, como los *héroes* de Carlyle y los hombres representativos de Emerson, todo símbolo, todo gloria, todo luz...

PEDRO HENRÍQUEZ UREÑA

El 21 de abril se despidió de *El Dictamen* y de Veracruz, según vemos al final de las "Impresiones" de ese día y de la nota "De Viaje" del mismo número de dicho diario:

Una frase de despedida. Al dejar a Veracruz, tras de breve permanencia, llevo memorias que serán perpetuamente sugestivas, como memorias de días cuya influencia puede ser decisiva en una vida y en una carrera. Veracruz ha sido la primera puerta por donde he entrado a admirar a este México que de antaño ansié conocer. Y a los amigos y a la ciudad y a todo, al mismo ambiente —pues todo adquiere vida palpitante a nuestros ojos en ciertos momentos—, digo: ¡Adiós![21]

PEDRO HENRÍQUEZ UREÑA

La nota *De viaje* dice:

El distinguido escritor y caballeroso amigo nuestro, Don Pedro Henríquez Ureña, que durante algunos meses ha compartido con nostros las alegrías y

---

[21] "Impresiones de la semana", *El Dictamen* (21-22 de abril de 1906).

sinsabores de la vida periodística, marchó para la Capital de la República, en donde vá a ocupar un puesto en el *staff* del diario *El Imparcial*.

En un medio de mayor amplitud y de más intensa vida intelectual y artística, el señor Henríquez Ureña encontrará manera de hacer brillar sus dotes de escritor, que tan brillante renombre le han conquistado ya, en la primavera de la vida.

Tales son los vehementes deseos de los buenos amigos que deja en Veracruz el ausente compañero.[22]

II. En la Ciudad de México

El viaje a la ciudad de México, su llegada y las primeras andanzas y amistades que hizo, su ingreso en *El Imparcial* y en *Savia Moderna,* así como sus contactos con los escritores de la *Revista Moderna*, están puntualmente narrados en sus "Memorias", por lo que nos atenemos a su texto:[23]

Llegué a México en la noche del 21 de abril. Había viajado de día, por el Ferrocarril Mexicano, y observé la famosa vía, que no causó el asombro esperado. Obtuve en Veracruz informes para no tener que ir a ningún hotel ni hacer gastos inútiles; y al bajar en la estación, sabía que los tranvías me llevarían al centro; tomé uno de ellos, bajé en la plaza de la Constitución, y de ahí logré encaminarme a una modesta casa de huéspedes cuya dirección traía. Esa misma noche me dirigí solo al Teatro Arbeu, donde se estrenaba *Buena gente* de Rusiñol por la compañía de Francisco Fuentes; quería encontrar allí a personas con quienes había cruzado cartas desde Veracruz, pero nadie supo indicármelas. Al día siguiente, domingo, me dirigí a *El Imparcial;* pero recibí encargo de volver el siguiente día. Decidí, pues, pasearme; anduve a pie hasta la Reforma; fui de nuevo al Teatro Arbeu a ver el *Don Francisco de Quevedo* de Florentino Sanz, y por la noche al Hidalgo a oir *Un baile de máscaras,* con modesta compañía de ópera. Rara vez he sentido tan intensa sensación de felicidad como ese día; si en Veracruz mi mala situación no me había quitado el optimismo, el llegar a México ya en buenas condiciones y sentirme —cosa peculiar— sin lazos con nadie ni más obligaciones que las que habría que imponerme mi trabajo periodístico, me producía un placer lleno de tranquilidad.

---

[22] Su llegada a México fue saludada por *El País*, (24 de abril de 1906) en la siguiente nota:

Viajeros

Desde hace algunos días se encuentra en esta ciudad nuestro estimado amigo señor Don Pedro Henríquez Ureña, ex redactor de la "Revista Crítica" que se edita en Veracruz.

El inteligente periodista, hijo de nuestra hermana la República Dominicana, piensa permanecer algún tiempo en esta capital.

[23] "Memorias", pp. 66-67.

El lunes 23 entré a *El Imparcial,* y en seguida me encomendaron trabajos. Los primeros días estuve a gusto; el trabajo era poco, y las gentes eran amables. Busqué a José Escofet, el joven escritor español que había hablado de mis *Ensayos* y a Carlos González Peña, con quienes hice amistad inmediata; y Escofet me hizo trasladarme a su casa, ofreciéndome que no gastaría más que en la casa de huéspedes donde me instalé la primera noche; así lo hice. Vivía Escofet con su joven esposa, y su suegra, mexicanas ambas; la suegra es mujer bastante perspicaz.

La peculiar sensación de hallarme desligado hasta de amistades cercanas, y el placer que en ello sentía, me indujeron a no buscar relaciones durante un mes. Mi tío Federico, que había estado en México como delegado de Santo Domingo al Congreso Pan-americano en 1901, me dió cartas para D. Quintín Gutiérrez, comerciante español y Cónsul de Santo Domingo, y para D. Telésforo García, español ilustrado que en su juventud había estado en mi país cuando la re-anexión a España; pero mi trato con ellos fue de pura fórmula. De los literatos mexicanos, tenía noticias inciertas y, después lo vi, inexactas; de los jóvenes, me dieron malos informes. Sin embargo, en *El Imparcial* hube de conocer a Carlos Díaz Dufoo y a Luis G. Urbina; y a fines de mayo me decidí a ensayar conocer el círculo de la *Revista Moderna.* Así, un día me dirigí a casa de D. Jesús E. Valenzuela; y de pronto me encontré en medio de la juventud literaria de México. Aquel día estaban allí, junto con Valenzuela y su hijo Emilio, Rafael López, Manuel de la Parra y el yucateco Alvaro Gamboa Ricalde. Valenzuela me recibió muy bien, y muy *sans façon;* me invitó a comer para dos días después, y los literatos jóvenes me invitaron a la nueva revista, fundada por Alfonso Cravioto (entonces en Europa), con el nombre de *Savia Moderna.* Allí estuve al siguiente día; recité y me aplaudieron de manera inesperada; y, en suma, al cabo de diez días, conocía a los principales literatos jóvenes de México: Rafael López, Manuel de la Parra y Roberto Argüelles Bringas, tres poetas que me parecieron desde luego los más originales; Alfonso Reyes, hijo del ex-ministro de la Guerra y candidato a la Presidencia, General Bernardo Reyes; tenía entonces diecisiete años, y llamó la atención en el círculo juvenil su "Oración pastoral"; Ricardo Gómez Robelo, quien me reveló, el primero, a cuánto alcanzaba la ilustración de algunos jóvenes mexicanos, pues me habló, con familiaridad perfecta, de los **griegos,** de Goethe, de Ruskin, de Oscar Wilde, de Whistler, de los pintores impresionistas, de la música alemana, de Schopenhauer . . . ; Antonio Caso, a quien oí un discurso en la velada del centenario de Stuart Mill, discurso que me reveló una extensa cultura filosófica y una *manera* oratoria incorrecta todavía, pero prometedora; el joven dramaturgo José J. Gamboa; los poetas Nemesio García Naranjo, Luis Castillo Ledón, Eduardo Colín, Jesús Villalpando; y otros jóvenes que rondaban por las redacciones de *Revista Moderna* y *Savia Moderna* con aficiones más o menos intelectuales; Rodolfo Nervo; hermano de Amado; Benigno

Valenzuela, Fernando Galván, y los pintores: Gonzalo Argüelles Bringas, Gerardo Murillo, Diego Rivera, Francisco de la Torre, pues *Savia Moderna* acababa de hacer una exposición pictórica no deslucida. También conocí al poeta yucateco Luis Rosado Vega, de paso en la capital, a raíz de la publicación de su libro *Alma y sangre*.

El que actuaba como secretario de *Savia Moderna* José María Sierra, era un pobre joven consumido por el alcohol (vicio adquirido literariamente, tal vez), y como su gestión era ineficaz, se me propuso ocupara yo su plaza. Temía yo provocar enojos y aparecer como solicitador de un puesto ajeno; pero se me aseguró que ya era resolución definitiva quitar de allí al pobre Sierra, y acepté aquel puesto, que sólo me duró tres meses, pues *Savia Moderna* murió poco después. En ese período traté de darle forma según mis ideas; pero la colaboración era escasa y poco importante.

Poco después que a los otros jóvenes escritores conocí a Rubén Valentí, que se ocupaba de filosofía, a Juan Palacios, que había publicado un correcto artículo de crítica, sobre Pereda, en *Savia Moderna*, y a Jesús T. Acevedo, arquitecto que precisamente en esos días obtuvo el premio en el Concurso para Escuelas Normales, y de quien me hizo estupendos elogios Ricardo Gómez Robelo.

Al entrar yo a *Savia Moderna*, acababa de morir Ibsen, y dí la idea de que se hiciera una velada en su honor. Se invitó a Salvador Díaz Mirón para que recitara su oda inédita a Ibsen, pero el poeta veracruzano no contestó, y la velada no se llevó a cabo. Poco después ideamos dar comidas íntimas, cuya idea surgió también de una que dí a los que me eran más conocidos el día de mi cumpleaños, el 29 de junio de ese año;[24] asistieron Gómez Robelo, López, Manuel de la Parra, Emilio Valenzuela, González Peña, Escofet, Castillo Ledón y algunos más; luego dimos una comida, muy concurrida, en el Restaurante de la Paix, en honor de Rafael López, por la poesía que recitó en

[24] Con el título de "Banquete" se insertó en *La Patria*, México (Año XXXIII, No. 8858, 1o. de julio de 1906, p. 2, col. 5) la siguiente crónica:

Antier se efectuó en el restaurant "Sylvain" el banquete con que el distinguido crítico dominicano, Pedro Henríquez Ureña, celebró su día onomástico en unión de sus amigos.

A las nueve de la noche comenzó con el natural regocijo de una fiesta íntima; era aquel un ambiente de arte joven y fuerte.

Se sentaron a la mesa, además del anfitrión, los señores Ricardo Gómez Robelo, José Escofet, Luis Castillo, Emilio Valenzuela, Alberto Oviedo, Manuel de la Parra, Manuel Cortés Alegría, Rafael López, Roberto Argüelles Bringas, Agustín Craviotto y Carlos González Peña. A las doce terminó la simpática fiesta, que tan buenos recuerdos ha dejado tanto por su exquisitez, como por la finura de Henríquez Ureña.

[De paso anotamos que en *La Patria* (domingo 18 de noviembre de 1906, p. 2) se publicó la poesía "La serpentina" de Pedro Henríquez Ureña, al lado de "El cigarro" de Luis Castillo Ledón y otros poetas].

honor de Juárez, el 18 de julio; y otra al mes siguiente, en honor de Ricardo Gómez Robelo, que acababa de publicar su desafortunado libro de versos, y de Abel C. Salazar, otro poeta joven, que regresó de Jalapa con el título de abogado. Pero todo esto terminó al morir *Savia Moderna*.[25]

Pedro Henríquez Ureña trabajó en *El Imparcial* desde el 23 de abril de 1906 hasta fines de mayo de 1907. Hemos revisado minuciosamente dicho diario, y lo primero que hemos encontrado de su firma es del 1º de mayo de 1906: en la página 3 aparece una nota a dos columnas sobre la ópera del Barón Alberto Franchetti, titulada *Germania*, como anticipo a su estreno, con mucho detalle sobre su asunto, la partitura musical, los personajes, etc. La reseña del estreno aparece el 4 de mayo (p. 2, col. 6), muy elogiosa. El 30 de mayo publica un artículo sobre "Henrik Ibsen", a propósito de su muerte. Después de señalar la difusión de Ibsen en el mundo, su éxito, las discusiones que suscitó su obra, concluye:

> . . . todo el teatro de estos últimos años muestra la influencia directora de Ibsen, que también se hace notar, como ya lo ha indicado Rubén Darío, en los "poemas dramáticos en prosa", de D'Annunzio, de Maeterlinck y del portugués Eugenio de Castro.[26]

Varios acontecimientos de importancia ocurren en México por esas calendas. Uno de ellos, la celebración del centenario del filósofo inglés John Stuart Mill, en cuya oportunidad pronunciaron discursos Antonio Caso, Carlos Pereira y Agustín Aragón. Esto ocurría el 19 de mayo de 1906 en el local de la "Sociedad Positivista de México".[27] Otro de los acontecimientos fue la Exposición Independiente de Ar-

---

[25] "Memorias", p. 66.

[26] Pedro Henríquez Ureña publicó en la *Revista Moderna de México* (junio de 1906, p. 18) el siguiente poema titulado "Ibsen":

Astro rojo del Norte lejano
que invencible irradias,
crĕador simbólico:

Voluntad es tu héroe, y ensaya
levantar la magnífica torre,
libertar el oro que en las minas canta,
abrir a la huraña y oscura conciencia
la senda de vida más fuerte y más alta:
si no triunfa, ¡qué importa! flotando
quedará la Idea, su invicto oriflama!

[27] Véase "El centenario de John Stuart Mill", en *El Imparcial* (Tomo XX, No. 3516, 17 de mayo de 1906, p. 1, col. 3) sobre la conferencia de Antonio Caso, y *El Imparcial* (12 de junio), donde aparece la conferencia de Carlos Pereyra.

te Nacional, preparada por los jóvenes redactores de la revista *Savia Moderna,* que estuvo abierta al público del 7 al 15 de mayo. "En la apertura, dice Pedro Henríquez Ureña,[28] que tuvo aspecto de solemnidad, pronunciaron interesantes discursos el poeta José Juan Tablada, el pintor Gerardo Murillo y el escritor Ldo. Ezequiel A. Chávez, Subsecretario de Instrucción Pública y Bellas Artes; en la clausura hablaron los dos últimos y leyó el poeta Rafael López una brillante composición".

Tanto de esta exposición, como de las conferencias sobre Mill, se ocuparon, como es natural, los distintos diarios de México. Pedro Henríquez Ureña resume las actividades desde mediados de abril a mediados de mayo de 1906 en una enjundiosa nota, titulada "México. La vida intelectual y artística", que publicó en *La Discusión,* de Cuba, el domingo 24 de junio de 1906; de la Exposición Independiente de Arte Nacional dice:

La exhibición, que fué casi exclusivamente pictórica, revela en la juventud mexicana gran abundancia de talento artístico y una orientación modernísima.

Los óleos del maestro Germán Gedovius son notables de dibujo y colorido e intensos de sugestión. Sus salas vacías "dan la impresión —al decir de un crítico norteamericano— de que allí va a ocurrir algo... tres horas después". Joaquín Clausell, que es además literato, expuso paisajes, marinas espléndidas y dos estudios de nieve en la cima del Ixtacíhuatl. Diego Rivera presentó una serie de pasteles, entre los cuales, sobresalían "Las lavanderas de un río", de curiosa combinación colorista, y las escenas de Xalapa en la bruma. Atraían la atención, entre los trabajos de Francisco de la Torre, los pequeños apuntes al óleo, de impresionismo casi siempre acertado, y el tríptico simbólico "Los tres besos"; y entre los del joven maestro Jorge Enciso, de la culta Guadalajara, una impresión de noche y una marina crepuscular. El resto de la exhibición lo componían las esculturas de Gabino Zárate y cuadros de Antonio y Alberto Garduño, Rafael Lillo, Sóstenes Ortega, Saturnino Herrán, Jesús Martínez Carrión, y otros muchos jóvenes de cualidades indiscutibles.

En cuanto al homenaje a John Stuart Mill, Pedro Henríquez Ureña comenta los tres discursos, los de Caso, Pereira y Aragón, en los siguientes términos:

El primero, joven alumno de la Escuela de Jurisprudencia, es ya una personalidad intelectual: une a su profundo conocimiento de las ciencias filosóficas y sociales, una palabra brillante y fácil. Su discurso fue una rápida y certera ojeada en la historia de la filosofía y un juicio conciso de la obra y de la significación de Stuart Mill.

[28] "Memorias", p. 68.

El Ldo. Pereira posee el don de la síntesis admirable. Es un espíritu elevado y culto, que contempla la vida bajo el lente positivista, y la encuentra llena
de vigor y belleza. Ama la verdad y la ciencia, y de ellas, a ejemplo del sabio
Ramón y Cajal, extrae poesía, Su discurso presentó en una serie de síntesis
plásticas, la vida y la labor de Stuart Mill.

El trabajo del ingeniero Aragón tuvo especial importancia al historiar
la influencia que en México ha ejercido Stuart Mill, desde que sus obras fueron divulgadas gracias a la enseñanza de Gabino Barreda, maestro de la generación mexicana que hoy toca los lindes de su madurez.

El comentario remata con esta comparación, favorable a México:

En Hispano-América, parecía Chile, antes que México, la nación destinada a conmemorar el centenario del filósofo inglés; pero con el festival reciente, esta república ha probado ser, no sólo la patria de cien poetas, sino también
pueblo de ciencia y de vigor intelectual.[29]

Otro asunto, aunque no precisamente vinculado con México, llamó particularmente la atención del culto cronista de *El Imparcial*. En el número del 17 de mayo
de 1906[30] aparece un artículo de Carlos J. Archevald titulado "Los restos de Colón". Esto dio pie para que Pedro Henríquez Ureña preparara una documentada
reseña histórica de las vicisitudes que siguieron dichos restos y para sostener que
los mismos se encuentran en Santo Domingo. Así lo hace en su artículo titulado
"Los restos de Colón. Famoso error histórico. Datos que comprueban la autentici-
dad de los restos existentes en Santo Domingo".[31]

La principal tarea realizada por Pedro Henríquez Ureña en *El Imparcial* fue la
de cronista teatral y musical. Sin embargo, esas crónicas son algo más que un simple informar, más o menos comedido, o la opinión impresionista que trata de com-
placer al lector. Un ejemplo del carácter excepcionalmente serio del trabajo de
nuestro cronista es el dedicado a la ópera *La leyenda de Rudel*, del mexicano Ricardo Castro.[32] Allí plantea el problema del americanismo artístico, acaso por primera vez en la producción de nuestro autor:

[29] *La Discusión* (domingo 24 de junio de 1906).
[30] "Los restos de Colón", por Carlos J. Archevald, *El Imparcial* (T. XX, No. 3516, 17 de mayo de
1906, p. 6, col. 4).
[31] *El Imparcial* (T. 20, No. 3539, p. 5, cols. 2, 3 y 4).
[32] La crónica sobre la ópera *Germania*, de Alberto Franchetti, aparece en *El Imparcial* (1o. de mayo
de 1906, p. 3, 4, y 4 de mayo, p. 2, col. 6); la dedicada a la ópera *Chopin* de Giacomo Orefice, en *El
Imparcial* (20 de junio de 1906, p. 3, cols. 1 y 2); sobre *La leyenda de Rudel*, firmada por "Un dilettante",
en *El Imparcial* (5 de noviembre de 1906, p. 3, col. 1). Su texto se incluye en *Horas de estudio* (1910).
Véase ahora en *Obra crítica* (México: Fondo de Cultura Económica, 1960, pp. 168-170).

Muchas veces se ha discutido, lo mismo en la América latina que en la sajona, si el arte de este Nuevo Mundo necesita, para adquirir carácter original y propio, inspirarse en la vida, en la historia y hasta en el rudimentario arte de los indígenas.[33] Esta tendencia, que podría llamarse "indigenista", después que determinó la producción de obras poéticas tan admirables como el *Hiawatha* de Longfellow, y el *Tabaré*, de Zorrilla de San Martín, y de obras musicales tan valiosas como *El guaraní* del brasileño Carlos Gomes, va perdiendo terreno cada vez más, a pesar de que todavía se la defiende, con respecto a la música, en los Estados Unidos.

Hemos llegado a la convicción de que la originalidad artística la alcanzaremos con la evolución de nuestra cultura y no mediante procedimientos artificiales, como lo es el que quiere tomar como fuentes principales de nuestro arte la vida primitiva y la tradición lejana de una raza en vías de desaparecer; y lo que nos urge es dominar la técnica que hemos aprendido de los europeos, y desarrollar ideas nuestras, surgidas en nuestro ambiente y de nuestra vida actual.

Luego adelanta, en cierto modo, la tesis que va a exponer, con tanta probidad y resonancia, en su conferencia sobre Juan Ruiz de Alarcón:

Encuentro en Ricardo Castro dos cualidades que, a mi juicio, lo caracterizan psíquicamente como mexicano: la sobriedad y la elegancia, que también distinguen a otros compositores y ejecutantes de este país. La elegancia, a veces exquisita, es la cualidad que más realza las composiciones de Castro para piano; y, si bien suele excederse en esa misma elegancia, es por lo general sobrio en su técnica.

---

[33] Por esa fecha se intensifican en México los intereses indigenistas: Antonio Peñafiel publica, en edición facsímile, los *Cantares mexicanos*, manuscrito de poemas náhuatl existente en la Biblioteca Nacional de México (véase noticia de esta edición en *El Imparcial*, 4 de agosto de 1906, p. 3, col. 4). *El Imparcial* (8 de agosto de 1906) elogia la llegada del arqueólogo Edgar L. Hewet, del Instituto de Arqueología de Washington, que viene a estudiar las antigüedades de México; y en México estaba, desde hacía algún tiempo, el sabio alemán Eduardo Seller, estudioso y editor del *Códice Borgia*. Pedro Henríquez Ureña, en "Desde México" (carta a Federico García Godoy, del 5 de mayo de 1909, publicada en *La Cuna de América*, Año III, No. 124, 6 de junio de 1909, p. 1), a propósito de *Rufinito*, dice:

El *Indigenismo* de los años 70 a 80 no fracasó precisamente por falta de técnica, pues a él se aplicaron casi siempre escritores de primera fila, sino por el escaso interés que despertó, porque la tradición indígena, con ser local, autóctona, no es nuestra verdadera tradición: aquí en México, por ejemplo, el pasado pre-colombino, no obstante su singular riqueza, nunca ha interesado gran cosa sino a los historiadores y arqueólogos, y acaso la primera obra literaria que inspire, digna de tomarse en cuenta, será la prometida colección de "Poemas aztecas", de José Juan Tablada. estudiante de arqueología en los últimos años.

Castro había dado antes *Atzimba,* con personajes indígenas mexicanos. Fue a París y se afilió a la nueva escuela francesa; pero —advierte Pedro Henríquez Ureña— no ha dejado de ser mexicano, como el venezolano Reinaldo Hahn, que "es ya totalmente francés". Señala sus valores como músico descriptivo, y elogia especialmente el bailable del tercer acto, "donde el color local ha sido logrado sin el recargo de los efectos exóticos que hay, por ejemplo, en el *Iris* de Mascagni . . ." El lunar de la ópera lo encuentra en la escena final:

> Anotaré, sin embargo, que, para mí, el lunar de la obra es la escena final. Después del dúo y de la muerte serena de Rudel, la decorativa apoteósis resulta falsa, y hasta el comentario orquestal me parece poco inspirado, monótono, por la repetición del tema de los violines. ¡Cuánto más hermoso habría sido un final íntimo, de intimidad solemne, como el de *Tristán e Isolda,* un himno de amor y muerte cantado por la Condesa, por más que sea terrible afrontar la comparación con el divino "Liebestod" wagneriano!

Antes había dicho: "*La leyenda de Rudel* no me produce impresión de unidad completa" [. . .] "pero si en la obra no hay drama, hay poesía, y éste es su mayor mérito". Y ahora concluye:

> De todos modos, *La leyenda de Rudel* es una labor de gran mérito, digna de éxito mejor aún que el que ha obtenido. Esperemos que la próxima obra de Castro tenga más vastas proporciones y más acción dramática, y que en ella podamos apreciar una manifestación aún más completa de su talento.[34]

Esta fue, si no hemos revisado mal el periódico, la última publicación que Pedro Henríquez Ureña dio para *El Imparcial.* Por lo demás, él mismo nos ha dejado en sus "Memorias" una noticia escueta acerca del tipo de tarea que realizaba en dicho diario, de las dificultades que se le presentaron y de las razones que tuvo para abandonarlo:

> Mientras tanto, mi labor en *El Imparcial* era poco trabajosa; pero mi situación comenzó a ser difícil. Escribía lo que me señalaran, ir a buscar noticias a los Ministerios, hacer reseñas de las Cámaras, escribir trabajos breves de ac-

---

[34] Compárese con el juicio del musicólogo italiano Eduardo Trucco, quien hace un "minucioso y concienzudo análisis "de *La leyenda de Rudel,* en *El Imparcial* (3 de noviembre de 1906, p. 3, cols. 1 y 2). En las "Memorias" hay abundantes referencias y juicios sobre conciertos y ópera (pp. 70-71 y otras). Cuando Nemesio García Naranjo lo llamó a colaborar en *La Tribuna* (que se empezó a publicar en octubre de 1912), Pedro Henríquez Ureña tuvo a su cargo las reseñas de la Compañía de ópera que visitó México y escribió, de propósito, un trabajo titulado "La ópera y la protección oficial", que se publicó en el número del 14 de noviembre de 1912 con la firma de L.G. El estudio comprende 10 páginas terminadas a máquina y será publicado en un artículo mío sobre Pedro Henríquez Ureña y la ópera.

tualidad, hacer crónicas de teatro. En esto último tuve bastante que hacer, con la Compañía dramática de Fuentes y la ópera de Lambardi (compañía menos que mediana), que estuvo primero en el Teatro Hidalgo y luego en el Orrin, y que estrenó la *Germania* de Franchetti y el desacato intitulado *Chopin* de Orefice. Hubo luego conciertos entre sinfónicos y populares en el Teatro Arbeu, con la Orquesta del Conservatorio dirigida por el maestro Meneses; se ejecutó la *Quinta Sinfonía* de Beethoven y varios trozos de Wagner; pero yo preferí desde luego la batuta de Julián Carrillo, a quien ví dirigir una de las Oberturas de *Leonora*, de Beethoven, y la de *Der Freyschutz*, en el concierto de presentación de la joven pianista Ana María Charles, discípula del maestro mexicano Luis Moctezuma. Las crónicas de estos conciertos las compartía conmigo Angel del Campo ("Micros" y "Tick-Tack"), el costumbrista, en quien ví una extensa cultura literaria y artística que lo mismo abarcaba lo sajón que lo latino. (Por entonces también conocí a Tablada, a quien tenía desconfianza por lo que de él me contaban; pero lo cierto es que mi amistad con él no me ha producido nunca molestia). Pero hacia octubre llegó al Arbeu una compañía de ópera en la cual figuraban Demarchi a quien había oído en el Metropolitan, la contralto Virginia Guerrini, el barítono Magini-Coletti, el joven tenor Pintucci, la soprano Giuseppina Piccoletti, y la joven mezzo-soprano Teresina Ferraris. Esta compañía dió un repertorio muy aceptable: *Aida, Rigoletto, Los Hugonotes, Carmen, Bohemia, Tosca, Payasos, Germania, Lohengrin, Sansón y Dalila* de Saint-Saens, *Werther* de Massenet, *La condenación de Fausto* de Berlioz (espléndidamente montada), y *La leyenda de Rudel,* del compositor mexicano Ricardo Castro, recién regresado de Europa. (Sobre ésta escribí un artículo que publiqué en *El Imparcial* firmado "Un dilettante"). Coincidió esta compañía con la de la soprano española María Barrientos, que fue vencida en la lucha, pues el público de México declaró preferir la música contemporánea a la italiana de antes de 1850: la Barrientos cantó *Barbero de Sevilla, Sonámbula, Los Puritanos, Lucía, Don Pasquale,* la *Dinorah* de Meyerbeer, *Rigoletto.*

Precisamente las crónicas de estas funciones fueron el origen de mis dificultades. Rafael Reyes Spíndola, el director de *El Imparcial,* a quien no conocí sino meses después de trabajar en su periódico, tomaba a pecho la cuestión teatral; y tuvo cierto enojo porque no expresé en una de mis crónicas una opinión que él quiso sugerirme, pero que yo no había entendido; esto aparte de que tiene por norma desconfiar de sus empleados, excepto de aquéllos a quienes salva un trato de largos años o una preferencia personal. Estuve a punto de salir de *El Imparcial,* aunque sin saber qué debería hacer; pero permanecí allí gracias a los buenos oficios del Dr. Lara Pardo, si bien con la eterna dificultad presente. Mi trabajo aumentó; llegó a hacerse durísimo: tuve a mi cargo la traducción de noticias del *Mexican Herald,* que se entregaban a *El Imparcial* en pruebas de imprenta, en inglés, y había que estar traduciéndolas

hasta las 2 de la mañana; y a pesar de ello, todavía se me encargaban noticias
que había que obtener muchas veces antes de mediodía. Por último, se instaló una sección de traducciones, para llenar grandes páginas dominicales y algunas diarias; y a ella pasé con Miguel Ordorica, joven ex-militar muy sincero
y entusiasta, con quien hice bastante buena amistad.

Como a poco de establecerme en México, mi situación pareció hacerse
buena, sobre todo en punto de relaciones literarias (al grado de que Carricarte
—quien llegó a México poco después que yo, queriendo establecerse, lo que
no logró, y cuya amistad esquivé prudentemente—, concibiera odios contra
mí), mi padre había quedado satisfecho, y luego Max se empeñó en pasar a
México. Cuando esto intentó, ya no estaba yo en el caso de hacerme ilusiones
sobre mi situación, y así le escribí; pero él rompió con *La Discusión*, el diario
habanero donde trabajaba, fue a Santo Domingo, donde presentó un examen
final de bachillerato que había dejado pendiente, regresó a la Habana, y se
empeñó en venir a México.

Por fortuna, en México se acababa de fundar *El Diario*, empresa semi-
extranjera; el director era el diputado Juan Sánchez Azcona. Dije a Max que
viniera, y al llegar logró entrar a la redacción de *El Diario,* en situación mucho
mejor que la mía en *El Imparcial.* [. . .]

Max llegó a México en febrero de 1907; y tomamos una casa, en unión
de Luis Castillo Ledón y de su hermano Ignacio, en la séptima calle de Soto,
en la colonia Guerrero. Su posición en *El Diario* llegó a parecer brillante; y
Sánchez Azcona me hizo también a mí proposiciones para que pasara a aquel
periódico. Vacilé un poco, porque *El Diario* era entonces enemigo acérrimo
de *El Imparcial,* pero la oferta de Sánchez Azcona me presentaba condiciones muy superiores, y a la verdad, yo nada debía a *El Imparcial* sino disgustos
y exceso de trabajo y mala retribución. Declaré el caso a Reyes Spíndola, quien
desde entonces ordenó que mi nombre no se mencionara nunca en su periódico (su disgusto no fué pequeño: aunque al hablar conmigo estuvo muy sereno en apariencia, después dijo que yo lo había *insultado*); para colmo, el Dr.
Lara Pardo había salido ya de aquella redacción; y pasé a *El Diario,* pero
con la intención, que cumplí, de no escribir en contra de *El Imparcial;* hice
el cambio a fines de mayo.[35]

A los efectos de seguir un orden cronológico más o menos orgánico de los sucesos que se refieren a la vida de nuestro autor, antes de pasar a registrar su actuación
en *El Diario,* veamos sus relaciones con la revista *Savia Moderna.*

De *Savia Moderna,* revista mensual de arte dirigida por Alfonso Cravioto y Luis
Castillo [Ledón], sólo se publicaron cinco números, de marzo a julio de 1906.[36]. Pe-

[35] "Memorias", pp. 70-74.
[36] Sobre *Savia Moderna* véase Francisco Monterde, *"Savia Moderna. . .",* en *Las revistas literarias*

dro Henríquez Ureña figura en la lista de "Redactores" desde el número 3, de mayo de 1906, y como Secretario de Redacción desde el número 4, en reemplazo de José María Sierra, En el número 4 (junio de 1906, pp. 252-258), con la firma de sus iniciales P.H.U., se publican sus primeros comentarios titulados "Teatros. Los conciertos. La ópera". En la sección "Teatros" comenta la actuación de la Compañía de Fuentes en el Teatro Arbeu. Dos obras: la *réprise* de *Cyrano de Bergerac* y el estreno de *La divina palabra*, drama de Linares Astray. Dice Pedro Henríquez Ureña:

> Los actores de la Compañía Fuentes, educados en la escuela realista y excelentes en la interpretación de la moderna comedia española, no tienen la preparación necesaria para interpretar los dramas románticos e ignoran el arte de decir el verso [. . .] Faltando estas cualidades a los actores principales de la Compañía Fuentes, su interpretación de *Cyrano* hubo de resultar menos que mediana (p. 252).

Con respecto a *La divina palabra* de Linares Astray, "por el contrario, la Compañía estuvo excelente" (p. 253).

Luego comenta la actuación de la Compañía de Virginia Fábregas, en el teatro Renacimiento. De las varias obras que comenta, destacamos, por su valor mexicano, *Cuauhtémoc*, "melodrama histórico del escritor mexicano Sr. Tomás Domínguez Illanes". El comentario es el siguiente:

> En cuanto a *Cuauhtémoc*, cuyo éxito parece destinado a hacer época en la historia del teatro mexicano, debe decirse la verdad. Este éxito, que no ha sido consagrado por la aprobación del verdadero público intelectual de México, depende exclusivamente de la significación patriótica que quiere darse a la obra.
>
> Esta, en realidad, no es un drama, pues su estructura es melodramática, ni menos es historia, porque ésta aparece allí totalmente falseada. Y para este procedimiento no vale alegato alguno, puesto que, como indica Menéndez y Pelayo, Shakespeare no tuvo necesidad de alterar la historia para hacer de sus tragedias romanas e inglesas los más altos monumentos del teatro histórico.
>
> Los personajes de *Cuauhtémoc* hablan un lenguaje totalmente inadecuado: los indígenas, amén de blasonar de sentimientos e ideas de europeos, saben del Cid y llaman a Cortés "extremeño". De esta obra, en suma, sólo pue-

de México (México: Instituto Nacional de Bellas Artes. Departamento de Literatura. Primera serie, 1963, pp. 111 y ss.). También: Alfonso Reyes, *Pasado inmediato y otros ensayos* (El Colegio de México, 1941, pp. 39-49). Rafael López, en un artículo titulado "Alfonso Reyes", aparecido en *El Mundo Ilustrado*, México (agosto de 1913), hace la crónica de *Savia Moderna*, elogia al secretario, Ricardo Gómez Robelo, y luego da este juicio de Pedro Henríquez Ureña: "Pedro Enriquez [*sic*] Ureña, el más erudito de la casa, le confundió [a Robelo] probablemente con el único superviviente de las Termópilas".

de citarse, entre un cúmulo de versos más o menos bien hechos, algunos verdaderamente sonoros y enérgicos. La interpretación, por la Compañía
Fábregas, no puede salvar la obra (pp. 253-4).

En el teatro Hidalgo fue a ver *Los rígidos* de José Echegaray, por la Compañía
del primer actor Antonio Gale. El drama de Echegaray, en verso, "muestra todos
los defectos y casi ninguna de las mejores cualidades de su autor" (p. 254). Termina
el comentario diciendo que, por suerte, también se dieron "sainetes, entremeses
y comedias de los brillantes humoristas y humanos poetas sevillanos, los Quinteros:
Las casas de cartón, Los piropos, Los chorros del oro, La pena y *El nido*" (*Ibid*).

En cuanto a "Los conciertos", comenta los dirigidos por el maestro Julián Carrillo, con la actuación de la joven pianista Ana María Charles y Sánchez, "discípula del distinguido profesor Luis Moctezuma", y los que dirigió Carlos J. Meneses.
El programa de la velada del día 8, o sea la inicial de la temporada, "fue selectísimo,
sobrio, irreprochable"; dirigidos por Carrillo, a quien Pedro Henríquez Ureña prefiere por ser un "verdadero maestro de la batuta". Dice:

> Domina admirablemente la orquesta y, gracias a su largo y religioso estu-
> dio de las grandes obras, dirige sin partitura, como los maestros eminentes.
> Su batuta es clásica, sobria; huye de las sonoridades estrepitosas y logra pro-
> ducir efectos de alta y serena poesía, que por momentos hacen recordar el
> estilo del "olímpico" Weingartner (p. 255).

De la señorita Charles y Sánchez comenta:

> La señorita Charles y Sánchez triunfó desde el primer número. En las pie-
> zas de Chopin demostró poseer una ejecución nítida, brillante, un discreto
> manejo de los pedales, y una expresión delicada que parece contener en gér-
> men las altas cualidades de pasión y sensibilidad propias de los artistas "perso-
> nales". En "La Campanella" puso en mayor relieve aún su brillantez, y, por
> último, en el magno *Concierto* de Grieg reveló fuerza y amplitud (p. 55).

La parte correspondiente a "La ópera" está dedicada a comentar la actuación
de la Compañía Lambardi, que dio en el Teatro-Circo-Orrin, *La favorita, Carmen,
Germania* de Franchetti y *Chopin*. de Orefice. La mayor parte del comentario está
dedicado a *Chopin*. Sobre la interpretación dice al final:

> De la intepretación, poco hay que decir, excepto la dirección del maestro
> Guerrieri, hábil y brillante. Entre los cantantes, puede mencionarse a las so-
> pranos Giorgi y Soragna, quienes dijeron sus *particelle* con bastante delicade-
> za (p. 258).

En el número 5 de *Savia Moderna* (julio de 1906, pp. 300-305), bajo el título general de "Vida intelectual y artística", cuyos comentarios, "revista de libros y periódicos", comparte con J. V. [¿Jesús Villalpando?], aparecen, firmados por P.H.U., los siguientes títulos: "La influencia de Nietzsche" (pp. 300-303), "Anton Bruckner" (300), "Richard Strauss" (303-304), "La melodía" (304-396) y "El modernismo español" (306-307). Por no tener relación con México, prescindimos de todo comentario. En las páginas 316-319, bajo el título de "Conciertos", se comenta, sin firma (no sabemos si es de Pedro Henríquez Ureña) la actuación de Carlos J. Meneses en la interpretación de la *Quinta Sinfonía* de Beethoven, *Der Freyschütz* de Weber y varias obras de Wagner. Aquí se afirma que Meneses dio una "excelente interpretación de la *Quinta Sinfonía*. Pero todo el elogio lo reserva para la interpretación del *Concierto* de Wieniawski hecha por Julián Carrillo, y para el *Concierto* de piano de Tschaikowski, hecha por Ogazón, quien "posee una técnica admirable, precisa y nítida, y una no menos admirable sobriedad en los efectos y en la expresión" (p. 317). Al final (p. 318) elogia al compositor mexicano Ricardo Castro, "fino talento":

> Es un temperamento de sentimentalidad delicada, que pocas veces llega a las profundidades de la pasión pero con frecuencia alcanza la exquisitez. Ama las formas de expresión sencillas y elegantes, quizás un tanto superficiales, y por su estilo pertenece a la escuela francesa (p. 318).

> En suma, Ricardo Castro es un artista distinguido que puede ocupar un puesto estimable en la escuela francesa y que honra, con su ya extensa y valiosa labor, a la América artística (p. 314).

III. El caso de la *Revista Azul*

A fines de marzo de 1907 Pedro Henríquez Ureña ingresó en *El Diario*, dirigido por Juan Sánchez Azcona, actuando como Subdirector Rafael de Zayas. Permaneció en este diario hasta mediados de julio del mismo año; la labor realizada no fue muy diferente de la que tuvo a su cargo en *El Imparcial*, acaso menos, salvo la publicación de algún artículo, como el dedicado a "Las *Poesías* de Unamuno".[37] Cons-

---

[37] "Las *Poesías* de Unamuno", por Pedro Henríquez Ureña, *El Diario de la Tarde*, México (Vol. III, No. 227, 5 de junio de 1907, p. 3, cols. 4 y 5), reproducido en la *Revista Moderna de México* (Vol. VIII, No. 4, junio de 1907, pp. 231-232). No es un artículo elogioso para Unamuno, y en general, tiende a negarle su facultad poética:

> Como obra de un espíritu selecto, y a pesar de la multitud de empeños irrealizables que en ellas se descubren, las *Poesías* de Unamuno, al fin, ofrecen muy de tarde en tarde ideas poéticas, expresadas discretamente en dos, en cuatro versos, siempre en fragmentos brevísimos; pero la preocupación de la espontaneidad y de la sencillez las funden en contínuo (aun a las traducciones

tituyó, simplemente, un *modus vivendi,* que se fue empeorando y que debió ser reemplazado por un empleo en una casa de comercio, como veremos más adelante. Pero otros acontecimientos de índole cultural colmaron de satisfacción estos momentos de entusiasmos juveniles, a tal punto, que Pedro Henríquez Ureña no deja de consignar en sus "Memorias" que "fue aquélla una hermosa época de actividad juvenil en México". Esta "hermosa época" fue llenada por sucesos tan notables como el famoso incidente que trató de prolongar la *Revista Azul* de Manuel Gutiérrez Nájera, la histórica serie de la "Sociedad de Conferencias" y la nueva vida que se inyectó a la *Revista Moderna,* desde 1907, denominada *Revista Moderna de México.*[38] Algazaras, manifestaciones públicas, conciertos y conferencias, tertulias privadas, visitas de poetas, banquetes y otros "eventos" sociales, literarios y artísticos colmaron, durante varios meses, las aspiraciones tanto de Pedro como de su hermano Max.

Empecemos por los sucesos que denominaremos de la *Revista Azul.*[39] Existía, desde antes, una sociedad literaria denominada "Manuel Gutiérrez Nájera". Según *El Imparcial* del 4 de junio de 1906 (p. 4, col. 7), por esa fecha quedaba elegida la nueva Mesa Directiva de la mencionada sociedad, con Manuel Murguía como presidente. Ninguno de los miembros dirigentes de la revista *Savia Moderna* fue llamado a formar parte en la Mesa Directiva de dicha sociedad. Tampoco fueron llamados los escritores que se reunieron en torno a la *Revista Moderna.* Por el contrario, Alfonso Cravioto, Ricardo Gómez Robelo, Rafael López, Roberto Argüelles Bringas, Jesús E. Valenzuela, etc., considerados por Pedro Henríquez Ureña como lo mejor de la poesía y de la prosa del momento, fueron públicamente los opositores de la Sociedad Literaria "Manuel Gutiérrez Nájera". Se explica, pues, la resonancia que tuvo el incidente provocado por Manuel Caballero al dar a su semanario *Revista Azul* el carácter de una continuación de la famosa *Revista Azul* del Duque Job.

Los hechos ocurrieron del siguiente modo, según las noticias de los periódicos que hemos consultado: *El País* (católico), *El Imparcial* (oficialista), *El Diario* (cuyos

---

de poetas de tan gallarda forma como Leopardi, Coleridge, Carducci) en la "ramplonería" que su autor profesa detestar.

En la *Revista Moderna de México* (Vol. IX, No. 1, septiembre de 1907, pp. 62-63), R. L. [¿Rafael López?] toma pie en el artículo de Pedro Henríquez Ureña para afirmar que Unamuno no es poeta, sino "un pensador constante". De la misma opinión parece ser todo el grupo de los poetas de la *Revista Moderna de México,* según consta en lo dicho por su director, Jesús E. Valenzuela en "Mis recuerdos", XX (*Excélsior,* 4 de febrero de 1946, p. 4).

[38] Sobre la *Revista Moderna* véase Porfirio Martínez Peñaloza, "La *Revista Moderna,* en *Las revistas literarias de México* (*op. cit.,* pp. 81-110) y Alfonso Reyes, *Pasado inmediato . . .* (*op. cit.,* pp. 36-39).

[39] Sobre la *Revista Azul* de Manuel Caballero y los sucesos que engendró, véase Francisco González Guerrero, "Cincuentenario de una rebelión literaria. Un personaje balzaciano", en *Metáfora* (No. 13, marzo-abril de 1957, pp. 3-10) y Boyd Carter, en *Las revistas literarias de México* (*op. cit.,* pp. 76-77).

redactores eran los hermanos Henríquez Ureña, entre otros del grupo), y la *Revista Moderna de México*, dirigida por el poeta Jesús E. Valenzuela.

Al aparecer el semanario *Revista Azul*, a comienzos de 1907, el grupo antes mencionado publicó un volante de protesta, que lleva fecha de 7 de abril de 1907 y que reza así:

Protesta literaria

Nosotros, los que firmamos al calce, mayoría de hecho y por derecho, del núcleo de la juventud intelectual, y con toda la energía de que somos capaces, protestamos públicamente contra la obra de irreverencia y falsedad que en nombre del excelso poeta Manuel Gutiérrez Nájera, se está cometiendo con la publicación de un papel que se titula "Revista Azul", y que ha emprendido un anciano reportero carente de toda autoridad y todo prestigio, quien dice venir a continuar la obra de aquel gran poeta y a redimir la literatura nacional de quien sabe qué males, que solo existen en su imaginación caduca.

Protestamos de semejante desacato, porque el referido sujeto no sólo no es capaz de continuar la obra del "Duque Job" sino ni siquiera de entenderla; protestamos porque esa obra tuvo y sigue teniendo brillantes continuadores reconocidos y juzgados; protestamos porque el Duque Job fué justamente el primer revolucionario en arte, entre nosotros, el quebrantador del yugo pseudoclásico, el fundador de un arte más amplio; y el anciano reportero pretende hacer todo lo contrario, esto es, momificar nuestra literatura, lo que equivale a hacer retrógrada la tarea de Gutiérrez Nájera, y lo que es peor, a insultarlo y calumniarlo dentro de su propia casa, atribuyéndole ideas que jamás tuvo, en un periódico que ostenta el nombre de el que él fundó para llevar a cabo la redención de nuestras letras; protestamos porque el director de la "Revista Azul" para realizar sus fines ha mancillado nombres de escritores respetables, haciéndolos cómplices de su obra, sin que hayan dado su consentimiento; protestamos en fin contra la conducta al parecer inconsciente del señor Carlos Díaz Dufoo, quien ha cedido la propiedad de la primitiva "Revista Azul" para que ésta sea mancillada en el mercado.

No protestamos contra el nombre del periódico, que poco o nada significa, sino en contra de las falsedades que en él se sostienen a nombre de Manuel Gutiérrez Nájera, y contra la obra de retroceso que se quiere emprender. En buena hora que cualquier viejo funde revistas con el nombre de "azul" o de otro color y que declare la guerra a molinos de viento y a fantasmas imaginarios; pero que no venga llamándose depurador del arte, continuador del Duque y guía de la juventud.

Y aquí es oportuno declarar a manera de credo, que nosotros no defendemos el modernismo como escuela, puesto que a estas horas ya ha pasado, dejando todo lo bueno que debía dejar, y ya ocupa el lugar que le corresponde en la historia de la literatura contemporánea; lo defendemos como principio de libertad, de universalidad, de eclecticismo, de odio a la vulgaridad y a la rutina. Somos modernistas, sí, pero en la amplia acepción de este vocablo, esto es: constantes evolucionarios, enemigos del estancamiento, amantes de todo lo bello, viejo o nuevo, y en una palabra, hijos de nuestra época y de nuestro siglo.

Un mismo ideal nos une, somos jóvenes y fuertes y nutrimos nuestro cerebro en todas las ramas del arte, para ser verdaderamente cultos.

No creemos, como otras generaciones mexicanas, talentosas y brillantes, pero sin ideal definido, que la literatura fracasará con nosotros; y que si morimos, el culto de la grande, de la eterna Belleza, morirá con nosotros.

Pisamos un terreno que no es exclusivo patrimonio de nadie; un campo que es del que lo tome por asalto, sin pedir permiso a nadie; del que lucha y se bate mejor y con más fuerzas; del que golpea más duro.

¡Momias, a vuestros sepulcros! ¡Abrid el paso! ¡Vamos hacia el porvenir!

México, Abril 7 de 1907.

[Firmado] Luis Castillo Ledón.— Ricardo Gómez Robelo.— Alfonso Cravioto.— Jesús Acevedo.— Rafael López.— Manuel de la Parra.— José Joaquín Gamboa.— Alfonso Reyes.— Emilio Valenzuela.— Nemesio García Naranjo.— Jesús Villalpando.— Max Henríquez Ureña.— Rubén Valenti.— Abel C. Salazar.— Alfonso Teja Zabre.— José Pomar.— Roberto Argüelles Bringas.— Manuel Gamio.— Gonzalo Argüelles Bringas.— Francisco de la Torre.— Alvaro Pruneda.— José de J. Núñez y Domínguez.— Miguel A. Velázquez.— Pedro Henríquez Ureña.— Raúl A. Esteva.— Carlos González Peña.— Gonzalo de la Parra.— Crisóforo Ibañez.— Álvaro Gamboa Ricalde.— José Velasco.— Salvador Escudero.— José M. Sierra.— Benigno Valenzuela.

Se suplica la reproducción con los comentarios que parezcan oportunos.

De inmediato "la juventud literaria" de la ciudad de México se dispuso a organizar una manifestación en honor del poeta agraviado. *El Diario* del 18 de abril de 1907 (p. 2, cols. 6 y 7), acaso por la intervención de Máx Henríquez Ureña, publicó la extensa nota que reproducimos a continuación:

En Honor de Gutiérrez Nájera

La juventud literaria de la capital hizo ayer una manifestación pública en honor del poeta Manuel Gutiérrez Nájera. Es la primera vez en México, que un numeroso grupo de jóvenes, honra la memoria de uno de los más altos poetas mexicanos, en son de protesta en contra de un intruso. Entre los manifestantes se veían literatos, artistas y estudiantes congregados desde las tres y media de la tarde, en el Jardín de la Corregidora.

A las cuatro de la tarde se organizó el desfile, encabezándolo la Banda de Zapadores; después seguía un artístico trofeo Romano enguirnaldado de flores con una inscripción: "Arte Libre". Tras él iban los jóvenes que presidían encabezados por los señores Alfonso Cravioto, Rafael López, Roberto Argüelles y Arquitecto Jesús Acevedo; a continuación, seguían la manifestación cerca de cuatrocientos estudiantes de las Escuelas de Jurisprudencia, Minería, Medicina, Conservatorio, Bellas Artes y Preparatoria. Después una gran masa del pueblo y a los lados un piquete de gendarmes montados.

La comitiva recorrió las calles de la Encarnación, San Ildefonso, San Pedro y San Pablo, Monte Alegre, primera del Reloj, Seminario, frente de Catedral, calles de Plateros y San Francisco, Santa Isabel y Mariscala y penetró en la Alameda.

Allí, ante numeroso público, en el kiosko central, principió el acto. Después de una pieza de música el poeta Rafael López leyó una hermosa poesía; otra pieza de música y el joven Máx Henríquez Ureña, recitó una brillante arenga; el poeta Jesús E. Valenzuela no pudo asistir a la manifestación por encontrarse enfermo y remitió un inspirado soneto, que leyó Alfonso Cravioto.

Para terminar habló Ricardo Gómez Robelo, breve y valientemente, siendo tan aplaudido como sus demás compañeros. Cuando ya estaba para disolverse la manifestación, se hizo el reparto de una hoja impresa. Todo fué verla y los estudiantes de Jurisprudencia, Preparatoria y otras Escuelas se arrojaron sobre el repartidor e hicieron un auto de fe con la mencionada hoja, que zahería la memoria de Gutiérrez Nájera.

Muy entusiasta fué la velada que en honor del Duque Job, efectuóse anoche en el Teatro Arbeu. Los números musicales y literarios fueron ruidosamente aplaudidos. El teatro estaba lleno por una concurrencia formada en su mayor parte por la juventud intelectual mexicana. Momentos después de las nueve empezó la velada. En el lugar de honor tomaron asiento los señores Luis G. Urbina y Jesús Urueta y a sus lados algunos de los jóvenes literatos y artistas que presidieron la manifestación de la tarde.

La señora Matilde Muñoz Marquete tocó el "Estudio" op. 10 No. 3 de Chopin. Don Luis G. Urbina leyó a continuación el "Pax animae" de Manuel Gutiérrez Nájera, y el cantor ciego, Sr. Fernando Rodríguez, con su hermosa voz de barítono, cantó el "Nemico della Patria" de la ópera *Andrea Chenier,* de Giordano. Con este número se cerró la primera parte.

La señorita Marquete volvió al piano y ejecutó el vals "Capricho" de Strauss-Taussig.

El señor Roberto Argüelles Bringas, leyó unos bellísimos versos, la señorita Elena Marín, cantó el aria de la *Tosca* de Puccini, y con acompañamiento de violín una elegía de Massenet. Varias veces fué llamada a la escena a recibir aplausos.

Después, el Sr. Urueta, avanzó hacia el proscenio y con esa manera inimitable de decir, que le es peculiar, repitió el bello elogio a Gutiérrez Nájera, que recitara en la primera velada que dió la *Revista Moderna* en honor del poeta muerto. Solamente, como un incidente de la peroración, tuvo un despectivo período para los que han pretendido mancillar la memoria del Duque Job.

Fué ovacionado y no dejó de serlo, hasta que abandonó el teatro.

Los distintos periódicos capitalinos comentaron de diversa manera esta manifestación.[40] Debido a la contradicción en las interpretaciones de lo ocurrido, la *Revista Moderna de México* (abril de 1907, p. 83), con el título de "La *Revista Azul*", dio una información suscinta de los hechos, que amplió, bajó el título de "La muerte de la *Revista Azul*", en el número de junio de 1907 (pp. 239-303). Max Henríquez Ureña también publicó, con el mismo título de "La muerte de la *Revista Azul*", en las columnas de *El Diario* (junio 16 de 1907, p. 6, cols. 3, 4 y 5) una historia detallada de todo lo sucedido desde la manifestación pública de la noche del 17 de abril hasta esa fecha, en que la *Revista Azul* desaparece.[41] También Pedro Henríquez Ureña da su propia "historia" e interpretación en "Crónica de la manifestación en memoria del Duque Job", que envió al *Listín Diario*, de Santo Domingo. Preferimos, no obstante, la síntesis que da en sus "Memorias":

> Un periodista viejo, con pretensiones de crítico y poeta, Manuel Caballero, lanzó al público una *Revista Azul*, muy mal escrita y con un programa en que se atacaba a los escritores *modernistas*, pretendiendo así continuar la *Revista Azul* que dirigió Gutiérrez Nájera: la iniciadora, en México, del movi-

---

[40] *El País* (17 de abril de 1907, p. 2, col. 3), con el título de "En honor de Gutiérrez Nájera", comenta:

> Los estudiantes de los principales planteles preparatorios y profesionales de la capital harán una manifestación por la tarde de ese día en la Alameda y pronunciarán discursos aventajados jóvenes de las escuelas Preparatoria y de Jurisprudencia: se anuncian como oradores Alfonso Reyes, Luis G. Urbina y J. J. Tablada. [Promete crónica para números siguientes, que no aparecen].

En *El diario del hogar*, dirigido por Filomeno Mata, no se hace mención alguna de los hechos. *El Imparcial* (18 de abril de 1907, p. 2, col. 2) publica: "Manifestación de estudiantes"; se dice allí que Max Henríquez Ureña pronunció un "espléndido discurso, que fué interrumpido por los aplausos y causó impresión agradable por su elegancia, sensación y elevado criterio". En cambio, Ricardo Gómez Robelo, "en una peroración vehemente y huera, resultó en desacuerdo con las opiniones del señor Henríquez Ureña . . ."

[41] La nota salió con errores y Max la hizo reproducir, correctamente, en la edición del 17 de junio, p. 2, cols. 6 y 7.

miento *modernista*. La juventud se indignó, y organizó un acto de protesta: el 17 de abril, en la tarde, se hizo una procesión desde el Jardín de la Corregidora Domínguez hasta la Alameda Juárez; como insignia se llevaba un estandarte con el lema "Arte libre", y nos acompañaba la banda de un regimiento tocando marchas. Al llegar a la Alameda Juárez, dijo una poesía Rafael López, un discurso Max, otro Ricardo Gómez Robelo, y leyó un soneto de D. Jesús E. Valenzuela, Alfonso Cravioto, que ya había regresado de Europa. La procesión fue seguida por una gran multitud estudiantil que vitoreó los discursos. En la noche, se dio una velada en el Teatro Arbeu. Iba a hablar Urueta, y la excitación por oirle era grande. Así es que la música que se ejecutó fue oida sin mucha atención; ni tampoco se pararon largas mientes en el *"Pax Animae"* de Gutiérrez Nájera, leido por Luis Urbina, ni en los versos escritos para la ocasión por Roberto Argüelles Bringas. Al aparecer en escena Elena Marín, la soprano mexicana (a quien precisamente había atacado Manuel Caballero), radiante de elegancia, hubo un breve suspenso; la soprano cantó con entusiasmo, y con entusiasmo se le aplaudió. Y llegó entonces, por fin, Urueta: no dijo un nuevo discurso, sino que repitió uno pronunciado en honor de Gutiérrez Nájera años atrás; pero rara vez habrá *dicho* Urueta tan magistralmente. Las ovaciones a cada párrafo hacían estremecer el teatro, lleno de juventud revolucionaria. Por fin, cuando intercaló una frase de desdén para Caballero, aquello alcanzó proporciones de estrépito. Al día siguiente, *El Imparcial* habló entre mal y bien del acto; elogió mucho a Max, y pidió su discurso; para publicarlo, pero Max, lo negó, alegando no estar conforme con los ataques hechos a nuestros compañeros: otro detalle que enconó el rencor de Reyes Spíndola.[42]

IV. La Sociedad de Conferencias

Inmediatamente después de los sucesos que acabamos de narrar el arquitecto Jesús T. Acevedo propuso que se realizara una serie de conferencias, las que fueron aceptadas por el grupo y se llevaron a cabo en el Casino de Santa María, entre el 29 de mayo y el 14 de agosto de 1907. *El Diario* del 28 de mayo de 1907 (p. 5, col. 6) publicó, con favorables comentarios, el programa general de dicha serie, con el texto *"Sociedad de Conferencias"*, que sigue:

Hemos recibido una atenta invitación de la "Sociedad de Conferencias", para la primera serie de seis conferencias-conciertos que se celebrarán en el Casino de Santa María cada dos miércoles. La serie está constituída del siguiente modo:

---

[42] "Memorias", pp. 74-75.

Primera conferencia, miércoles 29 de mayo.— "La obra pictórica de Eugéne Carriére", por Alfonso Cravioto.— "Scherzo" número 2 de Chopin ejecutado al piano por Max Henríquez Ureña.— "La Dolora de Campoamor", poesía inédita, Nemesio García Naranjo, recitada por su autor.

Segunda conferencia, miércoles 12 de junio.— "La influencia de Nietzsche en el pensamiento moderno", por Antonio Caso.— Número musical.- Poesía, por Rafael López.

Tercera conferencia, miércoles 26 de junio.— "Un clásico del siglo XX", por Pedro Henríquez Ureña. Número musical.— Recitación de una poesía inédita de Luis Castillo Ledón, por la señorita Sofía Camacho.

Cuarta conferencia, miércoles 10 de julio.— "La evolución de la Crítica Literaria", por Rubén Valenti.— Número musical.— Poesía, por Roberto Argüelles Bringas.

Quinta conferencia, miércoles 24 de julio.— Poesía, por Abel C. Salazar.— "El porvenir de nuestra arquitectura", por Jesús Acevedo.— Número musical.— Poesía, por Eduardo Colín.

Sexta conferencia, miércoles 7 de agosto.— Recitación, por la señora Guadalupe Vivanco de Uhtoff.— "La obra de Edgar Poe", por Ricardo Gómez Robelo.— Número musical.— Poesía, por Alfonso Reyes.

Tendremos especial gusto en asistir a la primera conferencia que, como ven nuestros lectores, tendrá lugar el próximo miércoles. No dudamos que sea un verdadero éxito para su autor, el señor Alfonso Cravioto, por cuanto nos consta que en su reciente viaje por Europa estudió detenidamente la obra de Carriére. El público podrá apreciar también la obra de Carriére por medio de unas cincuenta fotografías de sus cuadros, que serán expuestas la noche de la conferencia. Dos recién llegados son también los que tomarán parte en esta primera conferencia: el poeta Nemesio García Naranjo, que está de vuelta de su viaje por Europa, y nuestro compañero de redacción Max Henríquez Ureña, llegado de Cuba hace pocos meses. En sus primeros años de juventud el señor Henríquez Ureña estudió asiduamente el piano, y se presentará en esta ocasión como un aficionado estudioso, sin pretensiones de ningún género.

Se avisa a los que se interesen por esta clase de actos, que en la redacción de *El Diario*, los hermanos Henríquez Ureña, por delegación de la "Sociedad de Conferencias", facilitarán, a quienes los soliciten, los boletos correspondientes para la primera serie de conferencias, todos los días, hasta el miércoles, de 11 a 12 de la mañana.

El Diario comentó extensamente todas las conferencias hasta la fecha en que los hermanos Henríquez Ureña dejaron la redacción. La de Pedro Henríquez Urena fue comentada en la edición del 28 de junio (p. 8, cols. 5, 6 y 7), ilustrando el comentario con una máscara (la primera de la serie) de Alberto Garduño.[43]

Las conferencias a menudo iban acompañadas de recepciones que se daban en casas de los distintos miembros del grupo. *El Diario* del 10 de junio (p. 2, col. 5), bajo el título de "Fiestas de artistas" registra la fiesta que Alfonso Cravioto ofreció "el sábado 8" en honor de Max Henríquez Ureña por su colaboración pianística en el acto de la inauguración de la Sociedad de Conferencias. A ella asistió Pedro y un grupo selecto de intelectuales. Los hermanos Henríquez Ureña, por su parte, que vivían, como se ha visto, con los Castillo Ledón, dieron también en su casa "varias reuniones y tés con ocasión de las conferencias; el 29 de junio, segundo cumpleaños que pasé en México (dice Pedro en sus "Memorias") la reunión estuvo concurridísima: los quince o veinte literatos del grupo, varios pintores y músicos, y algunas otras amistades. El Dr. Lara Pardo, que concurrió ese día, observaba humorísticamente: "de seguro que ni en Santo Domingo ni en Nueva York tuvo usted un *círculo de amigos* tan grande". Cravioto e Isidro Fabela (joven de buena posición, aficionado a las letras) dieron también sendos tés.[44]

Toda esta actividad fue registrada por Pedro Henríquez Ureña en dos de sus escritos, a los cuales dio amplia difusión: "Las conferencias de los jóvenes", publi-

---

[43] *El Diario* (31 de mayo de 1907, p. 2, col. 2), bajo el título de "Inauguración de la Sociedad de Conferencias", da extensa crónica del acto y en especial de la conferencia de Alfonso Cravioto sobre la obra pictórica de Carriére. Elogia la ejecución al piano de Max Henríquez Ureña, y dice que "el poeta laureado" Nemesio García Naranjo leyó una composición suya titulada "La dolora de Campoamor". Al acto concurrieron, entre otros, el Lic. Rodolfo Reyes, José Vasconcelos, Antonio Caso, Isidro Fabela, el arquitecto Jesús Acevedo, etc. La segunda conferencia, la de Caso sobre Nietzsche, fue comentada en *El Diario* (14 de junio de 1907, p. 2, col. 3 y 4). Se elogia al disertante y a la pianista, la poetisa María Enriqueta Camarillo de Pereyra. Se anuncia la disertación de Pedro Henríquez Ureña sobre Gabriel y Galán. El anuncio se repite el 24 de junio (p. 4, col. 4) y el 27 del mismo mes (p. 8, col. 1) se da una reseña muy breve de la disertación; pero el 28 (p. 8, col. 5, 6 y 7) se da, en amplia síntesis, el texto de la misma y se ilustra con una máscara (la primera de la serie) de Pedro Henríquez Ureña hecha por Alberto Garduño. Esta conferencia de Pedro Henríquez Ureña, con el título de "Un clásico del siglo XX", se publicó en *Revista Moderna de México* (Vol. 8, No. 5, julio de 1907, pp. 296-303). Se incluye en *Horas de estudio*. La conferencia de Valenti, reseñada bajo el título de "Brillante conferencia", puede verse en *El Diario* (9 de julio de 1907, p. 3, col. 3) y con más detalle, en "La cuarta velada de la Sociedad de Conferencias", en *El Diario* (12 de julio de 1907, p. 4, cols. 3 y 4). El día 13, *El Diario* (p. 8, col. 3), bajo el título de "Conferencia y exposición", hace un nuevo elogio de Valenti y publica una máscara del mismo hecha por Francisco de la Torre. La cuarta conferencia, dada por Jesús T. Acevedo, fue reseñada en *El Diario* (6 de agosto de 1907, p. 5, col. 2), ya con menos extensión. De la última, dada por Gómez Robelo, con lectura de un poema por Alfonso Reyes, hay en *El Diario* solamente un breve anuncio, una semana antes, pero no se da crónica posterior. Hasta la tercera conferencia, la *Revista Moderna*, bajo el título de "Conferencias", da amplias reseñas en el número de junio de 1907, p. 256. Pedro Henríquez Ureña comenta todas las conferencias, bajo ese título, en *Horas de estudio* (véase ahora en *Obra crítica, op. cit.*, pp. 171-174) y en "Conferencias y tés. Carta a Enrique Ap. Henríquez..." publicada en *La cuna de América* (25 de agosto de 1907).

[44] "Memorias", p. 76.

cada originariamente en *La Gaceta de Guadalajara,* México, el 17 de noviembre de 1907, reproducida en otros periódicos en fechas posteriores y recogida, con el título de "Conferencias", en su libro *Horas de estudio;* y en la carta a Enrique A. Henríquez, titulada "Conferencias y tés", que se publicó en *La Cuna de América* de Santo Domingo, el 25 de agosto de 1907. Como este texto no se ha recogido en volumen, lo reproducimos completo:

Conferencias y tés

Hermano primo:

Más que nunca me convenzo ahora de que tengo razón al desear que, abandonando por unos meses nuestra caldeada tierra, te des un paseo por este encumbrado valle sobre el cual dominan, con sus nevados picos, los "volcanes líricos", el Popocatépetl y el Ixtaccíhuatl. Conocerías el grupo juvenil de intelectuales y artistas más brillantes de la América española. Esta opinión no es mía, sino de alguien que personalmente y al dedillo conoce los principales centros literarios americanos: Darío Herrera. Desde luego, me refiero a los grupos de jóvenes menores de treinta años. Por lo demás, los grupos mexicanos mayores no ceden en brillo a los del resto de América, sobre todo el de la *Revista Moderna.*

Es cierto que este grupo apenas comienza a hacerse conocer en América, mientras que el grupo del Perú —García Calderón, Riva Agüero, Oscar Miró—, tiene ya una reputación hecha. Pero de ello ha sido causa un cúmulo de circunstancias, que se eslabonan hasta en el orden político.

Sin embargo, esta juventud comenzó publicando en la *Revista Moderna;* ganando premios en los certámenes serios, antes de que los certámenes cayeran en descrédito y desuso con los desgraciadísimos del Centenario de Juárez; estrenando algunos dramas y publicando varias novelas y libros de poesías.

El primer esfuerzo de unión lo realizó, hace poco más de un año, con la fundación de la revista *Savia Moderna.* Alfonso Cravioto (hijo de un militar distinguido que gobernó el Estado de Hidalgo) la patrocinó con su fortuna. Pero aún no había suficiente unidad de ideas, y lo más efectivo que realizó la revista fué una exposición pictórica, en la que se distinguieron, junto a los maestros Gedovius y Clausell, varios jóvenes: Gonzalo Argüelles, Diego Rivera, Francisco de la Torre, Alberto Garduño, Jorge Enciso.

Mientras tanto, Cravioto hizo un viaje a Europa y la revista hubo de suspenderse poco después. Pero en la mente de todos quedó la idea de que se debía emprender otra labor colectiva. Mucho hablamos de ello: fundar un nuevo periódico, dar conferencias... hasta que un día, Jesús Acevedo (un arquitecto de 26 años que acaba de triunfar en el concurso para la construcción de la gran Escuela Normal) nos sorprendió con un plan de veladas breves, conferencias-conciertos, que en seguida se puso a discusión y adquirió forma definitiva.

Paréntesis: la ejecución de este plan se interrumpió por unos días para llevar a cabo el acto de protesta contra la profanación de la *Revista Azul* de Gutiérrez Nájera. Y de paso te diré que esta protesta, que ha resonado fuera de México y ha tenido eco en *El Nuevo Mercurio*, la revista mundial de Gómez Carrillo, dió los resultados apetecidos; el tristemente célebre "Caballero" anuncia que el fracaso pecuniario le obliga a suspender la publicación de su revista, seis semanas después de iniciada.

Cerrado el paréntesis, se constituyó la "Sociedad de Conferencias" con elementos juveniles exclusivamente y se organizaron las conferencias-conciertos. Con dificultades, sí, pero no se solicitó ayuda de nadie ni menos protección oficial. El Casino de Santa María, considerándose favorecido en ello, nos ofreció su amplio salón: un salón decorado de blanco, una *sinfonía en blanco mayor*.

Como primer conferencista, se designó a Alfonso Cravioto, ya de vuelta de Europa. Su conferencia (29 de mayo) versó sobre el excepcional pintor Carriére y fué ilustrada con magníficas fotografías parisienses de sus obras: las ternísimas "Maternidades", las cabezas de niños, los grupos familiares, los auto-retratos, el "Verlaine".

Cravioto fué una sorpresa como conferencista: no sólo presentó un estudio hábil y brillante sobre Carriére, sino que *dijo* con fuerza y elegancia, Haz conocer ese trabajo, que aparece en la *Revista Moderna* de junio.

La segunda conferencia (12 de junio) estuvo a cargo de Antonio Caso. Este sí era conocido como orador de cuerpo entero; hace un año, obtuvo un gran triunfo cuando habló a nombre de la Escuela de Jurisprudencia en la velada del centenario de Stuart Mill, a la cual dió carácter de consagración nacional la presencia de Porfirio Díaz y su gabinete en pleno. Ahora habló Caso sobre Nietzsche y nos tuvo pendientes de su palabra durante una hora, recorriendo rápidamente la vasta obra del pensador alemán.

La tercera conferencia (26 de junio) estuvo a mi cargo. Hablé sobre Gabriel y Galán. Mi trabajo aparecerá en la *Revista Moderna* de julio.

La parte musical la desempeñaron, en la primera velada, Max; en la segunda, la espiritual señorita Rebolledo y la joven señora Camarillo de Pereyra, la distinguida poetisa María Enriqueta; en la tercera, Roberto Ursúa, pianista de ejecución límpida, elegantísima.

Las conferencias-conciertos tienen una tercera parte dedicada a la poesía: un miembro de la Sociedad de Conferencias debe presentar versos inéditos. Nemesio García Naranjo, a quien París acaba de refinar el aspecto romántico de su cabeza, de puntiaguda barba rubia, y las sugestivas insinuaciones de su dicción, recitó en la primera velada su delicioso poema "La dolora de Campoamor". El "poeta de las lejanías" Manuel de la Parra, recitó en la segunda su delicada fantasía "El Castellano y la Lejana". En la tercera, la poesía fué de Luis Castillo Ledón, nuestro compañero de residencia: se intitula "Las cosas hablan", y la recitó una mujer hermosa: María Mauléon. ¡Qué ovaciones! La señorita Mauleón tuvo la feliz idea de recordarnos a Gutiérrez Nájera, al conceder el *bis*.

Quedan aún tres conferencias de la primera serie organizada: "La evolución de la crítica", por Rubén Valenti; "El porvenir de nuestra arquitectura", por Jesús Acevedo; "Edgar Poe", por Ricardo Gómez Robelo. Y poesías de Roberto Argüelles Bringas y Abel C. Salazar, dos grandes imaginíferos; de Eduardo Colín, serio, estudioso, macizo; de Alfonso Reyes, el Benjamín, un bucólico griego de dieciocho años.

Al terminar la serie, se organizará una exposición artística. Angel Zárraga, un pintor y literato que ya ha logrado nombre en España, donde estudia, y que debe llegar a México antes de un mes, dará probablemente la conferencia de apertura.

Pero no creas que solamente se trabaja en las conferencias. Carlos González Peña acaba de publicar *La chiquilla*, novela que ha sido saludada como una de las cuatro o cinco mejores escritas en esta patria de Federico Gamboa y Rafael Delgado. Pronto la conocerás. Jorge Enciso abrió una exposición de ochenta cuadros, dibujos y apuntes suyos; y apenas cerrada ésta, abrió la suya Francisco de la Torre, con un número no menor de trabajos. Y hay en perspectiva dramas, libros, producciones musicales, nuevas exposiciones pictóricas.

Te he hablado solamente de la parte pública de nuestra obra. Ya presumirás que tantas labores exigen muchas reuniones preparatorias. Para la protesta, para la fundación de la revista *Arte libre*, cuyo proyecto se abandonó por atender a las conferencias, y luego para éstas, nos reunimos con frecuencia en el estudio de Acevedo, en las oficinas de *Revista Moderna*, en nuestra casa. Pero ya, a las reuniones de trabajos, han sucedido las de congratulación.

Estamos en pleno reinado de tés.

Para festejar a Cravioto y García Naranjo, dimos el primero; Cravioto contestó con uno en honor de Max; Isidro Fabela, un joven aristócrata que es sin embargo un cuentista castizo y observador, festejó a Caso y a Manuel de la Parra; y el día de mi cumpleaños dimos otro, en el cual brindamos por el pianista Ursúa, por el novelista González Peña y por el pintor De la Torre.

Los tés son de lo más animado que puedes imaginar; el *five o'clock* se prolonga hasta la noche, se convierte en cena; y mientras tanto, se hace música, se recitan versos propios y ajenos (no han faltado versos dominicanos: el "Aniquilamiento" de Gastón fué un éxito en el té de Cravioto), y a la hora del *champagne*, se brinda por todos los motivos recientes de congratulación.

¿No crees que tengo razón al desear que vengas a respirar este ambiente de actividad intelectual y alegría juvenil? Pues ni esta actividad ni esta alegría prometen decaer. El éxito da nuevos entusiasmos; la juventud está dominando ya la atención pública y quiere, en lo porvenir, adueñarse de todo.

¡Ah! Y mañana vamos a recibir al inspirado colombiano Julio Flórez.

México, a 1o. de Julio 1907.

De las apreciaciones contenidas en "Las Conferencias de los Jóvenes", publicadas en *La Gaceta de Guadalajara* (reproducidas en *El Mundo Ilustrado*, de México, en 1910) destacamos algunos párrafos:

La principal facultad por ellos revelada es, a mi ver, espíritu filosófico en la más verdadera y amplia acepción de la palabra; es decir, espíritu capaz de abarcar con visión personal e intensa los conceptos del mundo y de la vida y de la sociedad, y de analizar con fina percepción de detalle los curiosos paralelismos de la evolución histórica y las variadas evoluciones que en el arte determina el inasible elemento individual.

Incluyo, pues, la facultad artística de los conferencistas, no en menor grado revelada, dentro de su espíritu filosófico —aún contrariando en apariencia conceptos expresados en la disertación de Antonio Caso—, no porque la considere subordinada, sino porque la estimo como algo más que simple potencialidad creadora, de imaginación y sensibilidad (que el vulgo suele juzgar casi subconsciente), y como una facultad elevada a la altura filosófica por el poder de sistematización y desarrollada y afinada merced a la capacidad crítica.

Por esa fecha visitaron la ciudad de México dos conocidas figuras de las letras hispanoamericanas: Darío Herrera, escritor panameño que ya había estado en México en 1906, y que había sido presentado a Pedro Henríquez Ureña por Luis G. Urbina, y el poeta colombiano Julio Flórez. Durante la primera visita a México —unos dos meses de paso para La Habana— Darío Herrera y Pedro Henríquez Ureña se hicieron muy amigos. Ahora, al visitarlo otra vez, se hospeda en su casa. Lo mismo pasó con el poeta Julio Flórez. Pero veamos el propio texto de las "Memorias".

Darío Herrera, que había estado en la Habana unos cuantos meses y había sufrido allí un acceso de locura, se empeñó en regresar a México, y Max quiso que viniera a vivir a nuestra casa. Llegó, en efecto, en abril, precisamente el día de un temblor fuerte y allí estuvo con nosotros hasta la disolución de la casa, después de la cual pasó algún tiempo en México, y se marchó por fin a la América del Sur. A principios de julio llegó el poeta colombiano Julio Flórez, a quien Darío se empeñó en llevar a nuestra casa; pero no estuvo allí sino

una semana, al cabo de la cual se fue a vivir a la casa de Ignacio Reyes, joven
y rico pariente del General Reyes. En honor de Flórez dimos un té, para el
cual nos resultó estrecha la casa, pues no sólo concurrieron los amigos de costumbre, sino también otros literatos mayores, como Luis Urbina, Rafael de
Alba, Ciro B. Ceballos, Alberto Leduc; y el Cónsul de Colombia, el arquitecto
Julio Corredor Latorre, y periodistas, que llevaron fotógrafos ... Pocos días
después se dio otra fiesta, menos literaria, pero más costosa, en honor de Julio
Flórez en la casa de Ignacio Reyes.[45]

Pedro Henríquez Ureña dio especial importancia a la visita que Julio Flórez hizo a México, o, por lo menos, se hizo eco de la resonancia que tuvo en el ambiente,
como se puede ver por la carta que envió a su primo Enrique Ap. Henríquez. He
aquí su texto:

Julio Flórez en México

Carta a Enrique Ap. Henríquez.

Hermano primo:

Te he dirigido ya dos cartas abiertas, y voy a reincidir, sin saber si los lectores de *La Cuna* querrán protestar contra el abuso. Confieso que la forma epis-
tolar me resulta cómoda para hablar de asuntos de actualidad, pues permite
mayor libertad que la crónica, aunque vaya esta en simple estilo periodísico.
En la anterior te decía, ya al terminar, que esperábamos a Julio Flórez.
Y bien! Aquí le tenemos, desde el día 2; se le agasaja y festeja; y él, en cambio,
derrama el tesoro de sus inspiraciones.
Apenas corrió la noticia, publicada en los diarios, de que llegaba Flórez,
el grupo juvenil decidió ir a recibirle. Valenzuela —que rara vez se aparta del
lecho en que desfallece su cuerpo, que fué atlético, divorciado de su espíritu,
aún vivo y enérgico—, quiso ser el primero en obsequiar al poeta, y pidió que
lo llevaran, apenas llegado, a aquella casa abierta siempre al talento. Flórez
pudo, por lo tanto, saludar en seguida a Valenzuela y conocer su proverbial
entusiasmo: fué un encuentro de dos espíritus típicamente cordiales.
En representación de su padre, Emilio Valenzuela ofreció una cena al poeta
y a los que le acompañamos de la estación a la casa. Se dijeron algunas palabras de bienvenida y se hizo música; pero nadie importunó a Flórez pidiéndo-
le recitaciones, aunque todos las habrían deseado.

[45] "Memorias", p. 76.

El sábado siguiente dimos un té-champagne, como presentación del poeta. Nuestro salón-biblioteca hubo de resultar estrecho; pero era indispensable invitar a representantes escogidos de ciertos grupos literarios, periodísticos y sociales; asistió el Cónsul de Colombia, Corredor Latorre, que es también un arquitecto joven e inteligente, *gentleman* bien relacionado; asistieron Urbina, Ciro Ceballos, Alberto Leduc, Rafael de Alba. Los periodistas hasta trajeron fotógrafos! Es lástima que la mayoría de los literatos conocidos estén ausentes con tal frecuencia, con cargos diplomáticos los más: ahora lo están Casasús, Federico Gamboa, Urueta, Nervo, Balbino Dávalos, Rebolledo, Salado Alvarez. En cambio, los jóvenes están todos aquí, laborando y promoviendo entusiasmos, y todos concurrieron al té: literatos y poetas, músicos y pintores.

La fiesta se prolongó aún más que de costumbre. Principiaron los números musicales y los versos, hasta que llegó lo esperado: las recitaciones de Flórez. No escatimó el inspirado sus inspiraciones, y ante la concurrencia absorta fué lanzando poema tras poema.

Su manera de decir es grandemente expresiva, como contaban las crónicas; sorprende, porque tiene tal sencillez, que principia pareciéndonos trivial y acaba dominándonos, subyugándonos por entero.

Flórez también se sentó al piano, y ejecutó aires populares de Colombia, "bambucos" y "pasillos" de suave sentimentalidad.

Tras esta fiesta vino otra, no menos animada, que ofreció en su casa, en honor del bardo, un joven rico y espléndido, Ignacio Reyes (que había asistido a la anterior). En aquella mansión todo atrae y encanta: el salón oriental, lleno de colgaduras y divanes, donde apenas penetra el día, pero en cambio se ilumina una noche feérica, con faroles fantásticos, en combinaciones que parecen ideadas por Des Esseintes; el amplio salón de recibo, con su artística prolijidad; el comedor, con su vajilla napoleónica; los tapices franceses; los biombos nipones; el sillón de Sor Juana Inés de la Cruz . . .

A la fiesta que dió Reyes asistieron varios concurrentes de la anterior, y otro grupo de hombres distinguidos en diversos órdenes. Se obsequió, como recuerdo, una tarjeta con el retrato del bardo, dibujado por Gedovius, y un admirable soneto en facsímile, dedicado al anfitrión. El final de la fiesta fué muy significativo; Flórez quiso saludar a Díaz Mirón, que vive en **Xalapa,** y le envió por telégrafo este dístico:

> La estrofa audaz que tu buril cincela
> es estrella y candor: alumbra y vuela.

Después han menudeado los agasajos al poeta, en reuniones íntimas y en círculos familiares. Más tarde vendrán las excursiones, las veladas, y por último, la publicación de un nuevo tomo de poesías. Mientras tanto, el poeta dice estar contento en México . . . a no ser que en ciertos días, en que los admiradores no le han dejado momento de reposo, no se arrepienta de la celebridad.[46]

México, Julio 26, 1907.

V. Relaciones literarias: nuevos rumbos y sucesos políticos

Toda esta actividad y esta alegría juvenil sostenida a través de conferencias y reuniones debía, sin embargo, cesar bruscamente. Todo dependió, en gran parte de la actitud que el director de *El Diario* asumió con respecto a los Henríquez Ureña, so pretexto de reorganización de las oficinas de redacción. El día 16 o 17 de julio de 1907, J. Sánchez Azcona, director de *El Diario*, manifestó a Max que por "algunas reformas que fue preciso hacer en el personal de la redacción, reformas de esas que, como lo saben bien todos los editores, son muy frecuentes en México, en donde habiendo disponibles para el trabajo literatos muy apreciables, con frecuencia faltan los diaristas propiamente dichos",[47] a partir del 21 de dicho mes se suprimía la plaza que en esa redacción venía ocupando don Pedro. Ante tal situación, Max envió la renuncia a *El Diario* el 17 de julio, cuyo texto fue publicado en *El País*, y en la cual acusaba a *El Diario* de "inconsecuencia", falta de consideración y de haberle pagado bajos sueldos.[48]

Con la separación de los hermanos Henríquez Ureña de la redacción de *El Diario*, las crónicas culturales, no sólo disminuyeron en proporción, sino que cambiaron de rumbo; es decir, que el grupo de la Sociedad de Conferencias prácticamente

---

[46] "En honor de Julio Flórez", crónica aparecida en *El Diario* (8 de julio de 1907, p. 3, col. 5). Se dice allí que se ofreció un té-champagne, en la casa de Pedro Henríquez Ureña, calle 7a. de Soto. El poeta Flórez era más amigo de Max Henríquez Ureña y le había telegrafiado desde Veracruz, según noticia que apareció también en *El Diario*. La crónica dice que toda la juventud de la Sociedad de Conferencias y del círculo de extranjeros y mexicanos que se reunían en torno a la *Revista Moderna de México* concurrieron a dicha recepción.

[47] Las cartas intercambiadas entre Max Henríquez Ureña y Sánchez Azcona, con sus respectivas aclaraciones, se reproducen en *El Diario* del 17 de julio y 20 de julio de 1907. La renuncia fue publicada en *El País* (año IX, No. 3072, 19 de julio de 1907, p. 1, col. 4) bajo el título de "Carta de un ex-Redactor de *El Diario*", y está dirigida a Trinidad Sánchez, director del mismo.

[48] El texto de la renuncia de Max Henríquez Ureña es, en parte, el siguiente:

Desde el mes de febrero ingresé en *El Diario* y puedo decir muy alto que nadie ha servido a esa empresa con tanta lealtad como yo, y nadie ha tomado tan a pecho los intereses morales del periódico. He tenido, empero, la pena de ver que jamás se apreciaron ni se retribuyeron merecidamente mis servicios y que no siempre se me guardaron las consideraciones a que soy acreedor. Todo se lo hubiera tolerado porque llegué a tener afecto al periódico. Pero en vista de que la empresa acaba de cometer, en lo que a mí respecta, una inconsecuencia que me resisto a calificar, presento mi renuncia irrevocable, porque siempre he considerado que mi dignidad está por encima de mi estómago. De usted atentamente Max Henríquez Ureña (*El País, loc. cit.*).

perdió su tribuna de divulgación. En cuanto a Pedro Henríquez Ureña, que es el personaje que interesa en este relato, habiéndose quedado sin medios económicos para poder vivir en México, se dedicó a buscarlos en el comercio, y a los tres días, según nos informa en sus "Memorias" (p. 77), obtuvo un empleo en la Compañía de Seguros "La Mexicana", cuyo subdirector, don Ramón Sáenz y Botello —informa el propio Henríquez Ureña—, "me había mostrado estimación desde que me conoció en la casa de Valenzuela, y cuyo director, Emilio Berea, a quien aún no conocía, es cuñado de Isidro Fabela. Volvía, pues, a entrar en trabajo de oficina con sus horas largas y sus impedimentos".

Antes de continuar con el nuevo rumbo que tomó la vida de nuestro biografiado, conviene hacer un paréntesis para referirnos a sus relaciones con la *Revista Moderna de México*, y, en especial, con su director, el poeta Jesús E. Valenzuela.

Si Pedro Henríquez Ureña no llegó a formar parte de la redacción de esta revista, estuvo estrechamente vinculado a ella y a todos sus colaboradores. Colaborador él mismo, publicó, por lo menos, más de una docena de estudios y notas, de las cuales las más importantes pasaron a formar parte de su libro *Horas de estudio* (París, 1909). Solamente destacaremos aquí el que se refiere a Jesús E. Valenzuela, por razones obvias, en el comentario a *La joven Literatura Hispano-Americana*, de Manuel Ugarte, en la parte que se refiere a los escritores de México, y las notas que puso al estudio de Francisco García Calderón sobre "Las corrientes filosóficas en la América Latina", en especial las que se refieren a la filosofía en México.[49]

---

[49] Estas notas fueron publicadas en "Las corrientes filosóficas en la América Latina", por Francisco García Calderón [. . .] Traducción anotada para la *Revista Moderna* por P.H.U. (*Revista Moderna*, noviembre de 1908. pp. 150-156) y se reprodujo en el libro de Francisco García Calderón, *Profesores de idealismo* (París: Ollendorff, 1909), del cual P.H.U. escribió una nota que leyó en el "Ateneo de la Juventud" en abril de 1910, publicó en la *Revista Moderna* (agosto de 1910), reprodujo en *Ateneo* de Santo Domingo (agosto de 1910) y en *Don Quijote* de Puebla, México. Las notas son las siguientes:

Nota 1

En México, según los datos que contiene el extenso pero insustancial libro del Canónigo Valverde Téllez, *Apuntaciones históricas sobre la filosofía en México*, parecen haber reinado juntos Escoto y Santo Tomás. Se les enseñaba en un solo curso de la Universidad. También había cátedra de "Suárez". Las tendencias más originales parecen haber sido, como dice Menéndez y Pelayo, de Fray Alonso de la Veracruz, adepto de Fray Luis de León, "neo-escolásticas, modificadas por influencias del Renacimiento". Ya en el siglo XVIII, el P. Gamarra discutía ideas de Descartes y Locke, mostrando la influencia de ambos. En Santo Domingo, principal centro de cultura colonial en las Antillas, predominó el tomismo.

Nota 2

El platonismo no está ausente de las manifestaciones literarias de América en los siglos XVI y XVII, épocas en que, como dice Menéndez y Pelayo, la estética platónica era la filosofía popular o general, en Italia y España; pero indudablemente era tendencia informe y poco precisa. Conviene hacer notar el hecho de que Cervantes de Salazar, tenido por secuaz de Luis Vives, fué uno de los fundadores de la Universidad de México.

Después de la reproducción de las "Notas sobre Claudio Oronoz" (*Revista Moderna*, junio de 1906), de una poesía sobre Ibsen (junio de 1906, p. 218) y del trabajo sobre "Edith Wharton" (agosto 1906, pp. 385-388), que Pedro Henríquez Ureña considera como su mejor contribución a la revista en ese año, la primera colaboración que envía en 1907 (febrero, pp. 347-348) es un "perfil" titulado "Nuestros poetas. Jesús E. Valenzuela", que transcribimos seguidamente:

Nota 3

Un ejemplo de la influencia del *Contrato Social* se encuentra en el Licenciado Verdad, precursor de la Independencia Mexicana, cuyo centenario acaba de celebrarse.

Nota 4

Por esta misma época enseñaba en Cuba el venerado José de la Luz y Caballero (a quien había precedido un sacerdote de ideas amplias: Félix Varela). Era Luz y Caballero hombre de verdadera originalidad filosófica, con puntos de contacto con la psicología inglesa y el eclecticismo francés; escribió poco (sus *Máximas* son, sin embargo, muy conocidas); pero dejó un gran número de discípulos, directos e indirectos, y muchos de ellos prominentes en la vida intelectual de Cuba y aun de toda América. Sobre la vida y el pensamiento de Luz y Caballero, hay un excelente libro del brillante y erudito Manuel Sanguily.

Nota 5

Juárez, como muchas veces se ha dicho, no era sino representante activo de todo un grupo al cual se debieron la reforma y la reorganización de la enseñanza, informada en las tendencias de Comte por Gabino Barreda en 1867. Este grupo célebre de liberales, en el que se distinguieron como personalidades intelectuales Sebastián Lerdo de Tejada, Ignacio Ramírez, Altamirano, Riva Palacio, Guillermo Prieto y Martínez de Castro, prepara, con su gran campaña anti-clerical, el advenimiento del positivismo. Son de notarse, como espíritus innovadores, Altamirano y, sobre todo, Ramírez, que muy joven aún hizo franca y pública profesión de ateísmo, y más tarde fué adepto prematuro (algunos dirían precursor) de la psico-fisiología y de las modernas tendencias en las ciencias del lenguaje.

Nota 6

García Calderón omite totalmente la influencia española. Se dirá que el pensamiento español tiene en el siglo XIX poca originalidad, en conjunto, siendo de por sí reflejo del extranjero, y particularmente del francés; pero lo cierto es que la América española en gran parte, en lo que hace el público por lo menos, se guía realmente por España y no por Francia: si parece seguir a ésta, en realidad lo hace a través de traducciones publicadas en Madrid y Barcelona. Y en lo que respecta a pensadores individuales, no puede negarse la influencia que en América han ejercido Jovellanos, Balmes, Donoso Cortés. Hoy mismo, la mayoría lee a Spencer, a Renán, a Guyau, a Taine, a Nietzsche, en traducciones castellanas, y lo que era, fuera de ciertos círculos, se conoce de Bergson, de Boutroux, de Willian James, de Ellen Key, se conoce por versiones editadas en España. Sin la divulgación realizada por la enorme actividad de las nuevas casas editoras de la península, el público hispano-americano estaría mucho más atrasado: a pesar de las traducciones francesas, Nietzsche seguiría siendo un famoso autor nunca leído, como lo es, pongo por caso, Oscar Wilde.

Nuestros poetas: Jesús E. Valenzuela

Se me dice que escriba para esta revista un perfil del poeta Don Jesús E. Valenzuela, y con placer correspondo a tal solicitud, por más que sé que no caben en un esbozo a vuela pluma los múltiples interesantes rasgos intelectuales y morales de esta personalidad.

Confieso que por lo general me interesan poco las biografías seudopsicológicas de escritores, las anécdotas y leyendas que alrededor de cada vida ilustre forman amigos y enemigos, los "documentos íntimos" que es hoy moda o manía publicar, con o sin derecho, sólo la sinceridad (tan rara o difícil) puede dar valor a las auto-biografías; y tanto éstas como las biografías por mano

Nota 7

La *Lógica* de Mill ha sido reemplazada por el tratado del Dr. Porfirio Parra, quien se inspira en aquél y en Bain. Los dos resúmenes citados por García Calderón son obra del Lic. Ezequiel A. Chávez.

Nota 8

Seria omisión es en este trabajo la de Hostos, el espíritu filosófico más poderoso de América, si se exceptúa a Bello. Hostos no llegó a escribir su metafísica, como el maestro venezolano; pero sus discursos y tratados y otros escritos (principalmente los cursos de *Moral Social, Sociología y Derecho Constitucional*), permiten construirla en parte; es una concepción con fases de idealismo y dinamismo, de finalismo ético (con ética inspirada en Sócrates, Marco Aurelio y Kant), apoyada por una absoluta fe en la ciencia y una franca aceptación de los métodos positivistas, lo que ha inducido a algunos a clasificarle en esa escuela. Nótese, sin embargo, cómo su *Sociología*, escrita cuando sólo se conocían las de Comte y Spencer, se aparta decididamente de ellas, y, entre otras novedades, proclama la *Ley del ideal* o de civilización. Otro antillano eminente, Esteban Borrero Echeverría, confesaba un hegelianismo mezclado de teosofía.

Nota 9

La tendencia hispano-americana al idealismo (cosa no indiscutible), no explica la hegemonía francesa; en todo caso, explicaría una hegemonía de Alemania, verdadera creadora de sistemas idealistas. Sólo forzando los hechos puede aplicarse de francamente idealista el movimiento filosófico francés.

Nota 10

Esta afirmación es todavía prematura y demasiado general, excepto si se toma el nombre de Bergson como ejemplo, sin primacía sobre los demás pensadores contemporáneos. En las conferencias, discursos y escritos de Antonio Caso, Ricardo Gómez Robelo, Alfonso Cravioto, Rubén Valenti y otros jóvenes —así como en el memorable discurso de D. Justo Sierra, en honor de Barreda— se nota ciertamente grande interés por el pensamiento nuevo: la influencia de Schopenhauer (voluntarismo, estética neoplatónica, pesimismo), Nietzsche y la discusión de los valores morales, Willian James y el pragmatismo, Bergson, Boutroux, el idealismo de Jules de Gaultier, así como la reacción contra todo lo que ha envejecido en Comte, Spencer, Haeckel, la filosofía del arte de Taine, la psicología de los pueblos de Renán, el materialismo histórico, la psico-fisiología y la sociología organicista.

ajena escritas, sólo deben interesar cuando la vida en ellas narrada contiene algún alto ejemplo ó está en armonía con la obra del biografiado.

Uno de los pocos casos, dentro de mi limitada experiencia, en que he conocido una personalidad y una vida interesante al par de la obra literaria, es el de Don Jesús E. Valenzuela. Son éste y Díaz Mirón los dos únicos poetas mexicanos que tienen actualmente ' 'leyenda'' y aquéllos cuyas existencias, dejando a un lado la parte anecdótica más o menos pintoresca, ofrecerían a un crítico psicólogo más fructífera materia de estudio.

Pero no son éstos lugar ni momento en que pudiera yo pretender ahondar en la psicología del autor de *Almas y cármenes* y de *Lira libre*. México, todo el México que se llama intelectual, conoce su existencia y algo de su obra. Acaso otro día cuente algo de esa existencia en algún periódico extranjero, por más que ya me ha precedido en esa labor el panameño Darío Herrera: el hábil y firme, aunque somero esbozo que de Valenzuela trazó este espíritu fino y culto, habrá de dar la vuelta a la prensa literaria de "nuestra América", que tanto ha elogiado la obra del poeta mexicano.

Dije antes que México conoce algo de esa obra, porque en realidad no la conoce toda ni bien. Para los más, Valenzuela es el personaje de leyenda, el infatigable director de la *Revista Moderna*, el apasionado de toda manifestación, a sus ojos valiosa, de arte o de personalidad; saben que es poeta, pero no a punto fijo qué ha hecho ni qué ha dicho en poesía. Y acaso se asombrarían si oyesen decir que ha dado notas muy personales de sentimientos elegíaco en "In Memoriam", y de humorismo discreto, poético, en "Añoranza"; que ha tenido acentos de energía resonante en "Anúbadas" y concepciones de filosofía serena, humana, un tanto sajona en su grave reposo y en su revelación de amor a la desnuda verdad de la naturaleza, en "El Angelus" y "Bárbara Labor".

Anotaré que la serenidad filosófica de estas dos composiciones contrasta con la duda sombría que llena el "Poema roto"; es este un problema que acaso se resuelva con cifras de fechas. Pero los aspectos contradictorios de una obra poética que resuma toda una vida, no pueden estimarse como defectos, y para el crítico psicólogo suelen ser la clave de un temperamento y de su evolución.

En Valenzuela se encuentran otros contrastes entre sus descripciones a la manera clásica ("Himnos salvajes", "Al autor de los murmurios de la selva") y sus fantasías modernistas ("Deseos"); entre sus rimas de corte romántico y sus versos de forma novísima. Pero en sus diversos aspectos, el poeta es siempre uno: viril, sincero, todo intenciones y sentimientos, lleno de fe en la Vida, sereno en su pensar, si a ratos inquieto ante las amenazas de lo imprevisto, agudo en la observación, acaso poco práctico o "insouciant" al ejecutar:

Como el hombre.

PEDRO HENRÍQUEZ UREÑA

Ya hemos visto la grata circunstancia en que Pedro Henríquez Ureña inició su amistad con Jesús E. Valenzuela. Dicha amistad permaneció, al parecer con altibajos, hasta la muerte del poeta, acaecida el 20 de mayo de 1911. El 15 de mayo de 1907, Pedro Henríquez Ureña publicó en *la Cuna de América* de Santo Domingo "¡ . . . Un libro . . .! carta a Enrique Ap. Henríquez" [se refiere a un proyecto de escribir un libro sobre Gastón Deligne]; al final de la carta recuerda una anécdota de Jesús E. Valenzuela, a quien califica de "esa grande alma que la muerte amenaza arrebatarnos ahora". La anécdota está resumida así:

Se hablaba de Martí, a quien tanto se quiso en esta tierra, y Manuel de la Parra, el joven poeta de *Lejanías*, recordó una frase del orador antillano: "La poesía no debe ser como la rosa centifolia, cargada de hojas, sino como el jazmín Malabar, todo lleno de esencias".
A lo cual objetó Valenzuela, no sin reconocer la belleza literaria de la frase de Martí:
"Que sea hermosa flor y no se pongan condiciones".

Hacia 1909 Valenzuela estaba preparando sus memorias, que fueron publicadas póstumas mucho después.[50] En ellas no menciona una sola vez a Pedro Henríquez Ureña. Don Pedro, sin embargo, lo recuerda en las "Memorias" que venimos utilizando aquí. El 6 de agosto [las "Memorias" de Pedro Henríquez Ureña se convierten en diario a partir del 5 de agosto de 1909] leemos:

Estuve anoche en la casa de D. Jesús Valenzuela, quien sufrió un nuevo ataque cerebral, el cuarto desde fines de 1905, fecha desde la cual ha ido decayendo mentalmente. Hace una semana del ataque, y ya ha mejorado bastante, aunque no puede hablar todavía. Cosa curiosa: nunca ha sido Valenzuela tan *literario* como lo es desde su enfermedad. De joven escribió mucho y estudió bien; pero fue siempre un temperamento desordenado, y así como derrochó sus millones desaprovechó su talento. Siempre ha sido incorrecto, y, en general, mediano poeta: sólo unas cuantas poesías suyas pueden recordarse

---

[50] "Mis recuerdos", de Jesús E. Valenzuela, fueron publicados póstumamente por Carlos Serrano, en el diario *Excélsior* de México, entre el 27 de agosto de 1945 y el 12 de febrero de 1946, todos en la página 4, en el siguiente orden:

I, 27 de agosto de 1945; II, 29 de agosto de 1945; III, 1o. de septiembre de 1945; IV, 5 de septiembre de 1945; V, 7 de septiembre de 1945; VI, 28 de septiembre de 1945; VII, 1o. de octubre de 1945; VIII, 3 de octubre de 1945; IX, 9 de octubre de 1945; X, 11 de octubre de 1945; XI, 13 de octubre de 1945; XII, 16 de octubre de 1945; XIII, 20 de octubre de 1945; XIV, 16 de noviembre de 1945; XV, 22 de noviembre de 1945; XVI, 12 de diciembre de 1945; XVII, 8 de enero de 1946; XVIII, 14 de enero de 1946; XIX, 21 de enero de 1946; XX, 4 de febrero de 1946; XXI, 12 de febrero de 1946.

y aun guardarse en las antologías de América, que nunca podrán ser impecables. En verdad, ha tenido más talento en la conversación y en los *gestos* de su vida que en sus obras literarias. Era inagotable en chistes, se cuenta; y todavía hace tres años divertía grandemente; asimismo era original en opiniones y despreocupado para el dinero, aun en estos últimos años que ha vivido arruinado. Antes de enfermar, publicó su único libro de versos que puede leerse con gusto, *Almas y cármenes;* después de la enfermedad publicó otros dos, desastrosos, *Lira libre* y *Manojo de rimas,* y ahora estaba escribiendo sus "Memorias", que me encargó le hiciera copiar. Estas memorias, escritas en mejor condición mental, habrían sido interesantísimas, originales y chispeantes; pero ahora han resultado pueriles y confusas.[51]

En la *Revista Moderna de México* publicó Pedro Henríquez Ureña dos reseñas, que son verdaderos estudios anotados, a dos autores de gran prestigio y resonancia en las letras hispanoamericanas, verdaderos embajadores de éstas en Europa. Nos referimos a Francisco García Calderón, del cual hemos dado cuenta en la nota 49, y a Manuel Ugarte, autor de *La joven literatura Hispano-Americana.— Antología de prosistas y poetas,* (París: Librería Armand Colín, 1906). El comentario de Pedro Henríquez Ureña, publicado en el número de febrero de 1907 (pp. 379-382), además de las apreciaciones generales que hace sobre la antología y la preparación de una antología de las letras de la América hispánica, al referirse a México, hace esta advertencia:

> México figura con buen grupo, aunque corto, de representativos; y sin embargo, ¿cómo sucede que Ugarte, que ha visitado este país, y lee la *Revista Moderna* y otros de sus periódicos, ha olvidado a Balbino Dávalos, a Efrén Rebolledo, a Olaguíbel, y no ha escogido, entre los jóvenes "del último barco", sino a Angel Zárraga?

Como últimos trabajos de importancia sobre autores mexicanos, publicados por Pedro Henríquez Ureña en 1907, destacaremos tres: los dedicados al pintor Julio Ruelas, al crítico y novelista Carlos González Peña y al joven y después eminente humanista Alfonso Reyes. El trabajo dedicado a Ruelas apareció en *México Moderno,* en el mes de marzo de 1907, y se titula "Julio Ruelas, pintor y dibujante"; dice así:

Julio Ruelas: pintor y dibujante

La incomunicación en que viven, unos respecto de otros, por causas económicas, los pueblos hispano-americanos, se traduce, como mil veces se ha dicho en són de lamento, en su vida artística e intelectual. Literariamente, en cualquiera de nuestros pueblos se conoce más a Francia o a España que

---

[51] "Memorias", p. 90. Véanse también páginas 67 y siguientes.

a un hermano por la vecindad y la lengua; y en lo que toca a artes plásticas, nos ignoramos unos a otros totalmente.

Sólo de cuando en cuando se oye sonar algún nombre (Alberto Lynch o Irrutia) ya aceptado en Europa y —caso tal vez único— suele imponerse uno como el de Julio Ruelas, gracias a un periódico que goza de prestigio en América.

En verdad, no sé de otro artista hispano-americano cuya reputación continental se deba a su labor publicada en una revista. Ruelas, si no popular, es conocido, no sólo de los que fuera de México leen la *Revista Moderna* y alguno que otro libro ilustrado por él, sino de todo un público intelectual, pues la prensa literaria del resto de América y de España con frecuencia ha reproducido, comentado y elogiado su labor.

Agregaré (observación que, por obvia, resultaría inútil, si no fuera porque últimamente algunos han dado en la flor de menospreciar a Ruelas), que este éxito no lo debe el artista solamente a la ventaja que encontró en la circulación americana de la *Revista Moderna* y de ciertos libros mexicanos, puesto que otros muchos han publicado dibujos en la mencionada revista y en otras de México, a la vez que han ilustrado libros, y el dios éxito les ha negado su sonrisa.

El elemento decisivo en el triunfo de Ruelas ha sido su imaginación; imaginación original y poderosa, "panteísta", en opinión del culto crítico español Rafael Urbano; facultad maestra, en fin, cuyas creaciones se imponen al espíritu del público.

El poder de sugestión de su obra (la cual ha merecido los epítetos de "sutil", "extraña", "intensa", que es costumbre aplicar lo mismo a la de Félicien Rops que a la de Aubrey Beardsley), no depende de sus procedimientos de dibujante. Ruelas no alarga ni exagera las proporciones de sus figuras ni deja nunca a medio esbozar, para producir la peculiar sensación de lo incompleto, parte de su composición; es minucioso como un primitivo en su dibujo y sencillo, hasta vulgar si queréis, en sus figuras.

No; su originalidad no es de procedimiento sino de concepción. Con justicia se le ha atribuído una imaginación panteísta. Ruelas encuentra alma en las cosas y doble personalidad en los seres; da ojos a las nubes, formas de monstruos a las rocas, dolor humano al árbol, "nervios y curvas de mujer" a la lira, espíritu de gnomos a los insectos; convierte la cabeza de las águilas en simbólicas calaveras; hace de la almena del castillo un dragón. Ve en las mujeres sirenas o esfinges y en los hombres sátiros o centauros.

Sobre esta originalidad de concepción se afirma y se eleva la personalidad de Ruelas. El artista mexicano pertenece a la clase de los pintores "literarios", esto es, imaginativos, a quienes no hay derecho a pedir otra visión de la realidad que la visión simbólica. Si Ruelas no ha sido afortunado en sus trabajos a colores, es sin duda, porque su colorido es demasiado fantástico y el color es, de suyo, el elemento más "realista" del arte. En cuanto a su dibujo, por más que se le quiera tachar de anticuado y convencional, es preciso reconocer que, dentro de su estilo, es irreprobable, especialmente en sus últimos trabajos, en los cuales ha llegado a una verdadera perfección de detalles. Por otra parte, Ruelas acaba de revelarse aguafortista de mérito, y se asegura que en este género de trabajo ha obtenido éxito en Europa. En resumen, y sin dudas, cabe afirmar que Julio Ruelas es el artista en blanco y negro más vigoroso y más original de que puede enorgullecerse México.

PEDRO HENRÍQUEZ UREÑA

Sobre Carlos González Peña publicó Pedro Henríquez Ureña una nota sobre su novela *La chiquilla,* con el título de "Los de la nueva hora", en la *Crónica,* de Guadalajara, el 15 de noviembre de 1907. Dada la rareza del texto, lo transcribimos a continuación:

Los de la nueva hora

Un gran trabajador, un trabajador excepcional en estos países perezosos: he ahí a Carlos González Peña. No creo que escritor alguno en México (escritor verdadero) le supere en cuanto a capacidad de constante esfuerzo productor: desde hace tres años, Carlos González Peña trabaja a diario en el periodismo y en las letras, sin disminuir nunca la cantidad casi fija de su labor, antes bien aumentándola con el estudio metódico de idiomas y de géneros literarios.

Bien es cierto que este laborioso, discípulo decidido de los laboriosos realistas franceses, tiene condiciones personales que le dan la necesaria resistencia para seguir el ejemplo de sus maestros: un temperamento sano, una *naturaleza de toro* como la de Balzac, y una vida metódica como la de Zola.

Siguiendo el espejismo de cierta fácil psicología literaria, podría afirmarse que en Carlos González Peña es orgánica la tendencia a la novela realista. Pero no es del caso: el hecho importante es la tendencia misma, en la cual el joven novelador ha encontrado vía ampliamente adecuada a sus facultades.

Sus aficiones no comenzaron en el realismo francés, sino en la contemporánea literatura española. Ambas influencias comenzaban a fundirse en su mentalidad cuando dio al público —coincidiendo con su modesta aparición en el campo periodístico, no abandonado desde entonces—, sus primeras obras: un drama y una novela. La informe e incipiente crítica local no paró largas mientes en esos trabajos y menos aún en la potencialidad que revelaban. Pero aquí de la frase consabida: "el joven escritor no se desalentó".

¿Le alentaban esperanzas de triunfos posteriores? Carlos González Peña no es un iluso: el *triunfo* porque tanto se afanan ciertos artistas, cosa es que parece no preocuparle, porque sabe sin duda que en nuestra América no procura sino satisfacción efímera. Tiene la conciencia grave y modesta de su propio valer, y trabaja, no animado por fútiles esperanzas, sino porque ello es condición de su vigor intelectual.

Es así como trabajó durante más de un año para presentarnos de súbito la sorprendente realización de su *Chiquilla*. De súbito, digo, porque si bien la novela se había publicado íntegra en un diario, antes de su reciente aparición en volúmen, seguramente ninguno de aquellos a quienes debía interesar ensayó leerla con las obligadas y enojosas intermitencias del folletín, que se avienen, sin embargo, con los gustos y necesidades de cierta clase de público.

De la corta novela *De noche* a la maciza y voluminosa *Chiquilla* se advierte una enorme distancia que diríase salvada de un salto; toda la que media entre el esbozo hecho con vigor, pero sin originalidad y sin técnica, y la obra completa, indiscutiblemente realizada como tal, aunque discutible todavía en detalles. Desde luego, el salto sólo es aparente; la distancia la ha recorrido Carlos González a prisa, pero palmo a palmo, con ayuda de la observación cada vez más directa de la vida y el estudio atento de los grandes maestros en el género que adoptó: los franceses.

La novela realista es, a mi ver, el género en que el espíritu francés ha alcanzado su más completa expresión literaria. Cierto es que el genio de Francia ha abarcado todos los órdenes de la vida intelectual y artística: de él ha llegado a decirse que es "excelente en todos los géneros, supremo en ninguno", afirmación que podría corroborarse comprobando que, casi siempre que se le ha concedido la supremacía (en el teatro, por ejemplo), se ha cometido injusticia. Pero si hay que negarle el centro del drama en el siglo XVII, de la poesía lírica en el XIX, justo es asignarle lugar preeminente en la novela. Porque, si paralelamente a los realistas franceses, en otras naciones han surgido personalidades poderosas —Tolstoi, Dostoievski, George Eliot, Eça de Queiroz—, ninguna otra ha presentado un grupo tan homogéneo, vigoroso y brillante como el que, entroncando en Stendhal y Balzac y floreciente en Flaubert, Daudet, los Goncourt, Zola y Maupassant, produce una literatura omnilateral, rica por la creación y por el estudio auxiliar.

La inevitable imitación de lo francés ha sido causa de que la novela hispanoamericana, al comenzar a adquirir forma, se inspire en esos maestros. Sea o no la forma realista la decisiva de nuestra novela, como suele afirmarse, es ciertamente adecuada para reflejar nuestro estado social, cuya explotación podría darnos incalculables riquezas literarias.

Carlos González Peña, en *La chiquilla,* ha realizado ante todo, un estudio del medio. No puede considerársele todavía como creador de *casos* novelescos ni como psicólogo ponderado: la trama de su novela es sobrado sencilla, y otro tanto puede decirse de su presentación de los personajes. En ambas se muestra discreto, pero si con las complicaciones evitó los escollos, sí, mejor aún, ha mostrado plausible desapego hacia la psicología apriorística de la escuela de Bourget, sí puede censurársele, por demasiado elemental, el dibujo de los personajes principales, y aun cierta dosis de romanticismo en el de Clara Ruiz.

¡Cómo se advierte, por contraste, su progreso en la tendencia antes indicada, en la presentación de los personajes secundarios! Estos, que sirven de términos en el paisaje moral, los estudia, más que como individuos, como productos del medio, y el resultado es excelente. Dos o tres pinceladas enérgicas, y los tipos viven: la madre beata de las dos protagonistas; la madre estúpida de Clara Ruiz; el matrimonio de clase media, con el problema de las hijas solteras; el versificador modernista que se casa con la dueña del mesón; y sobre todos, doña Manuela, infatigable en su espionaje y oportuna siempre para sorprender, la primera, los secretos graves o menudos.

Agréguese a esta habilidad la de retratar escenas y ambientes: la casa de vecindad, el teatro de género chico, el mesón barato, todo fiel y sobrio, sin excesos de regionalismo ni calco de modelos franceses —y se apreciará la capacidad que revela González Peña para aprovechar en el arte novelesco los elementos que ofrece el medio social.

Complétase el mérito de su novela con el hábil desarrollo, que hace interesante un asunto vulgar, y la viveza de las descripciones, que aún reclama, para brillar mejor, un estilo más castigado y más preciso.

Con *La chiquilla*, Carlos González Peña se coloca en la vanguardia, desmedrada todavía, de los novelistas mexicanos. Sin extenderse en comparaciones inútiles, cabe afirmar que su obra figura entre las cinco o seis que en México merecen el nombre de novelas. Y si bien queda por debajo de alguna en cuanto al relieve psicológico de los protagonistas, si cede a otras en punto a estilo, seguramente se halla por encima de todas en cuanto aplicación de los métodos realistas y hábil empleo de los elementos ambientes.

PEDRO HENRÍQUEZ UREÑA

En 1907 también publicó en el *Listín Diario* de Santo Domingo un ensayo titulado "*Genus Platonis*", en donde estudia el carácter y la tradición del genio platónico en el mundo occidental. Importa especialmente para nuestro estudio, porque la última parte está dedicada a la literatura mexicana, y en especial a Alfonso Reyes (acaso sea el primer artículo que se ocupe de quien fuera desde los primeros momentos su gran amigo y discípulo mexicano). La parte que nos interesa es la siguiente:

Genus Platonis

En la literatura mexicana cabe señalar, en Gutiérrez Nájera, el temperamento horaciano (que Urueta ha confundido, con grave error, con el anacreóntico); horaciano, por el templado sensualismo, por el suave escepticismo, ya dulcemente melancólico, ya irónico con tendencias epicúreas, por la insinuante gracia de la forma: Manuel José Othón se acerca al temperamento virgiliano, sereno en la contemplación de la naturaleza, rico de visión, rico también de *pathos* y perfecto en la *callida junctura* de la expresión poética.

Pretendo descubrir temperamento platónico en un nuevo poeta, hasta ayer en germen todavía; el germen se ha desarrollado ya, se ha convertido en arbusto cuyas ramas suelen crecer de súbito con empuje arborescente y cuyas precoces florescencias seducen por sus colores vistosos. Alfonso Reyes surgió en el pequeño mundo literario de México hace un año apenas, y su rápida evolución, en ascenso visible, ha resultado inquietante en su medio donde todo tiende al estancamiento después de las primeras agitaciones bulliciosas.

Hasta ahora, sólo ha dado al público composiciones que en otro país, donde existieran los estudios clásicos, se estimarían como ejercicios de humanidades; reminiscencias de la antigüedad, de la Grecia dionisiaca y pánica en especial, en forma suficientemente moderna, depurada por una lectura atenta de las venerables letras castellanas.

No se trata, desde luego, de arte frío, meramente escolar y retórico. Ciegos son los que no ven, en esa poesía de reminiscencias arcaicas, una personalidad. Alfonso Reyes, como buen platónico, es hombre de escuela, y si el público lo conoce en ese aspecto, es porque su amor a la templanza —tan temprano en él como en el Carmides de los diálogos— le ha despertado el afán de corrección, de perfeccionamiento constante, y le ha dotado de la prudencia necesaria para no lanzar ante el mundo (todavía) los gritos más espontáneos y limitarse a presentar en trasuntos y ficciones los paisajes de su jardín interior.

Para el lector atento, los ejercicios clásicos de Alfonso Reyes contienen indicios bastantes a determinar las características de su personalidad en germen: el conjunto de imágenes y de sensaciones que cruzan en sus versos y tan felizmente se avienen con los esbozos de vida pagana; su tendencia a la forma más expresiva, por la gracia o por el vigor (aún no la elegancia galante ni la fuerza rotunda); su concepción de la existencia sencilla y armoniosa, disfrazada de exaltar redivivo o de plañer muerto el mundo clásico, de convertir la concepción ideal en asunto emotivo, en sentimientos: de ahí esos clamores, ingenuas efusiones cordiales, como el jubiloso grito: "¡Amo la vidá por la vidá!" ó la delicada lamentación: "¡Oh mi dolor! —ni adoro una zagala— ni soy pastor"!

He ahí, pues, la clave de su temperamento, que, si se adivina en las poesías publicadas, se hace evidente en lo inédito anterior: Alfonso Reyes es un amante. El amante, que se derrama todo en pasión sobre el objeto de atracción sexual, sobre las almas afines, sobre las formas bellas de seres y cosas, sobre la naturaleza, sobre la universal armonía: espíritu libérrimo, que fué la gloria y el triunfo de la antigüedad y que, aplastado más tarde por el terror del pecado (no cristiano, sino hebraico, asiático), refugiándose entonces en el misticismo de los santos y en el idealismo de Dante y de Petrarca, resurge con la liberación del pensamiento moderno, huraño todavía, temeroso de sí mismo y del ambiente ingrato, impotente para dominar e imponer su ley de concertados ritmos, y evolucionando al fin, a través de los tormentos reflujos —odio en Byron, sarcasmo en Heine, desesperación en Espronceda, lágrimas en Musset, arrepentimiento en Verlaine, sensualidad torturante en D'Annunzio, perversión ilusoria en Oscar Wilde—, alcanza una nueva y suprema plenitud, en verdad poética, en ideal humano, en filosofía o en símbolo, con Goethe, con Chénier, con Keats y Shelley, con Ruskin, con Guyau, en el oceánico Wagner, con Edgar Poe, venciendo la tristeza y la muerte, con Ibsen, coronando su obra de esfuerzo doloroso.

¡Curioso error! para el vulgo, el amor platónico es algo así como el místico no exaltado; interpretación extrema y falsa de los conceptos desarrollados en el *Fedro* y en el *Simposio*. El temperamento de amante platónico es el fogoso que llega a dominarse y a adquirir la disciplina del sentimiento. Y éste es el que me parece descubrir en el poeta adolescente: en los cantos que niega a profanos oídos hay gritos tumultuosos (¡*Vida! Rojo y Negro*) que se apegan más tarde en las divagaciones melancólicas de *Abandono* y *Debajo del cielo*. La templanza, la disciplina mental y moral, se ha impuesto: de la poesía erótica, ardorosa y sensual, el amante evoluciona hacia la contemplación de la naturaleza, ensaya elevarse al reino de las ideas. A ambos llega por el sentimiento: lo cual le impide todavía alcanzar la visión definida de los paisajes y la forma precisa del pensamiento puro. Su manera descriptiva es animada merced a los recursos de expresión, de emoción y reminiscencia (*Viñas paganas, ¡oh mi dolor!*): bien mirada, resulta indecisa, aún en las veces en que no acude a los procedimientos de enumeración y personificación. Las imágenes o los rasgos que componen un cuadro o un retrato podrían a veces sustituirse por otros sin quitar carácter. Pero ya la escena de Acteón, en el *Chénier*, es [en blanco y negro solamente, pues el color apenas apunta y el matiz aún no aparece] un bosquejo firme.

En el reino de las ideas es indudable que Alfonso Reyes aún no encuentra su filosofía. Acaso haya encontrado ya, por la inevitable correlación de ésta con el organismo afectivo, su moral; esto es, su concepción de un ideal, una finalidad o al menos tendencia directriz de la vida. Lo que en este sentido se esboza en la *Oración pastoral*, en el canto a *Chénier*, se desarrolla en la *Alocución* dirigida a sus compañeros de estudios preparatorios.[52] Esta *Alocución* es la clave única del desarrollo de su mentalidad filosófica, pues las poesías y los anteriores trabajos en prosa [discurso sobre *Moissan*, etc.], contienen ideas embrionarias o insustanciales. Nótase en aquélla, en camino, una avidez

---

[52] Véase crónica sobre el triunfo de Alfonso Reyes en la Preparatoria en *El Diario* (julio 17 de 1907) y *El País* (17 de abril de 1907, p. 2, col. 3).

ideológica tan impetuosa como la avidez erótica de sus primeros sonetos y que hace recordar la frase de Carlyle sobre el interesante espíritu de Margaret Fulkler: ¡Qué impaciencia por devorar el universo! Los principios morales, los aforismos, las citas, se suceden como impeliéndose y atrayéndose. Hasta ahí, bien estaría, porque el enlace es siempre suficientemente lógico. Pero cada idea central, que parece arrastrar una corte de planetas, pensamientos incidentales, atrae también una legión de imágenes eruditas, cometas que amenazan romper el equilibrio del sistema y producen un fulgor excesivo. El pecado de este trozo de oratoria, de corte a lo Urueta, es, como indica Rubén Valenti, la retórica: el armazón ideológico amaga desplomarse bajo el peso de la ornamentación.

De todo ello se deduce, por fortuna, una moral optimista, de libertad y alegría, de esfuerzo y de amor, que parece buscar el apoyo de una filosofía panteísta, cuya forma no se define aún.

Alfonso Reyes cuenta, por lo demás, con una ventaja; el dominio de la forma. Ha logrado ya sorprender el secreto de la prosa oratoria y el del verso clásico modernizado. Pero si cualquiera de ambas cosas suele bastar a hacer una reputación, no debe bastar a satisfacer el propio anhelo de perfeccionamiento. Pienso que su prosa, a pesar del escollo de su iniciación declamatoria, puede evolucionar fácilmente; en cambio, creo sorprender en su verso tendencias peligrosas al estancamiento. Su endecasílabo no ha variado sensiblemente desde sus comienzos, y las variaciones han sido simples depuraciones: supresión completa de asonancias, cacofonías, hiatos y sinalefas duras. Progreso de escasa importancia, pues la corrección es un elemento mecánico, si cabe decir, aunque indispensable, de la forma, elemento que todo escritor debe dominar, hasta el punto de asimilarlo y convertirlo en hábito sub-consciente, pero que no encierra, no con mucho, el secreto de la gran técnica. El afán de la corrección, de la mera corrección (no la manía flaubertiana de la expresión), cuando no mata el vigor del estilo, realiza trabajos de inutilidad pasmosa. Bello, que no contó entre sus adivinaciones la moderna psicología de las técnicas, sostuvo que la riqueza de la rima consistía en huir de las consonancias entre partes de la oración iguales: lo sostuvo y lo practicó, con minuciosidad escrupulosa, sin que por eso su rima nos parezca jamás tan rica, tan sonora y variada como la de Espronceda, que amontona en sus octavas reales consonancias de adjetivos, de sustantivos en plural, de tiempos verbales idénticos, y ¡horror! de participios.

La estructura del endecasílabo y el soneto de Alfonso Reyes, su verso y su metro preferidos, aunque no es rígida, no ha alcanzado suficiente flexibilidad sino en el canto a *Chénier*, y todavía huye de las novedades de acentuación. Sin embargo, su versificación no se limita al soneto endecasílabo, sino, antes al contrario, suele asumir otras formas elegantes y musicales. Para ejercitar esa capacidad latente, ahí está el arsenal de la métrica modernista.

El poeta adolescente que tan graves disquisiciones motiva posee su princi-pal virtud en su temperamento de amante, cuya explosión primaveral, de ama-necer lírico, va templándose con la serenidad del estudio. La educación estética levantada a tan hermoso grado por el cultivo de la poesía arcaica necesita com-pletarse con el fecundo ejercicio del *ensayo*, del estudio crítico. Entonces el hombre de escuela que existe en este platónico se convertirá en el verdadero humanista, es decir (habla Menéndez Pelayo) el hombre que toma las letras clásicas como educación *humana*, como base y fundamento de cultura, como luz y deleite del espíritu, poniendo el elemento estético muy por encima del elemento histórico y arqueológico y relegando a la categoría de andamiaje in-dispensable, aunque enojoso, el material lingüístico.

PEDRO HENRÍQUEZ UREÑA

Desde fines de julio de 1907 hasta el 1o. de diciembre de 1909, fecha en que Luis G. Urbina le confirmó la tarea de ocuparse de la preparación de la *Antología del Centenario* Pedro Henríquez Ureña trabajó en la Compañía de Seguros "La Me-xicana". Poco cambio registra su vida personal entre ambas fechas. Continuó su colaboración en la *Revista Moderna de México*, trató de proseguir estudios en la Es-cuela de Jurisprudencia o de encontrar nuevo empleo, sin éxito; pero, sobre todo, estrechó amistad con Alfonso Reyes y Antonio Caso, con quienes compartió una intensa dedicación a los estudios de Literatura, Filosofía y Artes. Tanto Caso y Re-yes, como Pedro Henríquez Ureña, recuerdan estos "días alcióneos" en páginas que son imprescindibles para conocer este momento cultural en que se definió la for-mación de la juventud mexicana. En 1909, recordando aquéllos momentos, Pedro Henríquez Ureña asienta en sus "Memorias", con respecto a la frustrada continua-ción de sus estudios y a sus trabajos en "La Mexicana":

Como mi padre habría querido que yo fuese abogado, y yo mismo com-prendía que entre las carreras de estudio era la más adecuada para mí, quise estudiar desde que llegué a México; logré revalidar mi bachillerato, y comencé a asistir a algunos cursos en la Escuela de Jurisprudencia; pero el trabajo de *El Imparcial* me quitaba el tiempo y no me permitió continuar. Ahora el en-trar a un trabajo de oficina se me imposibilita más ese deseo. Desde que entré a "La Mexicana", a fines de julio de 1907, no he logrado encontrar otro em-pleo que me deje libres más horas, a pesar de que me he empeñado en bus-carlo; y por fortuna, mi situación ha sido siempre buena, los empleados de la oficina corteses y reservados, mi sueldo aumentó, mi trabajo no es excesivo y sí independiente, y he contado siempre con la buena voluntad del director, aunque el sub-director Sáenz[53] murió a principios de este año de 1909.

---

[53] Don Ramón Sáenz y B. falleció el 6 de enero de 1909. La *Revista Moderna de México* (enero de

Más adelante, después de informarnos que Max se había ido como jefe de redacción a *La Gaceta* de Guadalajara, y que la debió abandonar para irse como editorialista, por influencia del general Reyes, al *Monterrey News,* nos proporciona los siguientes datos:

> Nuestra salida de *El Diario,* la partida de Max poco después, y la poca atención que parecieron prestarnos los amigos antes tan asiduos a nuestras fiestas, me produjo cierto estupor moral. Además, ya me había acostumbrado a las comodidades de la casa, que era nuestra, y donde víviamos a gusto; al irse Max, y como la razón de Darío Herrera había comenzado a afectarse de nuevo, y el sostener una casa habría sido más costoso siendo ya menos nosotros, tuvimos que tomar cada cual por su [*sic*] lado: con lo cual me fuí yo a vivir al número 5 de la calle de Jesús, donde he vivido hasta ahora [1909].[54]

Pero la parte más importante de las "Memorias" de Pedro Henríquez Ureña es, creemos, la que se refiere al cambio que en 1907 se produjo en su orientación cultural y el rumbo definitivo que tomaron sus gustos intelectuales:

> 1909) lo elogió "post-mortem" como "grande amigo de sus amigos y siempre lleno de interés por toda manifestación de cultura". Y agrega: "Nuestro colaborador, Pedro Henríquez Ureña, que forma parte del personal de 'La Mexicana', pronunció estas palabras en el acto de la inhumación:
>
>> Ante la tumba súbitamente abierta del que fué hasta ayer nuestro guía en las diarias labores, y nuestro amigo en todos los instantes, nos detenemos llenos de estupor indecible. No nos damos cuenta todavía de la magnitud de esta desgracia, que corta bruscamente el hilo de una vida, vida que no debía interrumpirse ni suspenderse aún. Sólo cuando los días transcurran, y advirtamos que nos falta en el trabajo de cada hora, con el afán diario, su palabra generosa, su consejo alentador, los impulsos de su bondad inagotable, mediremos el vacío que en nuestras labores, y en nuestros afectos, y en nuestra vida toda, deja este hombre de esfuerzo útil y desinteresado, de virtud ejemplar, nunca ostentosa.
>>
>> En las esferas de la vida en que se cumple el deber sin ruido y sin pompa, este hombre, que acaba de abandonarnos, rayaba tan alto como los primeros. Tuvo él la energía de ese heroísmo diario que caracteriza las vidas puras y nobles, y la tuvo espontáneamente, sin que tanta virtud de cada hora fuera un sacriicio para su espíritu recto, sin que tanta bondad fuera imposición difícil para su corazón afable.
>>
>> Sea, para nosotros, la memoria de ese ejemplo, el mejor aliento en nuestra labor. En cuanto a él, confíemos en que su espíritu se haya dormido en el seno de la paz infinita con la serenidad y la esperanza que la animaron en vida. La muerte debió acogerle sin encontrarle temeroso, ni angustiado. De él podemos decir, con el cantor de *Werther:*
>>
>>> Para su contextura de varón fuerte,
>>> semejante a montaña de clara cima,
>>> es un reino sin sombras el de la muerte.
>
> La *Revista Moderna* lamenta la partida del excelente amigo y se une al duelo de los suyos".

---

[54] "Memorias", p. 78.

En 1907 tomaron nuevos rumbos mis gustos intelectuales. La literatura moderna era lo que yo prefería; la antigua la leía por deber, y rara vez llegué a saborearla. Pero, por la época de las conferencias, mi padre había ido a Europa, como delegado de Santo Domingo a la conferencia de La Haya; y le pedí me enviara una colección de obras clásicas fundamentales y algunas de crítica: los poemas homéricos, los hesiódicos, Esquilo, Sófocles, Eurípides, los poetas bucólicos, en las traducciones de Leconte de Lisle; Platón, en francés, la Historia de la literatura griega de Otfried Muller, los estudios de Walter Pater (en inglés), los *Pensadores griegos* de Gomperz, la *Historia de la filosofía europea* de Alfred Weber, y algunas otras. La lectura de Platón y del libro de Walter Pater sobre la filosofía platónica me convirtieron definitivamente al helenisno. Como mis amigos (Gómez Robelo, Acevedo, Alfonso Reyes) eran ya lectores asiduos de los griegos, mi helenismo encontró ambiente, y pronto ideó Acevedo una serie de conferencias sobre temas griegos: serie que hasta ahora no se realiza, pero que nos dió ocasión de reunirnos con frecuencia a leer autores griegos y comentarlos. Hice entonces una bibliografía extensa sobre Grecia, para obtener los libros principales; y en poco más de un año, comprando aquí mismo libros o encargándolos a Europa o a los Estados Unidos, he completado mi colección de autores griegos y aumentado la de latinos, y he conseguido la *Historia de Grecia* de Curtius, la *Historia de la Literatura Griega* de Los Croiset, el *Pourmieux connaitre Homére* de Bréal, la *Historia de la Filosofía* de Windelband, *La Teoría Platónica de las ciencias*, de Elie Halevy, y otras obras especiales, amén de las obras en que extensamente o de paso tratan de Grecia, Lessing, Goethe, Schiller, Hegel, Schopenhauer, Heine, Nietszche, Matthew Arnold, Ruskin, Oscar Wilde, Renan, Taine, Fouillée. Mis amigos también se han dedicado a reunir obras semejantes: Perrot y Chipiez, Colignon, Cox, Henri Weil, Jules y Paul Girard, Couat, Gilbert Murray, Andrew Lang, y otros más. Hasta ahora, solo hemos hecho con estos elementos una fiesta griega: el 25 de diciembre celebramos el nacimiento de Dionisios, en la casa de Ignacio Reyes, con un ensayo de tragedia mío, al modo de Frínico. *El Nacimiento de Dionisios,* y un coro de sátiros de Alfonso Reyes: hubo luego palabras improvisadas por Caso y Valenti. Agregaré que desde hace un año estoy traduciendo y publicando por entregas en la *Revista Moderna* el libro de *Estudios griegos* de Walter Pater, primera traducción castellana de una obra suya.

En el orden filósofico, he ido modificando mis ideas, a partir también del mismo año de 1907. Mi positivismo y mi optimismo se basaban en una lectura casi exclusiva de Spencer, Mill y Haeckel; las páginas que había leído de filósofos clásicos y de Schopenhauer y Nietszche no me habían arrastrado hacia otras direcciones. Sobre todo, no trataba yo sino con gente más o menos positivistas, o, de lo contrario, creyentes timoratos y anti-filosóficos. El positivismo me inculcó la errónea noción de no hacer metafísca (palabra cuyo significado se interpretó mal desde Comte); y a nadie conocía yo que hiciera otra metafísica que la positivista, la cual se daba ínfulas de no serlo. Por fortuna, siempre fuí adicto a las discusiones; y, desde que los artículos de Andrés González-Blanco y Ricardo Gómez Robelo me criticaron duramente mi optimismo y mi positivismo (el del libro *Ensayos críticos*), tuve ocasión de discutir con Gómez Robelo y Valenti esas mismas ideas; las discusiones fueron minando en mi espíritu las teorías que había aceptado. Por fin, una noche a mediados de 1907 (cuando ya el platonismo me había conquistado, literaria y moralmente), discutíamos Caso y yo con Valenti: afirmábamos los dos primeros que era imposible destruir ciertas afirmaciones del positivismo; Valenti alegó que aún la ciencia estaba ya en discusión, y con su lectura de revistas italianas nos hizo citas de Boutroux, de Bergson, de Poincaré, de William James, de Papini . . . Su argumentación fue tan enérgica, que desde el día siguiente nos lanzamos Caso y yo en busca de libros sobre el anti-intelectualismo y el pragmatismo. Precisamente entonces iba a comenzar el áuge de éste, y la tarea fue fácil. En poco tiempo, hicimos para nosotros la crítica del positivismo; compramos James, Bergson, Boutroux, Jules de Gaultier y una multitud de expositores menos importantes, de los que pululan [*sic*] en la biblioteca Alcan; volvimos a leer los maestros: Caso poseía desde entonces una biblioteca bastante completa de filósofos; yo me dediqué a obtener, en Europa, en los Estados Unidos, en México, y hasta pidiendo algunos libros de la biblioteca de mi padre, las obras maestras de la filosofía moderna: Bacon, Descartes, Pascal, Leibniz, Spinosa, Kant, Hegel, Fichte, Schelling, Schopenhauer, hasta Comte. Pero hasta ahora tampoco he producido con estos elementos sino uno que otro trabajo, como el de "Nietzsche y el pragmatismo".[55]

Dentro de este plan de estudios, de ahondamiento y renovación, Pedro Henríquez Ureña se aparta un tanto de la pléyade de escritores jóvenes que había frecuentado como participante del grupo de la revista *Savia Moderna* y de la *Revista Moderna de México*. Documenta en sus "Memorias":

Antes de 1907, mis amistades en México no eran íntimas; trataba con relativa intimidad a Escofet y a Carlos González Peña, y frecuenté bastante la

[55] "Memorias", pp. 82-85. Sobre la toma de posición filosófica de Pedro Henríquez Ureña en este momento, véase Alfredo A. Roggiano, "Pedro Henríquez Ureña o el pensamiento integrador", en *Revista Iberoamericana*, No. 41-42 (1956), totalmente dedicado al maestro. Posteriormente escribieron sobre el pensamiento filosófico de P.H.U., Eugenio Puccarelli, Aníbal Sánchez Reudel y Torchia Estrada, entre otros. Pero lo mejor, creo, es guiarse por los textos del propio don Pedro: "Días alcióneos" y "Conferencias", en *Horas de estudio* (1910), "La Revolución y la cultura en México", en *Conferencias del Ateneo a la Juventud*, ed. Juan Hernández Luna (UNAM, 1962, pp. 149-156) y "La influencia de la Revolución en la vida cultural de México", en *Obra crítica*, ed. Emma Speratti Piñero (F.C.E., 1960). También la carta a Alfonso Reyes del 29 de octubre de 1913, ahora de fácil acceso en *Alfonso Reyes. Pedro Henríquez Ureña. Correspondencia 1907-1914*, edición de José Luis Martínez (F.C.E., 1986, con el No. 46).

casa de D. Jesús E. Valenzuela, así como algunos de los jóvenes escritores de
Savia Moderna, principalmente Gómez Robelo, Acevedo, Valenti y Castillo
Ledón. A partir de mediados de 1907, un tanto decepcionado, pensé que era
mejor circunscribir mi grupo; el resultado fue una intimidad mayor con Alfonso Reyes, que fue el más adicto a nosotros después de la disolución de nuestra casa, luego con Acevedo y por último con Caso. Llegamos a formar un
trío Caso, Alfonso y yo, y durante todo el año de 1908 y la primera parte de
éste [1909], la casa del primero fue el centro de nuestra reunión y nuestras
disquisiciones filosóficas y literarias.[56]

Se explica que la primera colaboración que Pedro Henríquez Ureña publicó en
la *Revista Moderna* en enero de 1908, titulada "Días alcióneos", estuviera dedicada
a Antonio Caso y Alfonso Reyes. Es ésta una prosa poética, sobria, precisa, recon-
centrada, que invita a la paz, a la serenidad, el trabajo y la belleza. Por su parte,
Antonio Caso dedica su "Max Stirner", conferencia publicada también en la *Revista Moderna* (abril de 1908, pp. 80-89) a Pedro Henríquez Ureña y a Jesús T. Acevedo. Pedro Henríquez Ureña no puede dejar de asentar en sus "Memorias": "El curso
de mi vida se ha hecho desde entonces más tranquilo", con lo cual quiere significar, sin duda, cuán grato le era su retiro del "mundanal ruido".

Sin embargo, "a principios de 1908 hubo un suceso sensacional —anota— en
el cual me tocó figurar". Se trataba, en realidad, de un ataque que cierto grupo
católico había emprendido contra el positivismo, la doctrina y plan de Gabino Barreda, su enseñanza en la Escuela Nacional Preparatoria, y, más principalmente contra su director, el Dr. Porfirio Parra. La polémica (llamémosla así) se originó en un
folleto del Dr. Francisco Vázquez Gómez contra la enseñanza positivista en la mencionada escuela, que fue aprovechado en forma sensacionalista por los diarios católicos *El Tiempo* y *El País* (éste sobre todo). El Dr. Porfirio Parra contestó, en cierto
modo, con un discurso acerca de "la religión de la humanidad", marcadamente comtiano, en el que proponía "las condiciones que debía tener el Ser Perfecto". *El País*,
en un editorial titulado, "El Sr. Dr. D. Porfirio Parra, Director de la Escuela Nacional
Preparatoria y la Religión de la Humanidad",[57] atacó dicho discurso y opuso a "las
condiciones que debe tener el Ser Perfecto" las "del Ser Amado por los místicos".
Al día siguiente, en primera plana, *El País* publica otro editorial bajo el título de "El
positivismo es el ateísmo".[58] El grupo de los intelectuales jóvenes, a pesar de que,
como hemos visto, ya empezaba a hacer la crítica del positivismo, acaso por temor
a una vuelta a la posición anterior a la reforma de Barreda, se creyó en la obligación
de señalar los méritos que la enseñanza científica del maestro Barreda todavía mantenía en vigencia, y se lanzó a la calle en una de las típicas manifestaciones estu-

[56] "Memorias", p. 85.
[57] *El País*, Año X, No. 3312, 20 de marzo de 1908, p. 1, cols. 1, 2 y 3.
[58] 21 de marzo, p. 1.

diantiles, semejante a la ocurrida con motivo de la publicación de la revista de Caballero. Por supuesto, se trató de dar a los hechos un carácter de acontecimiento nacional, según vemos en esta sintética exposición que el mismo Pedro Henríquez Ureña hace en sus "Memorias":

> Un grupo de jóvenes, de quienes aparecieron representantes José María Lozano, Jesús Acevedo y Antonio Caso, organizó una manifestación contra Vázquez Gómez y en honor de Barreda, fundador de la Preparatoria. Se pensó en invitar a Salvador Díaz Mirón para que fuese orador en la ocasión, y al efecto fuimos a buscarlo a Jalapa y Veracruz, Lozano, Acevedo, Gómez Robelo y yo (Jalapa me pareció deliciosa, con su valle, sus nieblas matinales, su aire fresco y la limpieza de sus casas, con fuentes de azulejos en los patios; le observaba entonces a Gómez Robelo: "Para nosotros, cualquier viaje es un viaje a Italia". Veracruz estaba algo distinta: asfaltada, con tranvías, y una multitud de urracas estrepitosas en el Parque Ciriaco Vásquez). Díaz Mirón se negó a hablar, alegando razones de oratoria. Pero la manifestación se organizó en forma triple para el domingo 22 de marzo. Se obtuvo la contribución de los hombres del gobierno y de otras personas, y se invitó a las escuelas y a las sociedades del país a que enviaran representantes. Se obtuvo bastante dinero; pero poco contingente de representación. Hubo, no obstante, mucho público. Por la mañana, fuí a la Estación del Ferrocarril Nacional a recibir a Max y a Alfonso Reyes que llegaban de Monterrey. Nos dirigimos a la Escuela Preparatoria, donde debía comenzar la manifestación, y encontramos el gran salón de actos ya lleno de gente, y Ricardo Gómez Robelo diciendo el discurso inicial. A éste seguí yo, y luego habló Alfonso Teja Zabre. Nuestros discursos fueron principalmente literarios y conmemorativos, con algunas críticas incidentales al positivismo. El Dr. Porfirio Parra, emocionadísimo, contestó a nuestros discursos como director de la Preparatoria; y la manifestación partió por las calles céntricas rumbo al Teatro Virginia Fábregas. Allí llegamos a las diez y comenzaron los discursos ante un público numerosísimo. Habló Enrique Rodríguez Miramón, brevemente; le siguieron, como representantes de diversas sociedades, Alberto Cañas, el profesor Adolfo Olmedo y el Dr. Alonso, de San Luis Potosí; Cañas que habló poco, fue aplaudido por cortesía; pero el público allí reunido era despierto y mordaz, y los otros dos desconocidos oradores recibieron burlas: el Dr. Alonso, porque se equivocaba en las pronunciaciones; Olmedo, porque leía lentamente y en voz baja; alguien del público le gritó: "no se oye, padre". La burla debía alcanzar hasta a uno de nuestros compañeros, Rubén Valenti, a quien el temor hizo cometer varios dislates de gesto y voz. En cambio, Hipólito Olea, con un discurso de burlas al clero, fue aclamado, y Alfonso Cravioto, con una brillantísima oración, no fue menos aplaudido. Pero el *clou* de la fiesta lo constituyeron dos sensacionales discursos políticos, en los cuales Barreda figuró poco, pero recibie-

ron duros ataques sus discípulos como falsificadores de su obra: los discursos
de Rodolfo Reyes, hijo del General, y de Diódoro Batalla. Si el de Rodolfo
se caracterizó por sus atrevidos ataques a la situación política del país, el de
Batalla brilló por una serie de ironías, toscas o finas, dirigidas a todas partes:
al régimen colonial español, al clero, a los positivistas, a la política financie-
ra . . . El público entró en delirio con estos discursos. Salimos del teatro a la
una y media; y después de comer, fuí con Max al Bosque de Chapultepec.
Faltaba la tercera parte, la velada académica de la noche, presidida por Porfirio Díaz: hubo música de la Orquesta del Conservatorio, dirigida por Meneses; un discurso largo y fácil pero no profundo, de Antonio Caso, una poesía
de Rafael López, y un memorable discurso de D. Justo Sierra: el propio Ministro de Instrucción Pública hacía la crítica del positivismo, sin olvidar hacer
mención de Nietzsche. Al día siguiente la prensa toda se lanzó en contra nuestra. Sólo quedó ilesa la fiesta de la noche y uno que otro discurso de la mañana: el de Cravioto, por ejemplo. Los católicos y los positivistas (cuya
preponderancia en el gobierno de México es ya antigua) se sintieron ataca-
dos, y unos y otros arremetieron a insultos. Yo no recibí sino una grosería de
El Heraldo, edición vespertina de *El Imparcial. El País* se limitó a encontrar
malo mi discurso. Pero lo que más interesaba eran los ataques a Rodolfo y
a Batalla; y por desgracia, la actitud del primero, que se lanzó a explicar y ate-
nuar su discurso en cartas, quitó mucho prestigio a la manifestación.[59]

En la Hemeroteca Nacional de México falta el ejemplar de *El Heraldo* en el cual
se publicó la "grosería" a que alude Pedro Henríquez Ureña. Pero otros diarios no
fueron muy corteses. *El País* (22 de marzo de 1908), con el título de "A propósito
de la algazara de hoy. El positivismo condenado por eminentes pensadores, no católicos, mejicanos y extranjeros", dedica gran parte de la edición al asunto. En la
página 2, columnas 1, 2 y 3, publica "La glorificación del Dr. Vázquez Gómez".
El día 23 (página 1, cols. 4 y 5), comenta: "La manifestación proyectada en honor
de Barreda resultó un fracaso", con crítica a los discursos de Alfonso Cravioto, Hipólito Olea, Rubén Valenti, Rodolfo Reyes, etc. De Pedro, Max [sic] Ureña, dice
(col. 4):

> En un idioma que no conocemos, y que está muy lejos de ser el español,
> habló de la instrucción "científica" implantada por Barreda en la Escuela Pre-
> paratoria. Consideró a Barreda como uno de los sabios más grandes del mundo.

> Su perorata resultó sumamente deshilachada. Su frase cansada y el con-
> junto soporífero en alto grado.

[59] "Memorias", pp. 79-81.

El Tiempo (diario dirigido por Victoriano Agüeros) no dio menos importancia al tema. En la Hemeroteca no se encuentra el número del 23 de marzo de 1908. En el del 22 y el del 24 (año XXV, No. 8225, p. 1, cols. 1 y 2) publica: "Polémica trascendental. Los Sres. Dres. Vázquez Gómez y Parra", en que Parra contesta al impugnador. La polémica se sigue en varios números del periódico, y es muy importante para ver la situación del positivismo en México. En cuanto a *El Imparcial*, en el número del 22 de marzo de 1908, p. 1, cols. 1 y 2, "Un curioso"[60] publica "Don Gabino Barreda y la juventud", donde sostiene que Barreda representa la emancipación intelectual, el abandono definitivo de las viejas prácticas, y de arcaísmos escolásticos. . . El 23 de marzo *El Imparcial* dedica gran parte de la primera plana a comentar los actos de la Escuela Preparatoria y del Teatro Arbeu. Al hablar de "los tres discursos", en el encabezado "La juventud positivista honra a Barreda" (col. 1), dice: "Los oradores fueron Ricardo Gómez Robelo, Antonio Teja y otro joven que, entre paréntesis, no solamente no ha pertenecido a la Preparatoria, sino que ni aún es mexicano". El número de 24 de marzo (p. 1) trae el discurso de Justo Sierra sobre Gabino Barreda. Pedro Henríquez Ureña no contestó ni a *El Imparcial* ni a su edición vespertina *El Heraldo*; pero en la *Revista Moderna* los números de marzo y abril de 1908 están dedicados a desagraviar a Barreda y a ponderar los discursos de los participantes en las aludidas manifestaciones. Por último, cabe mencionar un extenso trabajo titulado "Los periódicos del Sr. Spíndola y la juventud", donde refuta tanto a *El Imparcial* como a *El Heraldo* y defiende particularmente a Pedro Henríquez Ureña. Dice, en la parte pertinente:

> El Imparcial, en su afán de zaherir a la juventud de hoy, que es dueña del mañana, y mañana le dará un soberano puntapié, no vacila en ofender, en escarnecer, en maltratar a los oradores que tomaron parte en la glorificación de Barreda. Sin ocuparnos en todos los casos, nos limitaremos, simplemente, a señalar el de Pedro Henríquez Ureña, distinguido escritor dominicano que forma en las filas de nuestra intelectualidad, el cual, con sincero entusiasmo, hizo un bello panegírico del maestro Barreda. Pues bien, *El Imparcial*, con la estultez que inspira todos sus actos, y su grosería peculiar, critica el que un literato "haitiano" que no sabe gramática, que no tiene ideas, ni es mexicano, se ocupe de aplaudir a Barreda. ¡Como si los hombres ilustres no debieran ser juzgados por el extranjero! ¡Desgraciados de nosotros si nuestro Melchor Ocampo, nuestro Gutiérrez Nájera, nuestro Altamirano, no hubiesen pasado las fronteras, y sólo pudiera glorificarles . . . *El Imparcial*! Por lo demás, atrasadillos andan en gramática desde el Director hasta el último redactor de ese periódico, para poder criticar a Henríquez Ureña, que puede darles lecciones: y más atrasados todavía están en urbanidad, ya que no saben que el elogio

---

[60] Ese "curioso" era el poeta Enrique González Martínez, según Jesús E. Valenzuela en "Mis Recuerdos", XXI (*Excélsior*, 12 de febrero de 1956, p. 4).

del extranjero para una figura nacional, antes merece agradecimiento que censura.[61]

Entre los diarios del interior del país se hizo eco *Monterrey News*, en un artículo, a dos columnas, seguramente escrito por Max Henríquez Ureña, titulado "Ecos de la ruidosa manifestación en honor de Barreda", que lleva como subtítulo "La figura de Barreda comparada, y con toda justicia, con la de otros sabios de América", en el cual se inserta, completa, la "Alocución" a Barreda de Pedro Henríquez Ureña que se recoge en su libro *Horas de estudio*.[62] Por ser texto accesible ahora en la edición de la *Obra crítica*, publicada por el Fondo de Cultura Económica, no lo reproducimos.

Otro de los acontecimientos de importancia ocurrido en 1908, y en el cual tomó participación Pedro Henríquez Ureña, fue la Segunda Serie de Conferencias dadas en el Teatro del Conservatorio Nacional. Según las "Memorias" de don Pedro, "fueron una profunda y brillante de Caso sobre Max Stirner, una de Max sobre la influencia de Chopin en la música moderna, una de Genaro Fernández McGregor sobre D'Annunzio, y una, menos que mediana, de Isidro Fabela, sobre Pereda. En esta ocasión suprimimos a los poetas, pero dejamos el número musical: los ejecutantes fueron la Srta. Alba Herrera y Ogazón, Roberto Ursúa y Manuel Tinojo".[63]

En cuanto a espectáculos artísticos, tanto de teatro como musicales, el mismo Pedro Henríquez Ureña nos da las referencias del caso:

> En orden a espectáculos, durante mi permanencia en México he podido ver, además de los consuetudinarios, como la Compañía dramática de Virginia Fábregas, que estrena obras españolas y francesas, los conciertos de la Orquesta del Conservatorio, en los que se han ejecutado las Sinfonías V y Heroica de Beethoven, la Patética de Tschaikowski, y algunos oratorios, algunas compañías extranjeras: la de María Guerrero, en obras del teatro clásico español, la de Noveli y la de Mimí Aguglia; el Cuarteto Bruselas, que da ahora su segunda temporada en México; y algunos ejecutantes, como los pianistas Josef Hofmann y Josef Lhevinne y los violinistas Fritz Kreisler y Willy Burmenster.[64]

Uno de los juegos literarios en que se complacían algunos de los miembros del Ateneo (Caso, Alfonso Reyes, Pedro Henríquez Ureña) fue el hacer versos imitan-

---

[61] Aparece en *La Patria. Diario de México*, 28 de marzo de 1908. No lleva firma pero sabemos que es de Carlos González Peña.

[62] Lo hemos visto también en *La Cuna de América* (17 de mayo de 1908) y en *Tilín-Tilín* (México, 22 y 29 de noviembre de 1908).

[63] "Memorias", p. 81.

[64] "Memorias", p. 64.

do a autores contemporáneos, como antes Pedro Henríquez Ureña había hecho
imitaciones y paráfrasis de autores europeos (D'Annunzio, por ejemplo, en 1907).
Estas poesías "a la manera de" se publicaron en *Tilín-Tilín* de México, a partir de
1908.[65] Las de Pedro Henríquez Ureña son: "Flor de infamia" (a la manera de Rafael López), "Invitación pastoral" (a la manera de Alfonso Reyes) e "Ingenua" (a
la manera de Urbina), todas publicadas anónimamente, pero identificadas en el archivo de Pedro Henríquez Ureña con las iniciales P. H. U., de puño y letra del autor.
Transcribimos "Ingenua", imitación de Urbina:

> Miro en tus ojos húmedos la triste
> doliente caravana de mis cuitas;
> y es que tu suave languidez reviste
> el color de mis ansias infinitas.
>
> ¡Oh, tus húmedos ojos! Tu mirada
> de pasión, tu sonrisa blanda y buena!
> Son cual ánfora mística colmada
> de incienso y de perfume de azucena.
>
> Adivino los actos de tu drama:
> conozco tus tragedias interiores;
> la vida con ardor te dijo: ¡Alma!
> y cediste al imán de los amores.
>
> Yo también estoy triste; que en mi pecho
> marchítanse las flores estivales;
> y el corazón por la inquietud deshecho
> se acoge a tus caricias ideales.
>
> Ven y calma mi ardor, celeste hada,
> con tus melancolías de azucena.
> ¡Oh, tus húmedos ojos, tu mirada
> de pasión, tu sonrisa blanda y buena!

Y así llegamos al año 1909, en que ocurren acontecimientos políticos de suma
importancia para la vida institucional del país: nada menos que el intento de reelección de Porfirio Díaz y los conatos de anti-reeleccionismo del General Reyes y otros.
Esta situación política, lamentablemente, provocó fricciones aún entre amigos tan
entrañables como lo eran Caso y Pedro Henríquez Ureña. A fin de no alterar en

---

[65] *Tilín-Tilín*, 6 de diciembre de 1908.

lo más mínimo las confesiones de nuestro autor, recurramos otra vez a sus "Memorias":

Antes de 1907, mis amistades en México no eran íntimas; trataba con relativa intimidad a Escofet y a Carlos González Peña y frecuenté bastante la casa de D. Jesús E. Valenzuela, así como algunos de los jóvenes escritores de *Savia moderna*, principalmente Gómez Robelo, Acevedo, Valenti y Castillo Ledón. A partir de mediados de 1907, un tanto decepcionado, pensé que era mejor circunscribir mi grupo; el resultado fue una intimidad mayor con Alfonso Reyes, que fue el más adicto a nosotros después de la disolución de nuestra casa, luego con Acevedo y por último con Caso. Llegamos a formar un trío Caso, Alfonso y yo, y durante todo el año 1908 y la primera parte de [1909] la casa del primero fue el centro de nuestra reunión y nuestras disquisiciones filosóficas y literarias.

La amistad con Caso debía, sin embargo, llegar a alterarse. Desde principios de este año, la política de México es un mar de leva; mientras los adictos al gobierno y al partido *científico* trabajan por la reelección de Porfirio Díaz y de su vice-presidente Corral, ha surgido un corto partido de oposición que se llama Anti-reeleccionista, y ha cobrado inusitado auge el partido del General Reyes. Los reeleccionistas han formado clubs, fundado periódicos, organizado excursiones; y una de sus manifestaciones primeras fue la postulación, el día 2 de abril, de sus candidatos Díaz y Corral. Caso se dejó atraer por el Maquiavelo del partido *científico*, Rosendo Pineda, y accedió a ser orador en la velada del 2 de abril, y a ser director del semanario *La Reelección*. Antes de aceptar estos cargos, me consultó; yo le recomendé que se abstuviera de ellos, y en mi presencia llegó a redactar una carta de renuncia, pero no se atrevió a enviarla, y aceptó ambas cosas. La opinión de los independientes le fue desfavorable; no se diga la de los reyistas. Yo, por mi parte, le había aconsejado independencia absoluta; es decir, continuación de su actitud anterior, pues Caso había pronunciado varios discursos ante Porfirio Díaz y se había distinguido por no haber hecho ninguna alusión a él, como la mayoría de los oradores, y además, en lo privado, se manifestaba siempre enemigo del actual orden de cosas, aunque en manera alguna partidario de Reyes. Esta flaqueza de Caso me hizo entibiarme con él. Por lo demás, la renuncia a la dirección del periódico tuvo que presentarla después de haber aparecido su nombre allí durante algunas semanas; porque Ramón Prida, el socio de Pineda, escribió un artículo contra Diódoro Batalla, para publicarlo anónimo en *La Reelección*; Caso quiso que se suprimiera un párrafo insultante del artículo, y así se le prometió; pero a escondidas se hizo imprimir el artículo íntegro. Ante esta conducta, Caso se vió obligado a renunciar; y todavía Pineda le dijo que hacía mal. Ahora ha comenzado Caso a dar una serie de conferencias en la Escuela Preparatoria sobre la historia del positivismo.

En esta situación política, por supuesto, no tengo lazos algunos. Soy siempre amigo íntimo de Alfonso Reyes; pero la mayoría de mis amigos son o independientes o empleados del gobierno, con lo cual algunos se muestran sus adictos. Los reyistas son pocos, pues no es en las clases intelectuales donde más florece este partido, sino entre la clase media comercial y en el pueblo obrero y el ejército. Claro está que algunos me señalan como necesariamente *reyista,* por el simple hecho de mi amistad con Alfonso y en parte con Rodolfo; pero estoy tan lejos de gustar de este partido como de encontrar bueno el ótro.[66]

En estas circunstancias don Pedro parece buscar algún apoyo espiritual en sus amistades de fuera de México. Asienta en sus "Memorias":

Mis amistades literarias con el exterior no han ido en aumento. En 1906 llevaba una correspondencia activa con muchos literatos de América y aun de España; pero esto me cansó pronto. He conservado, sin embargo, relaciones con García Cisneros, quien me escribe con largas intermitencias y a veces muy seguido, desde los más diversos puntos de Europa; adonde va según las contratas de su mujer Eleonora; Londres, Berlín, Lisboa, San Petersburgo, París, Milán; con Francisco García Calderón, joven pensador peruano, amigo de los pragmatistas, residente en Londres, quien me tiene siempre al corriente de muchas novedades filosóficas; y más de tarde en tarde con Manuel Ugarte y con José Enrique Rodó. De éste hicimos publicar el *Ariel,* pidiendo al General Reyes que costeara la edición; en carta firmada por Caso, Acevedo, Gómez Robelo, Cravioto, Rafael López, Valentí, Max y yo. La edición estuvo lista a principios de 1908 en Monterrey; tuvo gran éxito, y en la Escuela Preparatoria fue leído a los alumnos, y el director Porfirio Parra ordenó otra edición. Posteriormente, he recibido libros enviados por Marinetti, el inventor del futurismo literario, y del portugés Eugenio de Castro, quien respondió con un envío de su *Fonte do Satyro* a los ejemplares que le envié de la *Revista Moderna* conteniendo su drama de asunto helénico *El anillo de Polícrates* y mi ensayo de tragedia *El nacimiento de Dionisos.*

Los primeros meses de 1909 no fueron de los más auspiciosos para Pedro Henríquez Ureña. A partir del 5 de agosto sus "Memorias" empiezan a convertirse en diario. El 5 de agosto escribe:

Durante el mes y días transcurridos desde que escribí las anteriores notas han ocurrido mil sucesos. Esperaba yo que a partir de este nuevo año fiscal

---

[66] "Memorias", pp. 85-86.

obtendría por obra de mis amigos, según me habían prometido, algún puesto que me concediera más tiempo para el estudio, y aun para el estudio de una carrera. Pero el mes transcurrido ha deshecho toda esperanza. Por primera vez desde hace más de quince años, hubo *déficit* en el Presupuesto del Gobierno de México; y ascendió, según se dice (aun no se publica), a los 18 millones o más. De ahí que muchos puestos gubernativos que iban a crearse se hayan suprimido. El historiador González Obregón iba a ocuparse en reorganizar el Archivo, y esperaba poder ocupar yo el puesto que dejaría, la dirección del *Boletín de la Biblioteca Nacional*, puesto que tuvo antes Luis Castillo Ledón cuando vivía con nosotros en Soto; pero se dejó para más tarde la reorganización del desmantelado Archivo. Supe, aunque no por él mismo, que Antonio Caso habló con D. Justo Sierra para que se me diera la Secretaría de la nueva Escuela Superior Nocturna, la cual él dirige; pero D. Justo alegó que ya se le había recomendado a Juan Ruiz Esparza, joven que acaba de recibir su título de abogado, y que, siendo éste mexicano, tenía que darle la preferencia.[67]

Uno de los amigos de mayor influencia en los ambientes oficiales y que distinguió siempre a Pedro Henríquez Ureña fue el poeta Luis G. Urbina. Por esta fecha (a principios de agosto de 1909), leemos en las "Memorias":

> Luis Urbina me ofreció encargarme de un trabajo literario oficial: la selección de poesías y artículos mexicanos escritos durante el siglo de independencia, para formar una antología que apareciera en el Centenario; pero es de suponer que ese gasto no se haga, puesto que se economiza en otros más importantes.[68]

Veremos, más adelante, que en reiteradas oportunidades se refiere Pedro Henríquez Ureña a esta oferta de Urbina, que se concreta, por fin, y da como resultado la magnífica *Antología del Centenario*. Mientras tanto, otras posibilidades aparecen en el horizonte incierto de este momento. Por ejemplo, las intenciones de atraerlo, con promesas de tipo literario y cultural, al bando reeleccionista; copiemos el texto de las "Memorias":

> Aquí, sin embargo, recibí una oferta que parecía capaz de aclarar mi situación. Se ha fundado una revista, bajo la dirección de Manuel Puga y Acal, para apoyar la política reeleccionista, tratando de atraer al público con el material literario, científico y comercial; y se me propuso, por indicación de Carlos Pereyra, que me encargara de la sección literaria, sin responsabilidad alguna

---

67 "Memorias", pp. 87-88.
68 "Memorias", p. 88.

en el orden político, prometiéndoseme además conseguirme una clase u otro empleo cómodo del gobierno. En apariencia, no me resultaba ningún compromiso; la *Revista Universal* iba a ser seria, yo no tenía que tocar en nada a la política, ganaría el doble de lo que ahora gano, tendría doble tiempo . . . Pero yo imaginé que bien pronto surgirían las imposiciones. Un día que hiciera falta un orador, sé que no habrían tenido escrúpulo en exigirme que saliera en excursión política, pues no cuentan con bastante gente para tales empresas y a un periodista extranjero Diógenes Ferrand lo hicieron intervenir de manera poco honrosa en la chismografía política. Esto, sin contar con la posición un tanto equívoca que resultaría de ser yo amigo de Alfonso Reyes y trabajar en un periódico que ataca a su padre; pero yo habría sabido aclarar este punto y me habría decidido a aceptar el cargo si hubiera estado seguro de que me dejaban en absoluta libertad. Más tarde, he visto que acaso las ventajas no eran tantas; es cierto que en la *Revista Universal* hay dinero, pero el periódico, aunque serio, es insulso, y nadie lo compra, y en cuanto al empleo gubernativo, dudo que se me hubiera dado alguno, vistas las suspensiones ordenadas por el gobierno.

Así, no me queda más recurso que continuar trabajando como empleado de oficina, por ahora; y escudriñando a ver qué puede hacerse en orden a mejora.[69]

Por lo pronto, Pedro Henríquez Ureña visita amigos, preferentemente escritores. Así el 11 de agosto relata en su diario la que hizo a Carlos Pereyra:

Estuve anoche a visitar a Carlos Pereyra, que parte esta semana para Washington, donde formará parte de la Legación Mexicana. Su mujer, la poetisa María Enriqueta, no estuvo presente, a causa de su indisposición. Pereyra estuvo agradable en su conversación, aunque no tan buen humorista como otras veces; se muestra contento por su viaje (hasta ahora nunca había estado fuera de México, sino, según creo, en el Sur de Los Estados Unidos); hablamos de autores ingleses y americanos: de Jane Austin, de Emily Brönte, de Bernard Shaw, de Mark Twain, de Gilbert Chesterton. No conozco otro mexicano cuyo conocimiento de la literatura inglesa lo ponga tan "at home" en ella, indicándole los "Cozy corners". Angel del Campo ("Micrós"), que murió hace más de un año, era quizás el único que conocía esos aspectos interiores de la literatura inglesa y norteamericana. Hay aquí muchos fervorosos del espíritu inglés (Gómez Robelo, Acevedo, Jenaro Fernández, y demás) pero sus lecturas nunca salen del círculo de los grandes idealistas: Shelley, Keats, Carlyle, Ruskin, Pater, Wilde, Swinburne, Edgar Poe, Emerson. Pereyra es sin duda uno

---

[69] "Memorias", pp. 89-90.

de los mexicanos de más variada cultura; además, una de las inteligencias más perspicaces; pero hay en él no sé qué desequilibrio que lo trunca todo. Ha escrito mucho, y no ha hecho una *obra*; sus libros históricos o han sido polémicos, o de texto; sus otros escritos han sido siempre cortos, ocasionales, y no creo que de ellos pueda formarse un todo armónico. Parece que sufre cierta debilidad mental, a que le oido aludir, refiriendo una prohibición médica de trabajo excesivo; pero lo más visible en él es la debilidad de carácter. En lo privado, es el hombre de ideas más libres; pero en público es a la vez timorato e imprudente; ello es que su carrera pública presenta una serie de contrasentidos. Podría decirse que su escepticismo crítico, que a todos se aplica, lo incapacita para la acción; no porque el escepticismo incapacite necesariamente, pues hay escepticismos activos, pragmáticos, sino porque el suyo es exclusivamente analítico, atomizador, y hace presa en una voluntad débil.

Anoche comentaba con verdadera fruición el librito de Loreaux, *la Autoridad de los Evangelios* declarando que nada cierto sabíamos de Jesús; no menos gusto le daba recordar todos los indicios que hacen creer que Shakespeare, el residente de Stratford-on-Avón, no haya sido el autor de las obras que se le atribuyen. Por supuesto, no es *baconiano*; le basta saber que probablemente sea imposible averiguar el nombre del verdadero autor de las obras shakesperianas; si, al contrario, se demostrara que son de Bacon, esto le mortificaría: ya está encariñado con la negación absoluta.[70]

A otro de los amigos que visita es a Marcelino Dávalos, en cuya casa se realizaban tertulias de carácter literario-político, a las cuales concurrían amigos de Pedro Henríquez Ureña como Carlos González Peña y Luis Castillo Ledón. El 25 de agosto escribe en su diario:

> Estuve anoche en una reunión en casa de Marcelino Dávalos, el dramaturgo, que acaba de regresar de Quintana Roo, donde era secretario del jefe militar. Concurrió todo el grupo de los *catecúmenos* de Carlos González Peña y Luis Castillo Ledón; catecúmenos admirativos, pues por fortuna no se lanzan a producir, contentándose con concurrir a toda manifestación que juzguen artística. Son, por supuesto, gentes de gustos medianos, que se entusiasman con Tina di Lorenzo y Mimí Aguglia; y cuyas lecturas se orientan por el gusto de Carlos en el sentido de la novela realista francesa. En general, no tienen personalidad marcada en ningún sentido, y de ninguna cosa medianamente difícil (cuestiones sociales, políticas, mucho más las intelectuales) se atreven a opinar sino apoyando opiniones ya expresadas. En política mexicana, por supuesto, todos tienden al oposicionismo y aun al *reyismo*. No sé si

[70] "Memorias", pp. 93-94.

esta unificación de pareceres y de modestias ha sido causada por la larga influencia de Carlos y Luis, a la cual se suma la de Marcelino Dávalos, cuando éste
se halla aquí: tres influencias que concurren en el mismo sentido, exclusivis-
mos en la literatura realista y aplauso indiscriminativo a la música alemana
y a toda música que no caiga en la *populachería* de la ópera italiana, antigua
y contemporánea. No estuvo en la reunión Luis Castillo, pero en cambio estuvo Escofet, a quien encuentro ahora libre de cierto prejuicio antihispanoa-
mericano que antes *pervadía* todo su hablar. Escofet tiene menos talento
creador que Carlos, o tal vez menos capacidad de trabajo sostenido; pero en
orden a gusto es mucho más amplio: entre él y Carlos se nota la diferencia
que existe siempre, en igualdad de condiciones, entre el europeo y el americano. Diríase, también, que la libertad en el orden familiar ha influido favora-
blemente en el carácter de Escofet: cuando yo le conocí, vivía con su mujer
y su ¬iña y su suegra; la preocupación de la familia la tenía siempre encima;
pero como ahora, aunque son mexicanos, envió a las dos mujeres y a la niña
a Barcelona, con el fin de que la esposa se curara de la vista, la antigua preocupación se ha convertido en obligación de enviar dinero; y como, por fas o
por nefas, ni él ha logrado marcharse a España ni ellas volver a México, y además ha comenzado a ganar más dinero, su situación resulta bastante holgada
y sobre todo libre: ¡buenas razones para recobrar el buen genio!

La casa de Marcelino Dávalos, en la colonia Guerrero en que tuvimos Max
y yo nuestra casa con los Castillo, y donde éstos han vuelto a vivir, es un *coin*
curioso. Dávalos, que goza de poco prestigio entre la juventud exigente de
México (Gómez Robelo, Acevedo, Caso y demás), tiene el defecto de ser una
de esas gentes que "hacen de todo": pinta, canta, toca el piano, compone música, hace versos, recita, escribe cuentos, estrena dramas . . . Y no vive de ninguna de estas habilidades. La sala donde recibe está atestada de pintura suya,
de dibujo relamido y color falso, afeminado; los muebles son barrocos e inco-
módos; los inevitables Apolo y Venus ocupan sendos rincones; dos libreros
pequeños contienen literatura, casi toda francesa; y lo único que tiene carácter
propio son algunos objetos traídos de Quintana Roo: plantas marinas; pluma-
jes de garza y de pavo real; caracoles sobre los cuales han crecido pólipos. Tuvimos que "hacer el gasto" de la reunión Dávalos, Fernando González Peña
(muchacho inexperto, que tiene aptitud musical, y toca y canta), y yo. Escofet y Carlos nada saben de memoria para recitar. Por supuesto, que el centro
de las ovaciones siempre es Dávalos. Canta mal, mucho peor que Fernando
González; su recitación es conocida por cursi entre las amistades que no lo
admiran; pero en realidad sus aptitudes histriónicas son buenas y su recitación sería agradable si no cayera con frecuencia, en los pasajes delicados o
patéticos, en la afectación y el afeminamiento; quiere ser siempre realista, y
su realismo del sentimiento es cursi. En lo demás se le puede oír con agrado,
por la naturalidad bien estudiada. Acaso lo mejor de Marcelino sean sus poe-

sías, una que otra; pues en dramas no logra nada fuera de cierta técnica escénica; y tal vez dedicándose a un género de poesía artificiosa lograría ser un reflejo estimable de Tablada. Claro es que este no ha hecho gran cosa; pero es un temperamento hecho para el buen gusto, capaz de todo refinamiento, y al mismo tiempo incapaz de hacer *obra* por culpa suya y del medio. Marcelino Dávalos nunca podría acercarse a los momentos culminantes de Tablada; pero sí sostenerse en una estimable medianía si estuviera guiado por mejor educación. Tuvo, sin embargo, el buen gusto de leer anoche una escena de *Cuando despertemos* de Ibsen.[71]

El 9 de septiembre vuelve a visitar la casa de Marcelino Dávalos:

> Hubo otra reunión en la casa de Marcelino Dávalos, a la que asistí. Estuvieron ahora Carlos y Fernando González Peña, Luis Castillo y *Pepe* Escofet. Marcelino leyó un cuento suyo, de Quintana Roo, no muy bien escrito pero sí animado: da idea de la extraña vida que se hace en aquella región de indios en lucha contra soldados y de destierro para los que el Gobierno quiere castigar. Más que la poesía, me parece ahora género adecuado para Dávalos el cuento; pero él quiere seguir siendo poliartista . . .[72]

Mientras tanto la *Revista Universal,* que dirigía Manuel Puga, con dinero de los reeleccionistas, desaparece al cabo de tres números. La víspera de haberse decidido su muerte, Puga pidió a Henríquez Ureña que escribiera alguna sección de la misma; pero éste, desconfiando de las complicaciones políticas que sobrevendrían, solamente le dijo que quedarían en verse para tratar del asunto, siempre sobre la base de una verdadera independencia con respecto a la política. Al mismo tiempo, Fernando Galván se empeñó en que don Pedro aceptara la dirección de la página semanal del diario *El Anti-reeleccionista,* que acababa de fundarse bajo la dirección de F. F. Palavicini. Comenta don Pedro:

> Como este diario es órgano de un partido *independiente* y serio, y conozco algunos de sus miembros (especialmente a José Vasconcelos, joven abogado y aficionado a los estudios filosóficos), acepté. La retribución es corta, pero me prometen que será progresiva. La primera "página literaria", que apareció el lunes, no pude hacerla muy interesante, por la premura del tiempo.[73]

---

[71] "Memorias", pp. 96-98.

[72] "Memorias", p. 100. En las "Memorias" hay más opiniones desfavorables sobre Dávalos y su familia, así como sobre los Valenzuela, que omitimos por obvias razones.

[73] "Memorias", p. 99. Alfonso Taracena me informó que *El Antirreeleccionista* fue fundado el 4 de junio de 1909 y que fue primero un semanario dirigido por Vasconcelos.

Hemos tenido a la vista la página literaria del domingo 23 de agosto, del lunes 13 de septiembre, del 30 de septiembre y del 27 de septiembre de 1909. Al pie de la página de este último número, Pedro Henríquez Ureña escribió de puño y letra: "El 30 de septiembre de 1909 fue suspendido este periódico por orden de Porfirio Díaz, clausurada la imprenta y presos sus redactores, tipógrafos, empleados", etc. El director de la página literaria no se hallaba presente en la hora del atentado, que ocurrió en la mañana. Las razones de la clausura de este semanario fueron obvias, pero no está de más que citemos las palabras del diario de don Pedro, del 30 de septiembre:

> Sigue en pie el conflicto del *Anti-reeleccionista*. El motivo dicen que fue un artículo sobre la entrevista Taft-Díaz, en el que se acusaba al presidente de efectuar transacciones contra la integridad del territorio. La acusación ha sido, según dicen, por "injurias al primer magistrado". Anoche ví nuevamente a Vasconcelos y a González Garza; poco después encontramos a Ignacio Galván, quién les informó que se hallaban en la lista (lo mismo que Emilio Vásquez, el presidente del Club Anti-reeleccionista) probablemente para ser aprehendidos, y nos contó que había estado a punto de sacar libre a su hermano Fernando, pero que éste, al ser interrogado, declaró que, aunque no era sino agente de anuncios del periódico, era anti-porfirista, y por eso volvieron a encerrarlo. Ya salieron los tipógrafos y demás empleados inferiores; sólo quedan presos el jefe de la imprenta, el administrador y el reporter Piña. Había cuatro o cinco mujeres presas, no sólo la taquígrafa. Tres horas más tarde me dijo Rubén Valenti que habían prendido a Vasconcelos. No se si será cierto. Félix Palavicini sigue oculto.[74]

El primero de octubre asienta:

> Soltaron ayer a Fernando Galván. Según él narra, la cordura estuvo de su parte (de la cual habíamos dudado los que le conocemos) y no de parte de su hermano Ignacio, que fue quien gestionó su salida. Dice él que desde el principio comprendió que no se trataba de un juego, y que si lo aprehendieron fue porque incidentalmente se hallaba allí a esa hora, con intención de volver a salir enseguida. Que luego sus declaraciones, a pesar de que las del reporter y el jefe de imprenta estuvieron a punto de comprometerle, fueron lógicas y claras; y que sólo cuando su tío Pérez Figueroa, militar, se puso a vociferar en la oficina policíaca que un hijo de D. Pedro Galván, sobrino de tales y cuales generales, no podía ser enemigo de Porfirio Díaz, y le preguntó pidiendo su asentimiento, él se vió obligado a decir que si era antirreeleccio-

---

[74] "Memorias", p. 107.

nista; por último, Ignacio quiere que le escriba una carta a D. Porfirio (quien precisamente es su padrino de bautismo), dándole gracias por su salida, cuando él no está seguro de que se deba a orden presidencial, y él naturalmente, se niega.[75]

La primera página literaria del *Anti-reelecionista* (domingo 23 de agosto de 1909, p. 3) aparece como "Seleccionada por Pedro Henríquez Ureña". La selección contiene: "La Nereida de Harlem", poema de Eugenio de Castro, llamado allí "primer poeta portugués"; "Panoplia", poesía de José S. Chocano; "Vivan los espíritus fuertes", de Máximo Gorki (traducción sin firma); "Habla la espada", soneto de Antonio Zayas; "Silueta parisiense", prosa de Manuel Machado, y "Mayólica", prosa de Tulio M. Cestero. La segunda página literaria, del 13 de septiembre, también aparece como seleccionada por Pedro Henríquez Ureña, y contiene: "Lira clásica. A la tristeza", de Juan Boscán de Almogaver; "Silvio", un diálogo de Teodoro Malio (Alfonso Reyes); "Un soneto de Petrarca", de uno de los manuscritos que acababan de descubrirse, con original y traducción de Max Henríquez Ureña, y "A un poeta muerto" (se trata de René López, muerto en el mes de mayo de 1909) poema por Pedro Henríquez Ureña. La tercera página literaria, del 20 de septiembre de 1909, en la sección "Lira clásica", se publica una "Oda" de *La Dorotea* de Lope de Vega, la traducción de "El Albatros", de Baudelaire, hecha por Guillermo Valencia, y el poema "Ibsen", de Pedro Henríquez Ureña que ya se había publicado en la *Revista Moderna de México*, y, firmado por Lilius Giraldus (Pedro Henríquez Ureña), el importante estudio sobre "Los mejores libros", en el que comenta y rectifica la colección de los cincuenta obras maestras publicadas por una casa editorial, de los Estados Unidos según la recomedación del doctor Eliot, presidente de la Universidad de Harvard. La última página literaria, del 27 de septiembre, contiene: en la sección "Lira clásica", "Al sueño", de Fernando de Herrera; la traducción de "El gigante egoísta", de Oscar Wilde, sin firma; la traducción de un poema de Heine (o acaso una paráfrasis) de Eduardo Echeverría, y el poema "Siesta" de Sully Prudhomme, traducido por Víctor M. Londoño.

La página literaria del *Anti-reeleccionista* no dejó de llamar la atención, que su director comenta en las "Memorias":

> Es curioso el caso de mi página literaria en *El Anti-reeleccionista*. Han dado, los concurrentes a la redacción, en discutirla; los cultos, como Vasconcelos y Fernando Galván, la aprueban; los demás la encuentran ininteligible. La insistencia en este sentido es ya fatigosa. Comprendo que encontraran difícil el primer trabajo de Alfonsito, firmado Teodoro Malio; acaso el segundo; pero ahora les hice un trabajito ligero sobre *Los mejores libros*, a propósito de

---

[75] "Memorias", p. 108.

la selección del Dr. Eliot, de Harvard, y todavía claman. Yo creo que ya se trata de prejuicio, y que sin leer declaran no entender; pero me figuro que ya desearían que cesara la página literaria (por lo menos en mis manos) pues creen que "su público" se va a disgustar. Estas gentes que creen conocer al público y lo suponen inmensamente bruto, no piensan que quienes se deciden a leer la página literaria de un periódico han de estar algo acostumbrados a lo que ellos llaman *ininteligibilidad*. Para ellos, lo único inteligible es el cuento; Reyes Spíndola me dijo un día que era *ininteligible* el artículo de Juan Margall sobre Beethoven.[76]

Como hemos anticipado al mencionar la nota manuscrita de don Pedro, el *Antireeleccionista* fue clausurado el 28 de septiembre de 1909. El 29 de septiembre, Pedro Henríquez Ureña asienta en sus "Memorias":

Ayer en la mañana fue suprimido el diario *El Anti-reeleccionista* por orden de la autoridad. Dícese que llevaron presos a todos los que se encontraban en la redacción: a Fernando Galván, contratante de anuncios, a Joaquín Piña, *reporter*, a los operarios, inclusive los norteamericanos, a la taquígrafa, a pesar de que sufrió un síncope, y hasta al pobre demente Zúñiga y Miranda, que se sueña candidato a la Presidencia y había ido allí a pedir se publicara su retrato. Es de suponer que ya dejaron libres a los extranjeros, a la muchacha, y al inofensivo candidato. El director, Palavicini, está oculto. Y ahora, precisamente, el periódico acababa de instalar su prensa de 30,000 pesos, e iba a salir en buena forma! No parece que se haya librado orden de aprehensión contra los colaboradores, pues estuve anoche con Vasconcelos y Federico González Garza, y nada sabían al respecto.[77]

El 4 de octubre todavía agrega:

La cuestión de los anti-reelecionistas sigue en *statu quo*. Vasconcelos y González Garza están escondidos fuera de México; me figuro que acaso estén en la hacienda de Isidro Fabela.[78]

Cabe recordar que en el *Anti-reeleccionista* Pedro Henríquez Ureña hizo también crónicas de teatro y otros comentarios, sobre todo musicales, que sería demasiado polijo enumerar. Por lo demás, crónicas suyas sobre conciertos, teatro y actividades culturales del momento figuran en diversos periódicos de la ciudad de México. Tomando al azar, puede interesar al historiador del teatro el juicio que da

[76] "Memorias", p. 104.
[77] "Memorias", p. 106.
[78] "Memorias", p. 109.

sobre la actuación y el arte de Mimí Aguglia: "Su arte elemental, aunque a veces intenso, me cansó, y concurrí a muy pocas de sus últimas funciones; además, el repertorio se iba haciendo intolerable por lo brutal y lo poco variable".[79] O esta descripción de Virginia Fábregas: "Virginia estaba elegantísima en traje siglo XVIII: está muy gruesa, y su descote recordaba los exhuberantes bustos de las mujeres de Rubens, según observó Valenti".[80] Y de paso aprovecha la oportunidad para hablar de Rubén Valenti, su viejo aunque no del todo aceptado compañero de las primeras horas mexicanas:

> Este concurre siempre a los teatros, por ver más las mujeres que las obras dramáticas.
>
> Me habló anoche (o sea el 19 de septiembre de 1909) de sus proyectos de publicar un libro de cuentos, como si no fuera ya suficiente el haber publicado los desdichados *poemas amatorios*. No comprendo cómo nadie se atreve a advertirle a Rubén que ya es tiempo de que abandone la literatura imaginativa. Lo cierto es que yo, probablemente uno de los amigos que tienen con él más intimidad, dentro de la intimidad relativa que con él cabe, no me he atrevido. Habla él con tanta seguridad de su literatura ... Durante algún tiempo creí que optaría por escribir sobre asuntos serios, y ciertamente, cuando lo conocí, era uno de los individuos de más claro razonar en México, aunque con frecuencia se dejaba llevar de los impulsos anarquistas. Estaba, además, bastante enterado, a través de las revistas italianas, del movimiento intelectual; y él fue quien nos llamó la atención enérgicamente, a Caso y a mí, sobre las nuevas tendencias filosóficas. Es cierto que tenía la desventaja, cuando quería escribir en serio, de escoger temas inadecuados: su conferencia, en la primera serie de nuestra Sociedad, fue sobre la "Evolución de la crítica", asunto que no domina; en la segunda serie anunció que iba a hablar sobre "Ciencia, arte y filosofía": al fin no lo hizo. Pero de un año a esta parte ya no lee; solamente escribe literatura de imaginación, y habla de política y de *gentes*. Tiene momentos de rareza; para mí, hay en él un desequilibrio mental producido por su larga lucha en la capital por ascender hasta la posición desahogada de que hoy disfruta; acaso tiene algún hábito pernicioso (tengo sospechas de que gusta del éter); pero lo raro es que a veces está exaltadísimo, divagador, intratable, y en otras ocasiones está lleno de perspicacia y de ingenio. Es típica su actitud en la política; unas veces vocifera (antes contra el gobierno, últimamente contra los oposicionistas, dada su filiación reeleccionista), otras discurre tranquilamente como si se tratara de la política europea. Anoche, salvo su alusión al libro de cuentos, estuvo tratable.[81]

---

[79] "Memorias", p. 92.
[80] "Memorias", p. 103.
[81] "Memorias", pp. 103-104.

El 29 de septiembre asiste al concierto anual de los discípulos del pianista Luis Moctezuma. Vale la pena consignar su opinión:

No sabía el programa y tuve la sorpresa, al llegar, de encontrarlo espléndi-do: los Concertos op. 37 (Do menor) y Opus 58 (Sol mayor) de Beethoven, el Concerto op. 11 (Mi menor) de Chopin y el op. 25 (Mi menor) de Rubins-tein. La orquesta fue la "Beethoven" de Julián Carrillo. Es una empresa ex-traordinaria en México dar un concierto de discípulos con cuatro obras de ese calibre. Quizás por lo inesperado del programa, además del valor de las obras, lo escuché con singularísimo deleite. Acaso también los problemas hu-manos que en ese momento me intriga observar y juzgar, los sentía reducirse a sus elementos esenciales y traducirse a aquella música trascendental, llena de conflictos espirituales.[82]

Y el 4 de octubre:

Estuve ayer tarde en el concierto de la orquesta "Beethoven", el último. Poco público, como de costumbre, además, ahora se inauguraba la tempora-da formal de toros, y dicen que estuvo atestada la plaza, con ser los toreros de tercera clase. Asistió, sin embargo, Doña Carmen Romero Rubio de Díaz, a quien se dedicó el concierto, con su hijastra Amada Díaz de de la Torre. El *clou* del programa fue la Cuarta Sinfonía de Beethoven. Se ejecutaron ade-más la Obertura de *Oberón* de Weber, el Allegro ma non troppo de la Pastoral de Beethoven, una Sinfonía concertante para violín y viola, de Mozart (Pedro Valdés Fraga y Francisco Baltazares), el Allegro maestoso del Concerto en Mi menor de Chopin (Alberto Valdés, discípulo de Moctezuma), y dos fragmen-tos de un Concerto de Golterman, para violoncello, por una señorita Pérez de León, acaso hija del Juez que instruye la causa contra los anti-reeleccionistas.[83]

El 6 de octubre la Compañía de Virginia Fábregas, con carácter de beneficio y despedida, estrenó *Jardines trágicos*, drama de Marcelino Dávalos. La opinión de don Pedro no puede ser más negativa:

Un desastre. Y, sin embargo, hay allí drama; drama difícil, y, por lo tanto, imposible para Marcelino; los dos actos primeros, aunque tienen efectivismos crudos, hubieran podido pasar, pero el tercero es detestable. Echegaray tra-ducido a mala prosa de pretensiones literarias.

[82] "Memorias", pp. 107-108.
[83] "Memorias", p. 109.

Por supuesto, los catecúmenos estuvieron alborozados, y aún Carlos (que antes me había confesado las faltas de la obra) se entusiasmó. Sólo Escofet y yo fuimos inmunes a la seducción de la amistad y el delirante entusiasmo del público.[84]

También Escofet leyó un drama suyo, sin título, en la casa de Marcelino Dávalos, el 28 de septiembre. La opinión de Pedro Henríquez Ureña es la siguiente:

Es obra muy superior a las de Dávalos; en realidad, es todo un drama psicológico, desarrollado con habilidad , aunque con demasiada *literatura*. Hay mucho Benavente al principio, en el diálogo y en la presentación psicológica; en general, hay poca acción, aunque en apariencia no decae el interés (mucho varía de la lectura a la escena). Con un arreglo del tercer acto, en el cual las escenas no están bien distribuidas, y al final parece anti-clímax, y con recortar el exceso de *literatura* y *filosofía* que hay en algunas escenas, la obra puede salir *redonda*.[85]

Los sucesos políticos de México repercutieron, como es lógico que así suceda en nuestros países, en las relaciones de Pedro Henríquez Ureña con sus amigos, sobre todo desde el momento en que se hizo cargo de la página literaria del *Antirreeleccionista* y por sus sospechas —aunque él las disipó oportunamente— de ser partidario del general Reyes, dada la amistad con Alfonso. Citaremos dos pasajes, por ahora, de sus "Memorias", en donde se refleja esta situación. Uno se refiere al encuentro circunstancial con José María Lozano, y otro, también al encuentro circunstancial, con Enrique Escobar. Veamos los textos:

Ayer vi también (lo encontré en la noche en el Café Inglés) a José María Lozano, a quien también traté mucho durante los días de organización de la fiesta en honor de Barreda. Desde que se había pasado del reyismo a las filas de la re-elección no había hablado con él sino de paso. Estuvo informándose de literatura en que se tratara el caso del honor y los celos, pues quiere aprovechar alguna lectura literaria para un próximo asunto criminal en que será defensor (para él, los juristas no han profundizado este problema); luego hizo confesiones de justificación política, declarando que él no ve promesas de gobieno sino en los mismos que ahora están junto a Porfirio Díaz; y acabó diciendo que tenía deseos de mexicanizarme. ¡Curiosa actitud! No es el primero que desea arraigarme; los otros amigos, los más íntimos, vienen diciendo lo mismo hace dos años; pero no han hecho un solo movimiento eficaz.[86]

---

[84] "Memorias", p. 110. En cambio, el juicio sobre la actriz Rosario Pino es altamente ponderativo (pp. 110-112, véase más adelante).

[85] "Memorias", p. 106.

[86] "Memorias", p. 101.

Y ahora veamos el encuentro con Escobar:

> Estuve ayer en la casa de Valenzuela. Sigue empeorando. Estaba allí, con
> Emilio, Enrique Escobar. Es éste uno de los ejemplos típicos del talento des-
> perdiciado por falta de carácter y de disciplina, caso que tanto abunda en nues-
> tra América. Es un verboso de imaginación tartarinesca, de percepción clara
> y rápida, a quien la falta de método y de perseverancia han convertido en me-
> ro hablador barato, que acepta toda clase de pseudo-ciencia para apoyar sus
> razonamientos y que inventa toda clase de historias para corroborar sus aser-
> tos. Su traje intelectual no se renueva hace dos o tres años: sigue con algunos
> nombres y algunos temas: criminología, Tarde, Garofalo, economía de Vilfre-
> do Pareto, psicología social, Gustavo Lebón [sic], y hasta las teorías sobre el
> genio y la locura, de Lombroso y Nordau. Sus charlas de asuntos intelectuales
> son ya, por lo tanto, fatigosas y huecas. En cambio, su imaginación sigue sien-
> do acrobática, y su temperamento le hace prestar fe a sus propias mentiras:
> así como el año pasado aseguraba la virtud de la tiple María Conesa, hoy pro-
> clama el talento de Ramón Corral y su familia. Su última afición es la política
> gobiernista, y, una vez entrado en ella, la ha tomado a pechos. Tuvimos ayer
> un breve *passage-aux-armes* por una intrusión suya queriendo censurar mi en-
> trada al *Anti-reeleccionista*. Como tiene la desventaja de ser sensible a los ata-
> ques, le desconcertó tan sencilla burla como la de decirle que a él iba dedicado
> el "Celui qui ne comprend pas" de Remy de Gourmont, que publiqué en la
> página literaria del diario en cuestión. Bajó el tono y continuamos hablando
> sobre diversas cosas; habló como de costumbre de los criminalistas italiano
> y franceses, demostrando no haber leído nada nuevo en ese respecto desde
> hace lo menos un año. Según Rubén Valentí, la sabiduría del manco (pues
> Escobar lo es, del brazo derecho, sin lo cual sería un buen tipo físico) es mera-
> mente axilar: con llevar los libros debajo del brazo, se considera sabio; su axila
> es erudita, dice Rubén. Cousin, decía Heine, había estudiado la *Crítica de la
> razón pura* de modo semejante, intuitivo, pues dizque no sabía alemán. ¡Lásti-
> ma de cabezas! Es incalculable la cantidad de talento que se pierde entre no-
> sotros. Aquí en México, a la verdad, sólo conozco un joven laborioso: Carlos
> González Peña. Los que antes me daban idea de perseverancia y estudio, co-
> mo Acevedo, Caso y uno que otro más, no aprovechan ni la mitad de lo que
> pudieran hacer.[87]

De García Naranjo opina:

> Encontre a Nemesio García Naranjo con Rubén Valenti e Hipólito Olea,
> y conversamos todos la primera noche. No sé si es porque ya pasó el furor

---

[87] "Memorias", pp. 102-103.

político, pero ello es que hablaron con serenidad sobre los asuntos públicos, y llegaron a afirmar que probablemente, muerto Díaz, el porvenir es de Reyes. También hablé con García Naranjo sobre literatos mexicanos, y encuentro que su juicio se hace cada vez más serio, y sin embargo, no me atrevería a asegurar que tiene talento; por lo pronto, talento poético no lo tiene; no es sino un mal orador en verso.[88]

El 25 de septiembre visita a la esposa de Carlos Pereyra, la poetisa María Enriqueta, para entregarle un ejemplar de *Rufinito* que García Godoy le había enviado con dedicatoria para Pereyra. Pedro Henríquez Ureña nos describe a la poetisa del siguiente modo:

> Aunque era viernes y día de recibo, no había nadie de visita. María Enriqueta habló largamente, como cualquier mujer conversadora: que Carlos le escribía todos los días con frecuencia varias veces en un mismo día; que ella no sale y está a punto de perder todas sus amistades; que le tiene miedo al mar y ni siquiera lo conoce, por lo cual, si se decide a ir a los Estados Unidos a acompañar a Carlos, no irá por mar, como él le propone, para que conozca la Habana, ciudad que le pareció encantadora por su animación veraniega o carnavalesca (aunque él sabía de antemano que ella se negaría y en la carta le dice que la oía exclamar: "¿Yo? ¡Dios me ampare!"); que la mala salud de su madre, y el no haber otra mujer de la familia que pueda acompañarla, la tiene en incertidumbre sobre el viaje; que tener casa propia es un encanto y una molestia ... Protesta ella de cuando en cuando ser inculta, y en realidad no tiene afectación alguna; a veces dice cosas interesantes: "No me muevo de la casa. —declara,— más aun ni siquiera no muevo gran cosa dentro de ella; no paso de las habitaciones interiores; sala y el jardín los veo poco. Algunas personas me dicen que eso no es vida. Pero es que se figuran que estoy inactiva. Inactiva, corporalmente, sí; pero siempre estoy leyendo, pensando, escribiendo ... No muevo los pies, pero con la cabeza viajo tanto ... Hasta creo que corporalmente me aprovecha, pues ya ve V. que esta vida sedentaria no impide que mi salud sea buena." —¿Y no le gustaría V. viajar realmente? —le pregunté—. Sí ... mejor dicho, me gustaría haber viajado; como yo vivo más de recuerdos que de presente o de esperanzas, todo lo saboreo recordándolo; la misma música es para mí un placer retrospectivo.[89]

La situación de Pedro Henríquez Ureña no cambiaba. Estamos a comienzos de septiembre de 1909. Su padre le escribe pidiendo que pase a La Habana, a donde se proponía enviar a Camila, hermana de Pedro, a que pasara un tiempo en compa-

---

88 "Memorias", p. 108.
89 "Memorias", pp. 105-106.

ñía de sus otros hermanos, Max y Fran. Camila tiene 15 años; hace ocho años que Pedro no la ve, y aunque éste reconoce que a la joven le convendría su influencia, sin embargo, se propone hacer un viaje a Europa. Planea dicho viaje para los comienzos del año próximo, "para lo cual —dice— estoy ya reuniendo el dinero necesario".[90] Sus deseos eran pasar un año en Europa y luego regresar a Santo Domingo, donde colaboraría con su padre, de aceptar éste la Rectoría del Instituto Profesional de Santo Domingo, que se le había propuesto. Ese sueño, desde luego, no se pudo cumplir en el término en que él deseaba. Se siente cansado, y hasta con cierto mal en la vista, que él describe así: "Un dolor, al parecer nervioso, en el ojo derecho. El Dr. Carreón, médico de "La Mexicana", lo atribuye al trabajar de día con luz. ¡Naturalmente!".[91] Luego agrega "Y todavía nada se arregla para que yo pueda salir de este trabajo. Luis Urbina sigue con sus promesas, pero lleno de reticencias y demoras". A Urbina lo había visitado otra vez el 12 de septiembre. El día 13 escribe en sus "Memorias":

> Visité ayer a Luis Urbina, y me reiteró la oferta, hecha tres meses atrás, de enconmendarme el trabajo de selección para una antología de poetas y prosistas mexicanos del siglo de independencia. Promete ahora un sueldo menor del que prometía antes: hay que hacer economías . . . Ya no serían doscientos pesos mensuales, sino ciento cincuenta. De todos modos, aunque el trabajo sería tanto como el que ahora tengo, al fin y al cabo sería verdaderamente literario, no había de ser la misma la tiranía de las horas. Veremos si no es uno de tantos espejismos. Esto me permitiría reunir una suma de dinero algo mayor para la fecha de mi viaje a Europa.[92]

Pero sigue descorazonado, a tal punto que el 6 de octubre no puede dejar de quejarse en sus "Memorias":

> Es increíble que tantas gentes piensen "ayudarme", y nadie lo realice. Ayer se me dijo que era segura la promesa de Urbina, aunque él me indicó que había que esperar algún tiempo todavía; y ¡cosa inesperada! Ignacio Galván, que va de Cónsul a Europa, probablemente a Saint Nazaire, me instó a que me fuera con él como Canciller, y promete arreglarlo todo. Sería curioso . . [93]

Poco después, el 27 de octubre, Alfonso Reyes le telefonea que su padre se irá al exterior, probablemente a Francia, y que él (Alfonso) le acompañaría en las vaca-

[90] "Memorias", pp. 99-100.
[91] "Memorias", p. 112.
[92] "Memorias", pp. 100-101.
[93] "Memorias", pp. 109-110.

ciones. El mismo día muere en Cuernavaca Hipólito Olea, y aprovecha la oportunidad para dar un juicio sobre éste:

Aunque joven, murió tarde. Hace un año se hubiera hablado mejor de él; aunque nunca se hubiera hablado muy bien, pues su palabra grotesca y grosera no agradaba, defendiera la causa que defendiera. Al convertirse al reeleccionismo, sumó, al odio de los católicos tantas veces insultados por él, el de los reyistas. Esto, sin contar el odio de *El Imparcial,* que sólo por compañerismo en la causa del gobierno condescendía ya en mencionar su nombre, y el enojo de otras gentes, mayores y menores. Sin embargo, él vivía ilusionado; tenía su círculo, el "grupo de Belem", los abogadillos encabezados por José María Lozano; y siempre que hablaba ante el populacho (y hablaba todas las semanas en los juzgados de Belem) era muy aplaudido. Un día se le oyó decir: "Como a mí la gente culta me odia . . .", llegó a creer, a lo que parece, que era cuestión de clases. Esto no obstante, en el Club Reeleccionista asentía al disparate de que la reciente lucha pre-electoral era cuestión de educación social: los cultos apoyaban al gobierno, el populacho estaba por Reyes . . . Y entonces, y sin duda desde antes, cuando fué a defender en el estado de Morelos al Candidato millonario Pablo Escandón, debió de figurarse Hipólito estar en el partido de la gente culta.

En realidad, Hipólito no tenía mucho talento, ni siquiera palabra fácil, pues sus discursos importantes eran aprendidos de memoria. Se hizo notorio porque lo empujó su grupo y él se empeñó en subir, no importa por qué medios. Si la enfermedad le hubiera permitido ir a Europa, a estudiar criminología en Italia, como pensaba, acaso hubiera podido ser un elemento útil. Sin embargo, moralmente Hipólito era todo lo contrario de lo que parecía como orador. No era intemperante, sino tolerante con los amigos; no era audaz, sino tímido e irresoluto; no era ambicioso, sino desprendido. ¡Lo que pueden las influencias![94]

Llegan las fiestas religiosas. Pero él no puede disfrutar de las mismas. El día 2 de noviembre tuvo que ir a trabajar medio día. "Ya me urge salir de este trabajo —exclama— pero nada logro todavía. No he podido mejorar de la vista, y tengo que soportar esto y la incómoda posición que me obliga adoptar el escribir en máquina".[95] Quince días antes, el 14 de octubre, al convertirse en diario el semanario *Actualidades,* dirigido por su amigo el Dr. Lara Pardo, fue invitado a hacerse cargo de las crónicas teatrales. Pedro Henríquez Ureña aceptó[96] y escribió ensegui-

[94] "Memorias", pp. 112-113.
[95] "Memorias", p. 115.
[96] "Memorias", p. 110. Las notas las escribió gratis, lo mismo que las que publicó en el *Antireeleccionista,* ("Memorias", p. 115).

da la primera, dedicada a Rosario Pino,[97] que en esos momentos representaba obras de Pérez Galdós, los Quintero y Benavente. Dedicó varias notas a la mencionada actriz, que aparecieron el 15, el 16 y el 17 de octubre de 1909 y el 15 de noviembre del mismo año en el diario *Actualidades*, bajo el título de "Teatros". En la primera, dice:

Rosario Pino en Arbeu

Ha aparecido en la escena del "Arbeu" Rosario Pino. Todos estamos contestes —por lo menos, todos los que ya hemos aplaudido a la actriz española— en encontrar inexplicable el poco éxito que hasta ahora ha obtenido en México. Porque, cualesquiera que sean los juicios que sobre el contemporáneo arte teatral de España se formulen en nuestros círculos de diletantes, es un hecho que las compañías dramáticas españolas obtienen éxito, mayor o menor, en esta ciudad. Aquí ha triunfado María Guerrero; aquí tuvo público hasta la compañía de Fuentes . . . Y, sin embargo, esta compañía, a cuyo frente están dos artistas distinguidos y que en su conjunto es armónica, correcta, discreta como pocas, no logra ver lleno el teatro "Arbeu".

Pero no insistamos sobre ese singular desvío. Deseemos que el público se convenza pronto de que debe ir al "Arbeu", y asegurémosle que allí verá cosas interesantes.

Interesante, en verdad, es Rosario Pino. Mujer distinguida, con distinción cuyos toques cosmopolitas no han borrado el carácter nativo español; actriz de escuela contemporánea, en cuyo arte persiste, so capa de realismo al modo francés e italiano, un espíritu de española refinada.

No diré que en eso pueda resumirse su personalidad. La personalidad de la Pino resulta inasible al principio; y todavía, después de cinco o seis funciones, mucho no hemos llegado o no nos hemos atrevido a definirla.

Personalidad, eso sí, la tiene. Su arte no es sólo arte de escuela contemporánea, arte realista y psicológico: todo él lleva un sello peculiar, indiscutiblemente personal. Rosario Pino lleva la sencillez a los extremos; no tiene "pose" de estrella: no distribuye en escena a los actores de su compañía, como lo hacen muchos artistas, para decir a voces al público: "Yo soy la primera actriz". Modestia, dicen algunos; yo digo: buen gusto. Para mí, su concepto del realismo escénico le dicta ese procedimiento. Confía en que su arte, lleno de insinuación, bastará a distinguirla, a ganarle poco a poco las simpatías de su auditorio, y no se equivoca.

Psicológicamente, sus intepretaciones son profundamente femeninas. Cada personaje está concebido en unidad perfecta, y un minucioso estudio borra todo detalle que pudiera romperla. En Rosario Pino la energía interior se manifiesta bajo dos formas típicamente femeninas: dulzura y constancia. Con

---

[97] El elogio a la Pino está en pp. 110-112.

ellas insinúa, lenta pero firmemente, el carácter de los personajes que interpreta (no muy diversos hasta ahora) y llega a dar el tono al ambiente moral en que se desarrolla cada obra.

¡Y los recursos de expresión! El gesto, sobrio; la emoción, discreta, pero honda. El manejo de la voz siempre en tono menor, con modulaciones de viola, con "pianissimos" en que casi llega a desvanecerse, con articulación distinta, sin que por eso falte a la ley primordial del *legato*, convierte el idioma castellano, "no en oro y púrpura, pero si en algo más que plata", como se ha escrito a propósito de la dicción del insigne Forbes Robertson. Habíamos oído nuestro idioma con sonidos de arpa, con esplendores de tono mayor, en los labios de María Guerrero; pero nos faltaba saber adónde podría llegar en insinuación y suavidad. ¡Gracias sean dadas a los dioses, que nos conceden oir nuestro idioma modulado según las leyes apolíneas!

Junto a Rosario Pino ha reaparecido Emilio Thuillier, cuya reputación estaba ya hecha en México. Su variedad de aptitudes, su escuela, menos moderna que la de su acompañante, pero que le permite libertad y amplitud; su experiencia, su personalidad misma, le hacen ser el mejor "pendant" posible, dentro de la escena española, para Rosario Pino.

Los artistas secundarios, correctos, serios, estudiosos, sin afán de imponerse a fuerza de "pose", constituyen un fondo excelente para la pareja de estrellas. Mucho deben, sin duda, a la buena dirección escénica; pero hay que reconocerles también mérito especial.

El repertorio, casi totalmente español, es el mejor que puede escogerse, en España, en obras contemporáneas: Pérez Galdós, los Quintero, Benavente . . . las obras del último son predilectas de la Pino: Benavente, según se dice, asegura deberle a ella la mitad de su éxito.[98]

En la segunda crónica comenta:

La obra puesta en escena anoche por la compañía Pino-Thuillier, ofreció interés de novedad casi como un estreno. La compañía "Fábregas", la había dado a conocer recién estrenada en Madrid; pero no la representó muchas veces.

"Señora Ama" es obra hábilmente hecha. Aunque se desarrolla en un medio que Benavente gusta poco de copiar, ofrece todas las cualidades y los defectos de su técnica dramática: diálogo chispeante, cuando no se extiende en párrafos un tanto oratorios; sátira social animada, pero generalmente superficial; psicología femenina, a veces honda, rara vez completa; psicología de los hombres, hábil sólo en lo que toca a sus relaciones con las mujeres.

[98] *Actualidades*, 15 de octubre de 1909.

En verdad, la obra no revela nada nuevo en Benavente. Aunque pasa entre gentes ricas y pobres de pueblo y campo, los dos protagonistas, Feliciano y Dominica, son en el fondo idénticos a los de "Rosas de otoño": él, guapo, galanteador, superficial, satisfecho de sí mismo; ella, amorosa, tolerante, sufrida, en el fondo sabedora de que sólo ella le domina.

La mujer en "Señora Ama", es algo diversa, pero sólo en modales: es brusca y vulgar, mientras la Isabel de "Rosas de otoño", es toda distinción.

Los personajes secundarios, aunque llegan a ser escandalosos, no difieren esencialmente de los aristócratas que aparecen en la mayoría de las obras de Benavente: como para aquéllos, su principal ocupación parece ser comentar las vidas ajenas y llevar noticias de un lado a otro. El tipo de más "humanidad", es, acaso, la firme y bonachona Gubesinda.

La interpretación, a la misma altura en que la ha sostenido la compañía Pino-Thuillier. Rosario Pino dejó de ser la mujer toda discreción y suavidades: hizo una más franca e inculta; eso sí, no cayendo nunca en la vulgaridad, y siendo siempre, y en esencia, muy mujer.

A Thuillier cada vez se le ve más "a son aise" en la comedia moderna. El resto de la compañía, muy atinados: celebradísima, la excelente Gubesinda de la señora Caro.[99]

En la crónica del 15 de noviembre, subtitulada *"Despedida de Rosario Pino"*, escribe:

Con el beneficio de Rosario Pino, el sábado, y dos funciones ayer domingo, cerró su temporada de cinco semanas, la compañía Pino-Thuillier en "Arbeu".

La temporada nos dió a conocer una personalidad interesante: Rosario Pino. Si por el género y el aspecto en que descuella hubiese que definirla, deberá llamársele "actriz de alta comedia española", como se llama a Italia Vitaliani, actriz trágica moderna (reconociendo al drama psicológico intenso su carácter de tragedia); a Teresa Mariani, actriz de comedia picante; a Virginia Reiter, intérprete de tipos morbosos. Rosario Pino es actriz de alta comedia, como Tina di Lorenzo; no de más escuela que Tina, de escuela menos amplia tal vez; pero sí (aunque se asusten los cándidos "italólatras" . . . de México), de personalidad más definida, más típica.

La característica de Rosario Pino, como actriz, está en mostrarse esencialmente española.

No es actriz universal: ni siquiera abarca sino un corto período del teatro español. Sueño irrealizable es, acaso, la concepción de una actriz española que

[99] *Actualidades*, 16 de octubre de 1909.

dominara toda la inmensa variedad de tipos femeninos, existente en el maravilloso teatro de España —en el de los siglos de oro, en el romántico y en el contemporáneo—; una actriz poseedora de esa virtud de transformación, que permite a Sarah Bernhardt interpretar tan diversos tipos del teatro francés, y a Ellen Terry recorrer todo el teatro de Shakespeare, y a Agnes Sorma pasar de Lessing y Goethe a Hauptmann y Sudermann y a la divina Eleonora Duse vivir todos los aspectos del alma contemporánea; una actriz que interpretara, no sólo las discretas de la comedia clásica, sino también los tipos heróicos, como la Reina María de Tirso y la Justina de Calderón, y los atormentados espíritus del drama romántico, y las espléndidas mujeres de Tamayo, y las interesantes de Ayala, y ¿por qué no? las de Echegaray, y, por fin, las de Benavente y los Quintero.

Ya se ve: María Guerrero recorre buena parte de este teatro; pero nadie ignora que en muchas obras, en las intensamente dramáticas (excepto "Locura de amor"), en las contemporáneas comedias de prosa, su labor no pasa de ser discreta. Su reino es la comedia clásica, aquella en que el diálogo versificado llega a brillar sólo por su propia virtud.

Rosario Pino ha circunscrito su labor a la comedia de nuestros días: a dos autores, pudiera decirse: Benavente y los Quintero.

Aunque nació en Andalucía, se ha connaturalizado con el espíritu y el ambiente de Madrid, y sus personajes predilectos son las madrileñas distinguidas de Benavente: la Isabel de "Rosas de Otoño", la Rosario de "Lo Cursi", la María de "El Nido Ajeno". Es la mujer dulce y fuerte en su ser moral; amorosa, sufrida y constante; de distinción nativa, seria y sobria en sus hábitos y modales. Es la esposa que sufre siempre, tolerante, las veleidades del marido egoísta; es la dama severa para quien las modas frívolas tienen poco interés, para quien (como en "Rosas de Otoño") una vulgar canción de café-concierto resulta cosa discordante e incomprensible.

De esos tipos, Rosario Pino pasa, sin esfuerzo, a otros más populares: las muchachas de clase media, las señoritas de aldea, las mujeres del pueblo. En esencia, se mantiene la misma: es la mujer que ama y sufre, para quien el amor (el amor del hombre, el amor de la familia) es goce y sacrificio, la vida toda. Al llegar a los tipos andaluces varía, pero solo exteriormente; se torna más viva, más enérgica, más brillante. Por mucho que se proclame madrileña, sabe volver a sentirse andaluza; y la riqueza de expresión que derrocha en "El Genio Alegre", en "El Patio", son claros indicios de una vívida penetración del espíritu meridional de España.

Dicho queda que, fuera de ese modernísimo repertorio español, Rosario Pino no tiene predilecciones. Porque es de imposición, porque se necesita variar el repertorio, interpreta obras francesas (no de las mejores, por cierto): "La Dama de las Camelias", "Fedora", "El Adversario" y algunas comedias frívolas como "Divorciémonos". Este repertorio francés tiene la singular cualidad de que, siendo sus personajes tipos psicológicos indefinidos, permite a los artistas bordar sobre ellos, a su antojo, como las óperas de Rossini y Donizetti permiten a las sopranos de coloratura improvisar "cadenzas". Sarah Bernhardt hizo suyo el teatro de Dumas hijo y Sardou con la arrogancia de una "prima-donna" que puede tomarse toda clase de libertades de improvisación. Eleonora Duse, en ese mismo teatro, se esforzaba por dar visos de realidad a esos personajes, creándoles una psicología: con el tiempo se decidió a abandonarlos y consagrarse a un arte más alto, el drama de Ibsen, Sudermann, Pinero, D'Annunzio. Teresa Mariani, con singular intuición, explicaba la Cipriana de "Divorciémonos", convirtiéndola en mujer infantil, puerilmente educada. Rosario Pino se esfuerza por explicar a los personajes huecos: si lo son, se contentan con aprovechar las situaciones dramáticas o cómicas en sí mismas.

Como actriz de lo que se ha dado en llamar "alta comedia", y que suele llamarse, con más aproximación de exactitud, "comedia dramática", Rosario Pino tiene un arte sobrio; pero su sobriedad es peculiar por extremada. Su sencillez la lleva a presentarse en escena del modo menos llamativo posible (¡la gente vulgar se lo censura!); su gesto se mueve siempre en un círculo limitado: ni su faz se contrae con exceso, sino que se inmoviliza o se oculta en las situaciones violentas, ni su cuerpo se distiende, ni sus brazos se agitan en alto. Sin embargo, su expresión es variada: con su gesto y su dicción rica, obtiene multitud de matices finos, desde los delicados del sentimiento hasta los brillantes de la gracia cómica.

De su dicción, baste decir que es la mejor, para la prosa moderna, en la escena española de hoy. Perfectamente articulada, suavemente modulada, puede convertirse en esplendor sonoro en el relato del repique de "El Genio Alegre", y descender luego a la conversación familiar. Nadie, en la escena española "conversa" como ella.

Thuillier está ya juzgado en México. Educado, para el drama, en la escuela de la época de Echegaray, tiene alternativas de afectación y de energía sincera en los momentos dramáticos. Pero en la comedia es, sin disputa, irreprochable. Su "manera" es sana, fluida, llena de intención. Le hemos visto ser gran señor, hombre galante, anciano de clase media . . . Y alguna vez, en "Los Intereses Creados", le hemos oído "decir" espléndidamente.

El conjunto de los actores secundarios ha sido declarado excelente; el más cercano, por sus méritos, al de la compañía cómica de Balaguer-Larra. Sobresale, como característica de talento personal, la señora Caro. Como dama joven, la señora Plana se ha distinguido.

Entre los actores se distinguen los de carácter, el viejo señor Sánchez Bort, y el joven señor Díaz. El "galán jóven", señor Llano, es estimable en tipos populares. Los demás, especialmente las señoras Calderón y Adamus; los señores Rausell y Gonzálvez, son, generalmente, correctos.

Además de estas crónicas teatrales, y como parte también de "Teatros del extranjero", Pedro Henríquez Ureña publicó en *Actualidades* (25 de octubre de 1909) una nota sobre "La muerte de Clyde Fitch", semejante a la que había escrito con motivo de la muerte de Ibsen. Pero *Actualidades* corrió la misma suerte que el *Antireeleccionista*: fue suprimido "por orden superior", y el director, Dr. Lara Pardo, debió exiliarse en Nueva Yok, donde entró a trabajar en el *New York Herald*.

Por fin, el 19 de noviembre Urbina llamó a Pedro Henríquez Ureña y le avisó "que estaba arreglado el trabajo de la antología para que comenzáramos". Pedro Henríquez Ureña comenta:

> Sin embargo, como esto ha llegado tan tarde en el año, y yo esperaba recibir gratificación en "la Mexicana", le advertí que salía perdiendo, y convino en que esta decena siguiente la trabajara a medias con él, continuando aquí, de manera de recibir los dos sueldos por estos diez días. Así, como el sueldo del trabajo antológico es mayor que el de "La Mexicana", compenso la pérdida de la gratificación. Por este nuevo trabajo me dan $150.00 mexicanos al mes. Dirige el trabajo Urbina, y le ayudamos un señor Nicolás Rangel, que dizque es bibliófilo, y yo.[100]

El 30 de noviembre completa esta información: "Mañana dejaré, por fin, el trabajo de "La Mexicana". Y el 1o. de diciembre, exclama:

> Al fin pude, hoy en la tarde, después de mucho trabajo, entregar mi sección de Siniestros en "La Mexicana". Con su carácter peculiar, el Director no ha decidido aún quien se encargue de mi trabajo; así es que tuve que entregárselo a él directamente.
>
> Al ir a trabajar en la antología, me ha parecido que no trabajo realmente ¡como que una labor del propio género no nos parece trabajo!
>
> Estoy en el período de independencia, y tengo que echarme a cuestas el *Diario de México* desde 1805 hasta 1816.[101]

VI. El Ateneo de la Juventud

Las "Memorias" (o diario) de Pedro Henríquez Ureña se interrumpen desde el 1o. de diciembre de 1909 al 29 de marzo de 1910. "Tuve pereza para continuar mis notas —dice— aunque mucho habría podido anotar desde diciembre".

El año de 1909 no termina, para la labor de Henríquez Ureña y para los acontecimientos que a él se vincularon, en el cambio de "La Mexicana" a la *Antología del Centenario*. Es preciso que registremos otros hechos importantes, que son, ade-

[100] "Memorias", p. 116.
[101] "Memorias", p. 117.

más de sus colaboraciones en la *Revista Moderna de México*, entre las que debemos hacer notar su obra creadora *El nacimiento de Dionisos. Esbozo trágico a la manera antigua* (en el numero de febrero de 1909, pp. 259-269), el importante estudio titulado "Cuestiones métricas. El verso endecasílabo" (marzo de 1909), "Nietzsche y el pragmatismo" (mayo de 1909) y los famosos comentarios a las conferencias que dio Antonio Caso en la Escuela Nacional Preparatoria sobre la Historia del Positivismo, que fueron publicadas con el título de "Conferencias sobre el positivismo" en el número de julio de 1909 (pp. 301-310) y con el de "Positivismo independiente", en el de agosto de 1909 (pp. 362-369). Estos estudios, como otros publicados en la mencionada revista, fueron recogidos en su libro *Horas de estudio*, por lo que haremos una historia suscinta del mismo.

El 9 de septiembre nos da los primeros informes acerca de la publicación de su libro:

> Recibí carta de Francisco García Calderón (quien pasa de Londres a París) diciéndome que la casa Ollendorff está de acuerdo en publicar mi libro, sin pagármelo, pero sin cobrarme nada tampoco. Voy a reunir ya los artículos, pues sólo puedo hacer ahora libros a pedazos. [102]

Y ya en marzo de 1910 ha podido reunir los materiales del libro:

> Envié los artículos que deben formar mi libro a García Calderón, y ya recibí muestras de las primeras 144 páginas: Están bien impresas, como todos los trabajos de la casa Ollendorff, y con pocas erratas.[103]

En las notas del mismo día 29 de marzo nos informa:

> A Carlos González Peña le llegó una nueva novela, impresa en la casa Sempere, *La musa bohemia*; y Escofet estrenó en el teatro Virginia Fábregas el drama que nos había leído, con el título de *La tragedia de las rosas*. Perdió mucho en la representación (y ¡qué representación!), especialmente el tercer acto. Me pidió que le escribiera un juicio; y tuve que hacerlo a toda prisa la misma noche del estreno; se lo entregué para que se publicara en *El Imparcial*, pero, naturalmente, Reyes Spíndola puso pretextos en contra, y Escofet tuvo que publicar el articulito en *El Correo Español*.[104]

El 28 de febrero de 1910, *El Correo Español*, de México, bajo el título de "La tragedia de las rosas", y con una introducción en la que se califica a Pedro Henríquez Ureña de "notabilísimo crítico dominicano", se exalta "la sutileza del Sr. Ure-

---

[102] "Memorias", p. 100. Ver también carta a Max.
[103] "Memorias", p. 124.
[104] "Memorias", *Idem*.

ña en su juicio, su sobriedad misma en los elogios, el acierto con que habla del fondo de la obra, y sobre todo, la sinceridad que palpita en todo el artículo", se transcribe el texto de Pedro Henríquez Ureña; sólo damos un fragmento, que consideramos fundamental:

Psicólogo delicado, con imaginación poética, es quien ha sabido concebir ese drama, ese conflicto creado en un mundo antes tranquilo, por un espíritu inquieto, pero tibio en el fondo, conflicto que a él mismo lo hiere y destroza al fin. Los personajes de *La Tragedia de las Rosas*, tienen cada uno, su vida propia y característica; y el conflicto nace espontáneamente del encuentro de sus almas. Con gradación lenta, matiz por matiz, va insinuándose y creciendo el drama: y así llega, por suave pendiente, hasta la crisis culminante del segundo acto. El acto tercero y último es intenso y doloroso. No es raro, tratándose de una "primera obra", que los escollos de la técnica dramática hayan hecho menos libre y seguro el desarrollo de las difíciles situaciones finales: hay en el último acto excesiva tensión a la vez que poco movimiento dramático; y su corte mismo impide la continuación del procedimiento psicológico empleado en los actos anteriores. Pero éstos constituyen el verdadero núcleo de la obra, y son los que le dan su carácter y su mérito: escenas hay, como el diálogo entre Rosario y Cristina en el primer acto que bien pueden llamarse magistrales.

Como el conflicto no llega, en los dos actos primeros, a toda su magnitud, hay campo para la variedad; y abundan detalles de fino humorismo y de observación. Acaso se podrían condensar más algunos diálogos, o hacer que sus frases tuvieran sentido menos general y más alusivo a los personajes mismos, pero no en vano se ha dicho que una de las cualidades nativas del teatro español es la exuberancia del diálogo, y acaso sería imprudente querer sacrificar a una simple regla de economía teatral, un elemento que tiene su valor propio y característico. Por lo demás, el lenguaje de la obra es variado y selecto, y con frecuencia alcanza expresiones felices.

La obra de Escofet, en suma, es interesante por extremo, y su éxito debe regocijar a cuantos desean ver imponerse en Méjico el teatro autóctono; porque aunque Escofet no haya nacido en el país, su labor literaria ha sido hecha aquí, y de todos modos, su triunfo implica un estímulo para cuantos en Méjico, nacionales o extranjeros, pueden dar obras al teatro, creando así una producción dramática legítimamente mejicana.

El artículo sobre "La musa bohemia" fue publicado en *El Mundo Ilustrado* de México, el 10 de febrero de 1910, y dice así:

De España acaba de llegar *La musa bohemia*, la nueva obra de Carlos González Peña. De España, sí, pues aunque debiera juzgarse extraño, no es ya sino natural que los buenos libros mexicanos se publiquen en Europa.

Publicar en México, es descabellado intento, dadas las condiciones en que puede hacerse, las económicas en particular. Se necesita vivir en provincia, con la ilusión que nace del aislamiento y de la distancia, para afanarse todavía por conquistar un puesto en la literatura mexicana mediante el sacrificio que implica la publicación de un libro en el país. Los escritores que viven en la capital son más escépticos y menos desinteresados. Aquí ya no se publica literatura; aún para las revistas se escribe poquísimo . . . Diríase que en México está próximo a darse el paradójico caso de que haya literatos ¡oh, eso sí! pero no haya literatura.

En todo el año de 1909, sólo dos o tres obras literarias valiosas se han publicado en el país: una novela de D. José López-Portillo y Rojas, en la *Biblioteca de Autores Mexicanos,* cuyo editor es el infatigable D. Victoriano Agüeros; la última colección de poesías de Enrique González Martínez . . . (Este delicado poeta vive ¡en Sinaloa!). Amado Nervo y Balbino Dávalos acaban de publicar libros, pero en Europa; de Europa llegará pronto también el nuevo libro de versos de Urbina . . .

Esta expatriación o emigración de los libros viene a ser la única lógica de publicidad, aunque sólo es accesible, desde luego, a los escritores cuya significación los hace aceptables para los editores extranjeros.

A ella ha recurrido, con fortuna, Carlos González Peña. En España se reimprimió su *Chiquilla,* novela que había sido publicada antes en México, hace tres años; en España se imprimió ahora *La musa bohemia.*

La interrogación se impone, tratándose de la segunda novela *formal* de autor joven: ¿ha sido superado el esfuerzo anterior? Resueltamente contesto que sí. *La Chiquilla* era obra de *escuela,* y, en ese aspecto, de mérito singular; el procedimiento *realista,* a la francesa, y en parte a la española, está aplicado allí mejor que en cualquier otra novela mexicana: sistemáticamente, pero con discreción, y sobre asunto sencillo, que permite dar amplitud y énfasis a la descripción de la vida ambiente. *La musa bohemia* es obra de transición entre los moldes de escuela y la *manera* original. No da, por lo tanto, la impresión de unidad maciza que obteníamos de *La Chiquilla*; en cambio, interesa más hondamente, sugiere mucho más. Está dividida en tres partes, y puede decirse que cada una de ellas representa una dirección. La primera parte es todavía labor de escuela, de técnica laboriosa, segura; exposición lenta y metódica donde se definen las *posiciones* espirituales de los personajes y sus relaciones con el medio. En la parte segunda, el novelista se abandona a sí mismo; su novela lo arrastra, lo excita, y las situaciones se suceden rápidas, trazadas con mano ardorosa, pero segura: el procedimiento es ya personal, y nunca flaquea. La tercera parte, que es muy breve, oscila entre la *manera* personal y la de escuela: es lo más endeble de la obra.

La novela, a mi juicio, está resumida en la segunda parte: allí está todo el conflicto. Y lo personal de la técnica estriba en que ese conflicto se desarro-

lla exclusivamente en el alma de los protagonistas. El novelador y el dramaturgo se revelan siempre a plenitud cuando francamente van a las raíces de
la vida espiritual, cuando se arriesgan a presentar sus personajes y situaciones
como entidades y fenómenos con su individualidad y espontaneidad propias,
con su propia ley interna de desarrollo. La suprema verdad artística es siempre verdad espiritual, que, en el drama y en la novela puede llamarse, según
la terminología científica al uso, *verdad psicológica*. Cuando esa verdad se alcanza en una obra, poco importa que en ella lo exterior no tenga aspecto ni
consistencia de realidad, o los tenga sólo en consonancia con la concepción
espiritual; y por eso es más real un drama de Maeterlinck, con desarrollarse
en país indefinido o indefinible, que todo el realismo fotográfico de un Brieux.
Ya ha dicho profundamente Bergson que el arte abandona la simulación de
la realidad cuando encuentra medios superiores de producir la emoción estética.

La realización de la *verdad psicológica* exige en el novelista independencia
absoluta o punto menos. La descripción de cosas externas puede hacerse según modelos, y resulta estimable, ya que no excelsa; pero nada hay más falso
y efímero que la psicología de imitación y de fórmula. El modo de ver la vida
en sus aspectos individuales es necesariamente más autónomo, más personal,
que el modo de ver la naturaleza —la cual muchos desconocen ya— o de ver
la sociedad como conjunto, pues su misma extensión indeterminada la hace
inaccesible para los demás.

Carlos González Peña, que en *La Chiquilla* esquivó prudentemente las
complicaciones psicológicas, ahora, en *La musa bohemia*, afronta un conflicto de dos almas. Su fuerza no se ha mostrado tanto en la psicología de los
personajes como individuos cuanto en la de las situaciones por que atraviesan
ellos. Las páginas centrales del libro, que contienen esas situaciones conflicti-
vas, son probablemente lo mejor que ha escrito el novelista mexicano; y tienen su significación propia dentro de la novela de América española. El
venezolano Díaz Rodríguez, uno de los artistas más sobriamente exquisitos
de nuestro idioma, ha escrito páginas de psicología sutil e intensa. El uruguayo Carlos Reyles ha sabido describir, con rigor analítico, aspectos morbosos
de la inquietud moral en nuestras sociedades. Las páginas de González Peña
tienen otro carácter: poseen sabor espontáneo; en ellas corre el aliento de una
vida en que el autor mismo está viviendo y que no puede copiar con frialdad:
impresión semejante da la novela *Vida nueva*, del chileno Emilio Rodríguez
Mendoza, aunque en ella hay algo del pesimismo de Reyles. Por eso, en González Peña falta a veces *perspectiva*: las cosas suelen presentarse confusas por
lo cercanas; pero hay, de todos modos, *vida*.

Los protagonistas de *La musa bohemia* no interesan tanto por sí mismos
como por el conflicto que los envuelve. Pero si bien quedan en la sombra por-
ciones de sus espíritus, no son personajes endebles. El espíritu sentimental,

pero superficial y egoísta, con fácil dón artístico y escasa fuerza moral, de Mauricio Villaescusa, está tomado *sur le vif: es toda una juventud.* El de Nita es más enérgico, contiene más elementos de humanidad real y profunda: según mi amigo Escofet, es el mejor personaje creado por González Peña.

Pero no ha perdido el autor de *La Chiquilla* el poder, que en aquella novela reveló, de dar vívida expresión a los personajes secundarios; en *La musa bohemia,* la familia Méndez y sus adláteres forman una colección de tipos interesantes, pintados a veces con amor, con mano delicada y afectuosa.

En su aspecto moral, el ambiente donde se mueven los personajes de *La musa bohemia* es plenamente, *espontáneamente,* mexicano: se advierte que el autor lo conoce y lo refleja, de modo enérgico, más porque en él vive que por haberlo estudiado a paciencia. El *tono* moral del medio lo ha dado, pues, sin esfuerzo; y la falta de *perspectiva* resta bien poco al efecto obtenido. Donde sí se nota esa deficiencia es en la descripción de cosas externas: salvo momentáneas excepciones, la naturaleza, la ciudad, los interiores, aparecen en *La musa bohemia* desprovistos de carácter propio. Y es que el sentido de lo característico en las cosas exteriores se desarrolla necesariamente por ejercicio de comparación, por la observación de diversidades; ya indicó Rodenbach cómo en Francia los escritores hijos de provincia (Daudet, por ejemplo) sólo saben describirlas después de vivir en la capital. Todo lo característico de la naturaleza y de la vida exterior de México, que salta a los ojos del visitante extranjero, resulta generalmente incoloro en las páginas de González Peña, a pesar del empeño con que está descrito. En las ciudades de la América española se vive, nominalmente, al modo europeo; y la sola lectura no basta a hacer perceptibles las diferencias, a veces enormes, a veces sólo de matiz, que existen entre nuestra vida y la del Viejo Mundo. Además, tendemos espontáneamente a colocar nuestras cosas en el plano de Europa; y así, mientras nos causa disgusto el ver cómo las manifestaciones de alta cultura no encuentran eco en la vida social, —pues nos hacemos la ilusión de que debiera existir el *público*,— nos indignamos cuando un europeo o un norte-americano nos visita y relata después cómo vegeta en estos países una ingente población que no sabe leer y apenas si se viste. Necesarios son la experiencia real, el conocimiento activo de otras varias regiones, para que podamos sorprender lo característico de la nuestra. Portugal, por ejemplo, pasaba a los ojos de todos como un país no muy diverso de España; y sin embargo, un hombre que viajó por toda la tierra, el incomparable Eça de Queiroz, logró dar el trasunto de la vida portuguesa, su carácter, en lo espiritual y en lo externo, peculiar, típico, inconfundible.

González Peña, ya lo he dicho, nos da la impresión moral de México: reflejo inevitable en quien, como él, vive realmente la vida de su país y se propone no falsearla con vanas fantasías; pero no ha logrado sorprender todo el carácter de las cosas materiales que le rodean. En cambio, si no es nacional, _regional,_ como descriptivo, sí se muestra personalísimo en las impresiones que le producen la naturaleza y la vida. La luz (el color pocas veces), el aire, los ruidos, los olores, las comidas, así como el movimiento, los actos y los _gestos_ expresivos de la vida humana, están descritos vigorosamente, _sentidos_ con naturalismo franco, no de escuela, en las páginas de _La musa bohemia._ [. . .]

Por último, en el estilo de _La musa bohemia_ se nota espléndido avance sobre _La Chiquilla._ Los párrafos son de buena arquitectura; el lenguaje, castizo y animado; su casticismo nada tiene que envidiar ya al de otros escritores tenidos por modelos de gusto clásico y cuya pretendida pureza está llena de afrancesados dejos, heredados de los incorrectos prosistas del siglo XVIII. Con el abandono de cierto amaneramiento en el uso de las formas verbales, con un esfuerzo por depurar la frase en algunos momentos que deben ser _expresivos_, y, en general, con algo más de sobriedad y de selección, González Peña será todo un estilista. Yo confío en que su novela próxima nos lo revelará ya plenamente personal y dueño de sí mismo en _manera_ y estilo.

Con motivo de los éxitos obtenidos por dichas obras, Escofet y González Peña fueron obsequiados con un banquete, "en el cual —dice don Pedro— me hicieron tomar la palabra para ofrecerlo, y lo hice con la mayor sencillez posible, pero sin saber cómo acabar a prisa: en suma, bastante mal".[105]

Un detalle muy curioso en la vida de Pedro Henríquez Ureña lo constituye el hecho de haber publicado, con el seudónimo de M. de Phocas, varias crónicas teatrales, artísticas y musicales, tituladas "Desde Nueva York", aunque eran escritas desde México en _Teatros y Música_ (véase los números de 15 de febrero y 15 de marzo de 1909), donde habla de óperas de Puccini en el Metropolitan, de la retirada del Marcela Sembrich y Emma Eames, del arte de Ludwig Wullner, etc., "como la mejor forma de dar las noticias teatrales de Nueva York" en México, según escribe de puño y letra en los recortes de su archivo.

Sin duda, uno de los acontecimientos más trascendentales ocurridos en México en 1909 fue la fundación del "Ateneo de la Juventud", que surgió por inspiración de Antonio Caso y se inauguró la noche del 28 de octubre, en el Salón de Actos de la Escuela de Jurisprudencia de la Universidad de México. Con el objeto de celebrar el primer centenario de la independencia de México, dicho Ateneo organizó una serie de seis conferencias, que tuvieron lugar a las 7 de la noche, semanalmente, los lunes 8, 15, 22 y 29 de agosto y 5 y 12 de septiembre, en el siguiente orden: 1a. "La filosofía moral de don Eugenio M. de Hostos", por Antonio Caso; 2a. "Los _Poemas Rústicos_ de Manuel José Othón", por Alfonso Reyes; 3a. "La obra de José Enrique Rodó", por Pedro Henríquez Ureña; 4a. "El _Pensador Mexicano_ y su tiem-

---

[105] "Memorias", p. 125.

po", por Carlos González Peña; 5a. "Sor Juana Inés de la Cruz", por José Escofet, y 6a. "Don Gabino Barreda y las ideas contemporáneas", por José Vasconcelos. Las conferencias tenían por objeto "estudiar la personalidad y la obra de pensadores y literatos hispanoamericanos", y fueron patrocinadas por el Secretario y Subsecretario de Instrucción Pública y Bellas Artes don Justo Sierra y don Ezequiel A. Chávez respectivamente, El propio ministro Sierra inauguró las conferencias con un discurso, y en cada una de las siguientes hubo invitados distinguidos, como el ya mencionado Chávez y otras personalidades de México y del extranjero. Los textos de dichas conferencias fueron reunidos en un volumen titulado *Conferencias del Ateneo de la Juventud* (México: Imprenta Lacaud, Callejón de Santa Inés 5, 1910) y llevan esta dedicatoria "Al Señor Dr. Don Pablo Macedo, respetuosamente dedica la edición de estas conferencias: El Ateneo de la Juventud". El Dr. Pablo Macedo era a la sazón director de la Escuela de Jurisprudencia y presidió las tres últimas conferencias del Ateneo. Como estas conferencias han sido reeditadas por la Universidad Nacional Autónoma de México, en 1962, con prólogo, notas y recopilación de apéndices de Juan Hernández Luna, que da la más completa visión de lo que el grupo de la ateneístas ha hecho y significado con movimiento intelectual en la iniciación del México contemporáneo, no repetiremos aquí ni lo que contienen los textos de las conferencias de los ateneístas ni lo que éstos recordaron posteriormente, para lo cual remitimos a las páginas 117-215 de la reedición de las *Conferencias del Ateneo de la Juventud,* hecha por Juan Hernández Luna. En cambio, daremos otros textos, ya periodísticos, ya de otras procedencias, que puedan significar alguna aportación complementaria. Empezaremos por algunas crónicas de la época. La primera, aparecida dos días después de inaugurarse el Ateneo, en el diario *Actualidades,* en el cual poco más de una semana antes había iniciado su colaboración Pedro Henríquez, dice así:

El Ateneo de la Juventud

Anoche quedó instalado, con asistencia de mayoría de socios, el "Ateneo de la Juventud". Comenzó la sesión con un discurso improvisado, con fácil y persuasiva palabra, por el licenciado Antonio Caso, quien expuso los propósitos que movían a los organizadores al congregar a los presentes para la fundación de un ateneo y los fines de estímulo intelectual y de cultura que debe llenar una asociación de este género.

Se procedió a discutir diversos puntos, decidiéndose, al fin, nombrar una comisión, compuesta por los Señores Caso, Alfonso Cravioto, Alfonso Reyes, Jesús T. Acevedo y Pedro Henríquez Ureña, para redactar los estatutos. Se decidió, asimismo, organizar secciones, y se abrieron, desde luego, las de literatura, historia y ciencias sociales, y filosofía, inscribiéndose cada socio en aquellas a que le llevan sus estudios personales.

Se procedió a nombrar mesa directiva, resultando electos: presidente, el licenciado Caso, tesorero el licenciado Ignacio Bravo Betancourt, y secretario, Pedro Henríquez Ureña.

Se fijó como día de nueva sesión, para la lectura de los estatutos, el próximo miércoles, a las siete de la noche, siendo el punto de reunión el salón de actos de la escuela de Jurisprudencia.

Para fines del mes de Noviembre se celebrará la primera sesión, consagrada a trabajos filosóficos y literarios.[106]

Otra crónica es la de *El Diario*, de México, publicada al día siguiente de la inauguración, bajo el título de "Fué inaugurada ayer una serie de pláticas en el Ateneo de la Juventud. El Lic. Antonio Caso y 'La filosofía moral de Eugenio Hostos'". La nota, ilustrada con fotos de Escofet, Reyes, González Peña, Pedro Henríquez Ureña y Antonio Caso, dice:

Anoche tuvo lugar en el salón de actos de la Escuela Nacional de Jurisprudencia, una interesante conferencia titulada "La filosofía moral de don Eugenio Hostos", a cargo del señor licenciado Antonio Caso, que demostró una vez más su talento, unido a sus cualidades de orador.

Con dicha conferencia, se inició la serie de las que pretende dar la progresista asociación del "Ateneo de la Juventud", formada por jóvenes abogados y por pasantes de la Escuela de Jurisprudencia.

El señor don Justo Sierra, Ministro de Instrucción Pública y Bellas Artes, y el señor licenciado don Ezequiel A. Chávez, presidieron el interesante acto.

La próxima conferencia se titula "Los Poemas Rústicos" de Manuel Othón, será desarrollada por el inteligente orador Alfonso Reyes, y tendrá lugar el día 15 de los corrientes, en el mismo local que la de ayer, y presidida por los mismos funcionarios.

Estas simpáticas sesiones se repetirán hasta el 12 de septiembre, para celebrar el Centenario de la independencia de nuestra Patria.

Los conferencistas que tomarán parte en las repetidas sesiones intelectuales, son los señores Pedro Henríquez Ureña, con la obra de "José Enrique Rodó"; Carlos González Peña, con el "Pensador Mexicano y su tiempo"; José Escofet con la "Sor Juana Inés de la Cruz"; José Vasconcelos, con "Gabino Barreda".

Oportunamente daremos a conocer el resultado de las conferencias repetidas.[107]

Y ahora los fragmentos que al Ateneo consagra Pedro Henríquez Ureña en sus "Memorias":

[106] *Actualidades,* 29 de octubre de 1909.
[107] *El Diario,* 29 de octubre de 1909.

Octubre 28 [1909]

Se instaló anoche, en el incómodo Salón de Actos de la Escuela de Jurisprudencia, el "Ateneo de la Juventud", inventado por Caso, y para el cual in-
vitamos a Rafael López y a Acevedo, Alfonsito y yo. Concurrieron Ignacio Bravo
Betancourt, Carlos González Peña, Luis Castillo Ledón, Isidro Fabela, Manuel de la Parra, Juan Palacios, Vasconcelos, Jenaro Fernández, Eduardo Pallares, Emilio Valenzuela, Alfonso Cravioto, Guillermo Novoa; estuvimos los
cinco firmantes; faltaron, por ausencia, Ricardo Gómez Robelo, que vive en
Chilpancingo, Marcelino Dávalos, que ha ido a Guadalajara al estreno de su
drama *Jardines trágicos*, por la Compañía Fábregas, Nemesio García Naranjo
y José María Lozano, que se hallan en Cuernavaca; y por no sé qué razones,
Rubén Valenti, Francisco J. César (creo que tienen resentimientos, el uno con
Nacho Bravo, el otro con Lozano), Enrique Escobar (el manco), Evaristo Araiza, Abel Salazar, Roberto Argüelles, Eduardo Xicoy, el Dr. Barajas, y Eduardo Colín. Se discutió hora y media; se nombró comisión de estatutos, no sin
protestas previas de Vasconcelos, que deseaba no hubiera organización, o la
menos posible, y se eligió mesa directiva, resultando Caso presidente, *Nacho
Bravo* tesorero, y yo secretario. Tipo curioso, este Nacho Bravo, que antes
era objeto de críticas y hoy comienza a serlo de envidias; en cambio, lo ha
sido siempre de admiraciones fáciles. Hijo de padres pobres, dotado de inteligencia práctica, aunque plegable a muchas cosas, educado primero por curas,
después en la Preparatoria, tesonero y ambicioso, Nacho Bravo comenzó des-
lumbrando a sus compañeros de escuela por la feliz aplicación de sus dotes,
y bien pronto suscitó desafectos: quien, le criticaba su falta de refinamiento;
quien, le achacaba servilismo . . . Ello es que, con sus cualidades y sus defectos, explotando unas y otros, Bravo se conquistó la admiración de algunos compañeros suyos entre quienes era *leader,* se hizo estimar por los profesores, se
graduó de abogado con extraordinario éxito, ha trabajado enormemente, y a
estas horas es rico, explota a los demás, *presume*, y se va a casar con una joven
millonaria que ¡oh colmo! lo admira. Caso es de los que *creen* en él; pero yo,
sea porque no lo alcancé en sus buenos tiempos, sea porque intrínsecamente
nunca haya tenido alto valor, no puedo ver en Bravo sino una mediocridad
hábil, que triunfa, sobre talentos superiores, por su capacidad para el trabajo
y su deseo de ascender a toda costa.[108]

Noviembre 2.

El Ateneo recién fundado parece próximo a perecer. Debió haber reunión
el sábado pasado, y no asistieron los oradores. (Memorias, p. 116).

108 "Memorias", pp. 113-115.

Noviembre 30.

Caso volvió a ocuparse del Ateneo, y anoche hubo una sesión de lectura. Leyó Parrita un cuento de hadas; lástima de la parte final. Alfonso leyó un estudio sobre los poetas parnasianos (so pretexto del cubano-francés Augusto de Armas), que causó sensación entre los ateneístas, para quien él seguía siendo un poeta bucólico.[109]

Marzo 29 de 1910.

El Ateneo de la Juventud, después de algunas pacíficas sesiones de lectura (en las que tomaron parte Vasconcelos, Alfonsito, Parrita, Carlos González, Marcelino Dávalos, Roberto Argüelles y yo) organizó una gran velada en honor de Altamira. Se celebró el 26 de Enero, en la Escuela Preparatoria, presidiéndola, con nosotros, D. Justo Sierra, Ezequiel Chávez y Porfirio Parra: Caso dijo las palabras de bienvenida, muy entusiastas y justas; Alfonso leyó un trabajo sobre "La Estética de Góngora", que fue recibido con frialdad por el enorme y heterogéneo público; Rafael López dijo unos breves versos a Campoamor, y yo leí un estudio sobre Hernán Pérez de Oliva, en el cual trabajé dos meses: tuve que leer a salto de mata, porque el público ya no quería más, y tosía y aplaudía para callarme. Afortunadamente no me impresiona el hallarme frente a un público, y acorté la lectura como pude. Altamira (a quien se dirigían todos los deseos del público) leyó un cuento largo, que no interesó; así es que resultaron decepcionados los que esperaban su turno. D. Justo me celebró mi trabajo y Acevedo, que lo acompañó en su automóvil, con Lozano y García Naranjo, hasta dejarlo en el Teatro Arbeu, donde se estrenaba la *Salomé* de Oscar Wilde, me contó que les había dicho, comentando mi trabajo: "¡Cuántas cosas sabe Ureña!"; y luego hizo una pausa y repitió; "Cuántas cosas!"[110]

Marzo 25 de 1911.

Anoche íbamos a celebrar sesión en el Ateneo de la Juventud. Alfonsito iba a leer la segunda parte de su estudio sobre *El paisaje en la poesía mexicana del siglo* xix, trabajo extensísimo que acometió, por encargo del Ateneo, y que leyó fragmentado en la serie de conferencias de la Academia de Jurisprudencia y Legislación. No hubo al fin sesión, por falta de quórum; pero cuando nos íbamos llegó Carlos González Peña, agitadísimo, a declararnos lo que aca-

[109] "Memorias", p. 116.
[110] "Memorias", pp. 117-118.

baba de comunicarle Salado Alvarez, subsecretario de Relaciones Exteriores. La noticia produjo excitación; se comentó como un gran paso, y, por algunos, —por los más, mejor dicho,— como un signo de debilidad, de que el gobierno cedía ante la revolución de Madero. A mí no me pareció que significara gran cosa, fuera de lo último.

Nos fuimos todos los ateneistas después al Restaurant Gambrinus, y allí fueron juntándose después muchos que no habían ido a la sesión. Acevedo inició entonces la idea de que fuésemos inmediatamente a saludar a D. Justo Sierra. Caso, que acababa de estar con éste, apoyó la idea, y hacia allá nos encaminamos. No fueron con nosotros algunos: Carlos González Peña y Luis Castillo Ledón, porque habían quedado en ir al restaurant y no llegaron a tiempo; Colín y Parrita, que se habían despedido desde la Escuela de Jurisprudencia; Escofet, que tenía que ir a trabajar en su empleo de traductor de telegramas en *El Imparcial*; y Vasconcelos, que no quiso exponerse a la posibilidad de que se le viera en alguna relación con cosas del gobierno de D. Porfirio, ya que él está relacionado con la revolución y hasta piensa irse a los Estados Unidos a trabajar por ella (consideración algo pueril). Fuimos al fin a ver a D. Justo, nueve ateneístas: Caso, Cravioto, Acevedo, Alfonso Reyes, Gómez Robelo, Fabela, Bravo Betancourt, Guillermo Novoa y yo; se agregaron dos cuasiateneístas, el dramaturgo Pepito Gamboa y Martín Luis Guzmán, muchacho inteligentísimo, hijo del Coronel muerto por la revolución, y además Miguel Alessio Robles, abogado que escribe muy mal y fracasó en su propósito de entrar al Ateneo, pero que anoche logró su propósito de aparecer entre los socios.

Nos recibieron D. Justo y sus hijos Justo y Manuel. D. Justo se mostraba contrariado en el fondo, pero estuvo hablando humorísticamente, como siempre (así estuvo aún el día en que le fuí a dar el pésame por la muerte de su hija Luz, la esposa del abogado Manuel Calero).

Se habla poco de candidatos a los ministerios. Se temen cambios en muchas cosas, pero dudo que los haya muy radicales. No creo que la Universidad desaparezca, como quieren los malquerientes. La *Antología del Centenario* sí se extinguió este mes, sin necesidad del cambio del gabinete.[111]

Por último, el 6 de abril de 1911, al hablar de la escuela de Jurisprudencia y del aprecio que la juventud de ese momento manifestaba por los maestros, comenta:

Lo que sí puede notarse ya es lo que temía Acevedo: que la nueva juventud no toma muy en serio a nuestro grupo (el del Ateneo), como sucedía en ese mismo grupo respecto del anterior (el de la *Revista Moderna*). A eso ha

---

[111] "Memorias", pp. 141-143.

contribuído (junto con la inevitable tendencia a la emancipación) el caracter enojoso de publicidad y aun de combate que se le ha dado al *Ateneo*. Habrá que trabajar bastante contra este prejuicio, si se quiere establecer relaciones con los que llegan.[112]

Aquí se interrumpen las "Memorias" de Pedro Henríquez Ureña; pero en el archivo que custodia su hija Sonia hemos hallado unas cuartillas manuscritas tituladas, una, "Ateneo de la Juventud"; debajo, lleva la fecha de 1909, y a continuación hay una lista de los miembros, la otra, con el título de "El Ateneo de México", contiene los siguientes datos: a) que muchas veces ha hallado entre los escritores jóvenes referencias equivocadas al Ateneo de México; b) que el error de información revela uno de nuestros males de América: la falta de espíritu de continuidad, que es uno de los mayores enemigos de nuestra cultura; c) que la agrupación a que se refiere duró solamente cinco años: desde 1909 hasta 1914, fecha en que, antes de disolverse, suspendió sus reuniones en vista de los graves trastornos políticos del país; d) que al fundarse se llamó "Ateneo de la Juventud" y que en 1912 cambió su nombre por el de "Ateneo de México". Luego agrega:

> Los fundadores, en 1909, fuimos treinta; la mayor parte eramos estudiantes universitarios, y no todos mayores de edad; después se agruparon nuevos socios, no muchos. Los más conocidos, entre los fundadores, son Antonio Caso, José Vasconcelos, Alfonso Reyes, Alfonso Cravioto, Carlos González Peña, Luis Castillo Ledón, Isidro Fabela, Jenaro Fernández MacGregor, Nemesio García Naranjo, José María Lozano, los poetas Roberto Argüelles Bringas, Rafael López y Manuel de la Parra, el arquitecto Jesús Tito Acevedo, el escritor español José Escofet. De los socios posteriores, la compositora y escritora Alba Herrera y Ogazón, Enrique González Martínez, el Marqués de San Francisco, Pablo Martínez del Río, Martín Luis Guzmán, Julio Torri, Mariano Silva Aceves, Alfonso Teja Zabre, Rafael Cabrera, Alejandro Quijano, Erasmo Castellanos Quinto, los pintores Diego Rivera, Angel Zárraga y Jorge Enciso. En 1912, al cambiar de nombre la agrupación, ingresaron socios menos jóvenes que los fundadores: entre ellos, el poeta Urbina, el ingeniero Alberto J. Pani, el arquitecto Federico Mariscal, el compositor Manuel M. Ponce, el médico Alfonso Pruneda. Presidieron la asociación, sucesivamente, Antonio Caso, Alfonso Cravioto, José Vasconcelos, Enrique González Martínez, de nuevo Caso.

El Ateneo se reunía una o dos veces al mes, en reuniones de lectura y discusión; no se anunciaban, pero se admitían visitantes. Actos públicos realizó muy pocos: los principales fueron las conferencias en el centenario de la independencia mexicana, recogidas luego en volúmen (da la lista de las conferencias, que ya conocemos).

---

[112] "Memorias", p. 147. De la p. 143 a la 148 habla con detalle de la situación cultural de este asunto.

En la lista de los miembros que da don Pedro no se muestra muy seguro. Hay signos de interrogación, otros entre paréntesis, otros escritos y después tachados. La transcribimos tal como está en su manuscrito, con la enumeración hasta el número 15, y los demás, sin enumerar: 1: Evaristo Araiza, 2: Jesús Tito Acevedo, 3: Dr. Manuel Barajas, 4: Antonio Caso, 5: Alfonso Cravioto, 6: Francisco J. César, 7: Luis Castillo Ledón, 8: Ignacio Bravo Betancourt, 9: Marcelino Dávalos, 10: Enrique Escobar, 11: Isidro Fabela, 12: Jenaro Fernández MacGregor, 13: Rafael López, 14: Roberto Argüelles Bringas, 15: José María Lozano. Se interrumpe la enumeración y siguen los siguientes nombres: Nemesio García Naranjo, Pedro Henríquez Ureña, José Escofet, Guillermo Novoa, Manuel de la Parra, Alfonso Reyes, Abel C. Salazar (Rubén Valenti), Emilio Valenzuela, José Vasconcelos (Eduardo Xicoy), Jorge Enciso, Angel Zárraga, Diego Rivera, Julio Torri, Mariano Silva Aceves, Enrique Jiménez Domínguez, Ricardo Gómez Robelo, Rafael Cabrera, Alfonso G. Alarcón, Alejandro Quijano, Pablo Martínez del Río, Erasmo Castellanos Quinto, Manuel Romero de Terreros, Alfonso Teja Zabre, ¿Ricardo Arenales?, ¿Francisco de la Torre?, ¿Saturnino Herrán?, Martín Luis Guzmán. Federico Mariscal, Nicolás Mariscal, Alberto J. Pani, Luis G. Urbina, Enrique González Martínez, Pedro González Blanco, José Santos Chocano, Manuel M. Ponce, ¿María Enriqueta Camarillo de Pereyra?, ¿Ituarte?, Alfonso Pruneda.

Como se ve, la composición exacta, en número y nombres, de los miembros del Ateneo queda aquí un poco dudosa. Tal vez por ello, el semanario *Hoy*, dirigido por R. H. Llergo y publicado por la "Editorial Hoy", en donde hay muchas colaboraciones de José Vasconcelos, uno de los miembros del Ateneo, trae un artículo anónimo que se titula "Cómo era el Ateneo de México", donde da una lista de los componentes, con someros datos acerca de quiénes eran. La lista resultó incompleta para don Alejandro Quijano, que fue el último secretario de la institución, y, con el objeto de rectificarla, publicó en *Letras de México*, número 19, del 16 de noviembre de 1937, página 2, un artículo que transcribimos completo, por considerarlo de fundamental importancia para la real composición del Ateneo:

El verdadero Ateneo

Señor Editor de *Letras de México*

En uno de los últimos números de **Letras de México**, aparece, en la sección "Revista de Revistas", una nota referente a un artículo del semanario "Hoy", número correspondiente al 11 del pasado, titulado "Cómo era el Ateneo de México".

Como parece que hay interés en conocer detalles acerca de esta institución literaria, que tuvo influencia sobre las letras de México, creo que no huelgan los siguientes datos complementarios, de cuya exactitud puedo responder, pues fuí el último secretario del Ateneo.

En la lista de socios que publicó "Hoy" fueron omitidos algunos nombres:

los de Leopoldo de la Rosa, de Genaro Fernández MacGregor, de Saturnino Hernán, de Joaquín Méndez Rivas, de Emilio Valenzuela, de Manuel Romero de Terreros, de Antonio Mediz Bolio y el mío.

Tengo a la vista la lista de los fundadores del Ateneo, que fueron 26, a saber: Acevedo, Araiza, Roberto Argüelles Bringas, Barajas, Bravo Betancourt, Caso, Castillo Ledón, César, Colín, Cravioto, Dávalos, De la Parra, Fabela, Fernández Mac Gregor, García Naranjo, González Peña, Henríquez Ureña (Pedro), López Lozano (José María), Novoa, Palacios, Pallares, Reyes, Salazar, Vasconcelos y Valenzuela.

Con estos, y con los que fueron ingresando poco a poco, el Ateneo llegó a contar en su seno a los siguientes socios:

Acevedo, Arq. Jesús T.

Araiza, Ing. Evaristo.

Arenales, Ricardo.

Argüelles Bringas, Roberto.

Alarcón, Dr. Alfonso G.

Barajas, Dr. Carlos.

Bravo Betancourt, Lic. Ignacio.

Cabrera, Lic. Luis.

Caso, Lic. Antonio.

Castellanos Quinto, Lic. Erasmo.

Castellanos, Jesús.

Castillo Ledón, Luis.

César, Lic. Francisco J.

Colín, Lic. Eduardo.

Cravioto, Lic. Alfonso.

Chocano, José Santos.

Dávalos, Lic. Marcelino.

De la Parra, Manuel.

De la Rosa, Leopoldo.

Enciso, Jorge.

Escofet, José.

Fabela, Lic. Isidro.

Fernández Mac Gregor, Lic. Genaro.

García Naranjo, Lic. Nemesio.

Gómez Robelo, Lic. Ricardo.

González Blanco, Lic. Pedro.

González Martínez, Dr. Enrique.

González Peña, Carlos.

González Rosa, Lic. Fernando.

Guzmán, Martín Luis.

Henríquez Ureña, Lic. Max.

Henríquez Ureña, Lic. Pedro.

Herrán, Saturnino.

Herrera y Ogazón, señorita Alba.

Jiménez Domínguez, Lic. Enrique.

López, Rafael.

Lozano, Carlos.

Lozano, Lic. José María.

Mariscal, Arq. Federico.

Mariscal, Arq. Nicolás.

Mediz Bolio, Lic. Antonio.

Méndez Rivas, Joaquín.

Novoa, Lic. Guillermo.

Palacios, Juan.

Pallares, Lic. Eduardo.

Pani, Ing. Alberto J.

Ponce, profesor don Manuel M.

Pruneda, Dr. Alfonso.

Quijano, Lic. Alejandro.

Rebolledo, Lic. Efrén.

Reyes, Lic. Alfonso.

Rivera, Diego.

Romero de Terreros, Manuel.

Salazar, Lic. Abel C.

Silva y Aceves, Lic. Mariano.

Teja Zabre, Lic. Alfonso.

Torri, Lic. Julio.

Urbina, Luis G.

Urueta, Lic. Jesús.
Vasconcelos, Lic. José.
Velázquez, Miguel A.

Valenzuela, Emilio.
Zárraga, Angel.

Tengo en mis manos el no muy copioso archivo del Ateneo, sus Estatutos, cartas, algunas de ellas interesantes, y programas o papeles relacionados con sus actividades.

Como cosa curiosa hay que hacer notar que entre los escritores extranjeros que estuvieron en relaciones con el Ateneo se encuentran los muy distinguidos filósofos Emilio Boutroux y Benedetto Croce, y los literatos José Enrique Rodó, Arturo Farinelli y doña Blanca de los Ríos de Lampérez; ellos, además de Chocano, Pedro y Max Henríquez Ureña, Pedro González Blanco, Ricardo Arenales y Leopoldo de la Rosa, que fueron sus socios directos.

Fueron Directores del Ateneo don Antonio Caso, don José Vasconcelos y don Enrique González Martínez.

Hubo socios que dejaron de pertenecer a la institución temporalmente: don Nemesio García Naranjo, don Genaro Fernández Mac Gregor y don Emilio Valenzuela, quienes después reingresaron, por lo menos algunos de ellos. La renuncia de García Naranjo fué, según dice el escrito que tengo en mi poder, "por no estar conforme con la conducta seguida por el Ateneo de la Juventud para con el ilustre huésped de la República, señor don Manuel Ugarte". Fernández Mac Gregor renunció por haberse tratado asuntos políticos en una de las sesiones del Ateneo. Así andaban las cosas en 1910.

El Ateneo, que con el nombre de "Ateneo de la Juventud", se fundó el 28 de octubre de 1909, cambió su nombre por el de "Ateneo de México", en 1912. La edad de algunos socios aconsejaba ya la supresión de la restrictiva "juventud".

Aunque las actividades principales del Ateneo son conocidas, recordaré aquí la serie de importantes conferencias públicas que sustentaron algunos de sus socios más distinguidos: Caso, Pedro Henríquez Ureña, Reyes, González Peña, Escofet, Vasconcelos. Cuando vino don Rafael Altamira en 1910, el Ateneo lo acogió, ofreciéndole una velada y una comida. El Ateneo organizó, con motivo de la muerte de don Justo Sierra, una velada, que se verificó el 22 de octubre de 1912. Cuando el general Huerta quiso aplicar el artículo 33 a Chocano, el Ateneo hizo una calurosa moción, inútil, para evitarlo. El Ateneo tuvo, así, en sus primeros tiempos, una vida activa. Posteriormente declinó, hasta desaparecer, sin que tenga yo dato exacto respecto a esto último, no obstante haber sido, como digo antes, su último secretario.

Si cree usted que los datos que anteceden puedan ser de algún interés para sus lectores, puede hacer uso de ellos.

5 de octubre de 1937.

ALEJANDRO QUIJANO

Entre los actos públicos auspiciados por el Ateneo, mencionaremos dos: La velada en honor del historiador español Rafael Altamira y la actitud asumida en defensa del poeta peruano José Santos Chocano. A pesar de las muchas crónicas que los periódicos de la época dedicaron a la visita de Rafael Altamira,[113] nos ceñiremos a las referencias que Pedro Henríquez Ureña da en sus "Memorias". Altamira llegó a México, como embajador oficial de la cultura española, en diciembre de 1909, estuvo unos días, partió para los Estados Unidos y regresó en enero de 1910. Dio multitud de conferencias y se le obsequió con banquetes y fiestas hasta dos veces por día. Hubo complacencia en escuchar su palabra, sobre todo al principio, ciertas reticencias después, y acaso, por prejuicios, sobre todo por parte de los católicos, que tenían como tribuna al diario *El País*, recibió algunos ataques. Pedro Henríquez Ureña comenta en sus "Memorias":

> . . . el efecto general de la campaña ha sido benéfico. Claro es que *sotto voce* ha habido comentarios desfavorables, como si se hubieran arrepentido los entusiastas de su entusiasmo excesivo de al principio . . .[114]

Entre los actos en honor de Altamira figura la velada que organizó el "Ateneo de la Juventud" en la Escuela Nacional Preparatoria el día 26 de enero de 1910. Esta velada fue presidida por el secretario de Instrucción Pública, D. Justo Sierra, y a ella asistieron el subsecretario del ramo, el director de la Preparatoria, y el presidente del Ateneo, Antonio Caso, quien dijo las palabras de bienvenida. Participaron en la misma reunión Alfonso Reyes, quien leyó un trabajo sobre "La estética de Góngora", "que fué recibido con frialdad por el enorme y heterogéneo público",[115] dice Pedro Henríquez Ureña. Y sigue comentando, como ya hemos visto, la actuación de los otros participantes. Al terminar la velada, leemos en las "Memorias":

> Los miembros del Ateneo fuimos en seguida a un banquete que dimos en el Restaurant Sylvain en honor de Altamira. Frente a él se sentó Chávez, y a sus lados Caso y yo; conversamos con él largamente. El brindis, desgraciadamente, lo pronunció *Nacho* Bravo, en estilo hinchado y ridículo; Altamira contestó de manera breve, afable y sencilla. Chávez habló como de costumbre; deshilachado y familiar. Luego se le ocurrió a José María Lozano pronunciar un brindis en el que habló de España a su modo: de Cortés, de los frailes, de los empeñeros, de sus propias aficiones taurinas, de Fuentes y de Montes,

---

[113] Ver *Compendio del Ateneo de la Juventud*, UNAM, Centro de Estudios Filosóficos, 1962. Prólogo, notas y recopilación de apéndices de Juan Hernández Luna y María del Carmen Millán, "La generación" del Ateneo (NRFH, XV, pp. 634 y ss.).

[114] "Memorias", p. 117.

[115] *Ibid.*

de la música de Quinito Valverde. Aquello fue un desastre. Todo el mundo salió disgustado. Días después, algunos periódicos censuraron el brindis de Lozano, aunque había sido dicho en privado.

D. Justo organizó una reunión en obsequio de Altamira, a la cual asistí. Había mucha gente; toda la intelectualidad oficial: no estaba Casasús, por enfermedad, pero sí las mujeres de su familia; Federico Gamboa, Genaro García, Salvador Alvarez, Carlos Pereyra y *María Enriqueta*; Leopoldo Batres, *conservador* de monumentos; Ezequiel Chávez; Urbina; Rafael López, Roberto Argüelles, García Naranjo, Jorge Enciso; el Dr. Zárraga y un hijo suyo que recita versos; Guillermo el recitador y sedicente poeta romano Gino Calza; el Ministro de España, Cólogan, y su familia mexicana; D. Telésforo García, en cuya casa se hospedó Altamira, y toda su familia; Gonzalo de Murga, español literato y hombre de negocios; Urueta, a quien se invitó por especial empeño de D. Justo, a pesar de sus ataques a la reelección. De la familia de D. Justo estaba una multitud, además de las de Casasús y de Urueta y mujer: los hijos y las hijas con sus maridos, y las hijas de D. Santiago Méndez, y la elegante y provocativa Cristina Méndez de Regil, con su marido yucateco, y Mercedes MacGregor, hijastra de D. Luis Méndez, y no sé cuántos más. La música estuvo en manos de Artemisa Elizondo, de Manuel M. Ponce y de Carlos Lozano, pianistas; Rocabruna, violinista, y su mujer la hermosa soprano María Luisa Escobar. *Tina* Méndez cantó romanzas en francés. Los números literarios estuvieron algo flojos: Urueta leyó su *Dulcinea*, que pasa por ser el mejor de sus trabajos, pero que a mi me parece bastante revuelta; D. Justo leyó unos versos recientes, que comienzan admirablemente, pero que luego se engolfan en el acostumbrado *hugonismo* de los astros y del infinito; Paz García, hija de D. Telésforo, recitó con agradable estilo, mezcla de voz de su padre y de la *manera* de María Guerrero, versos españoles de todos estilos: de Moreto, de Zorrilla, de Vicente Medina . . . Lo demás no significó gran cosa. D. Justo quería invitar a Alfonsito, afirmando que su casa era campo libres; pero se le hizo ver que el invitado estaría un tanto incómodo entre gentes enemigas de su padre, y al fin desistió de su propósito. La familia misma de D. Justo es curiosa muestra de esa libertad: pues hay gentes de todos los partidos: mientras él ocupa un ministerio y pasa por *científico*, uno de sus hijos, Chano J., escribe una biografía de Corral, uno de sus yernos, Miguel Lanz Duret, escribe en *El Debate* a favor de Corral y contra Reyes, otro, Manuel Calero, figura en el Partido Democrático, aunque luego se le conquista con el interinato en la sub-secretaría de Fomento, otro, José Barros, que es personalmente rico, escribe contra los reeleccionistas y es atacado por el mismo *Debate*, Urueta, marido de una sobrina, hace campaña contra la reelección, a nombre del Partido Democrático, y con afinidades hacia el *reyismo*, Tablada canta himnos a D. Porfirio y escribe *tiros al blanco* contra la oposición (Tablada es marido de otra sobrina), y el sobrino Chanok, se dice *reyista* en lo privado. Los que no se afilian a ningún partido son sus hijos Justito, cuya poca salud y costumbres inglesas lo hacen ver con despego la política, si bien es diputado, y Manuel, que parece inclinarse a asumir la actitud de Casasús ... quien todavía no asume públicamente ninguna ninguna actitud (aunque se le clasifica como *científico* prominente) en la cuestión reeleccionista, por o contra Corral.

Altamira, a quien visité varias veces en casa de D. Telésforo, es un hombre de trato fácil y vivo: no parece *gachupín* en su modo de hablar, que es americano salvo en la pronunciación de las *zetas* y *elles*. Tiene parecido, físicamente, con William James, y presumo que también en su trato, por lo que de James cuenta García Calderón. Su resistencia es extraordinaria; pues una labor de uno o dos discursos y uno o dos banquetes cada día (la cual tuvo que realizar desde que llegó a la Argentina hasta que se embarcó en Cuba para España) difícilmente se resiste. Pero él observa buen régimen; y además, aunque está cano (sólo tiene cuarenta y tres años), dice que en las vacaciones se echa siempre *medias suelas*, yéndose al campo y al mar, a hacer ejercicio constante.[116]

La visita de Altamira a México, como es de suponer, puede seguirse también a través de los diarios de España, sobre todo de Madrid y de Oviedo, de cuya Universidad era profesor. En otros países de Hispanoamérica también repercutió dicha visita. Nos interesa reproducir la síntesis que da Pedro Henríquez Ureña en la revista *Ateneo*, de Santo Domingo, número 2-3, febrero-marzo de 1910, bajo el título:

Altamira en México

En el viaje de propaganda intelectual y social en América emprendido por Don Rafael Altamira, a nombre de la Universidad de Oviedo, acaso ninguna visita haya alcanzado tanta significación como la hecha a México: aquí logró romper, quizás de modo definitivo con la rutinaria tradición anti-española.

Llegó en diciembre, y dió una conferencia sencilla en el Casino Español, —acto que presidió Porfirio Díaz,— exponiendo los propósitos de su viaje; y luego otra conferencia, docta y profunda, sobre los elementos con que se cuenta para escribir la historia del derecho español. Esta, que fué dada en la Escuela de Jurisprudencia, atrajo a todo el público intelectual: allí estuvo el Ministro de Instrucción Pública y Bellas Artes, el ilustre Justo Sierra, y con él los Ministros de Hacienda y de Fomento, Limantour y Molina, el profesorado de la Escuela, los abogados y los escritores, los *intelectuales*, en suma, de todas las creencias y de todos los partidos. Altamira habló después de las calurosas frases de presentación pronunciada por D. Justo; las contestó breve-

---

116 "Memorias", pp. 118-121.

mente, y, declarando que gustaba de hablar como en su cátedra, en forma familiar, no oratoria, se sentó, y procedió a examinar, con palabra fácil, sencilla y enérgica, con ojeada rápida y juicio sintético, certero, los problemas que ofrecía su asunto: cómo la historia del derecho debe presentarlo, no como categoría aislada y cosa muerta, sino como realidad viva, que surge de la vida social; cómo debe completarlo con el estudio de la vida del pueblo, señalar la lenta formación de las tendencias jurídicas, las semejanzas y las divergencias de la ley escrita y de la costumbre; cómo en España, más que en muchas otras naciones, el estudio del derecho exige el análisis de los hechos sociales, pues el pueblo tiene allí gran variedad de costumbres no sujetas a regla legal; cómo, además, hay todavía mucho que hacer para reunir los elementos de la historia jurídica española que aspire a ser completa (publicación de fuentes, análisis minuciosos de otras, datos históricos y sociológicos y demás) y cómo, sin embargo, desde fines de la Edad Media habían comenzado en España, esporádicamente, los estudios históricos y comparativos en materia jurídica, hasta adquirir forma sistemática en el siglo XVIII. El conferencista logró, en el breve espacio de su disertación, y con toda su sencillez, revelar la energía y la independencia de su espíritu, la solidez y la amplitud de su doctrina, su posición filosófica y científica, libre de dogmatismos, inclusive el dogmatismo positivista, su dón de simpatía humana; y al terminar, apelando ardientemente al sentido de justicia, hizo levantar, electrizado, al auditorio. Nunca he visto en México, —donde el carácter por lo general es frío,— ovación tan ruidosa por motivo puramente intelectual. La ovación se desbordó, estrepitosa y cálida, hasta la calle.

Partió Altamira a los Estados Unidos (donde las cuestiones españolas interesan ahora extraordinariamente: díganlo la *Hispanic Society,* formada por ilustres hispanistas norte-americanos, las exposiciones de Sorolla y de Zuloaga, las conferencias de Menéndez Pidal) y regresó antes de un mes. Del 12 de Enero al 2 de Febrero, difícil sería enumerar todas las conferencias y los discursos que hubo de pronunciar en la sola ciudad de México, los actos a que asistió, los que en su honor se organizaron ... A todas partes fué tras él ávida muchedumbre, y en dondequiera lo acogía la ovación franca y ruidosa.

Sus principales conferencias fueron: sobre enseñanza e historia del derecho, en la Escuela de Jurisprudencia; sobre la organización de las Universidades, en la Escuela Preparatoria; sobre la educación estética, en la Escuela Normal; sobre la extensión universitaria, en la Escuela de Artes y Oficios; sobre el método en el estudio de la historia, en el Museo Nacional; sobre temas jurídicos (ideas jurídicas de la España Moderna, el respeto a la ley en la literatura griega —la *Antígona* de Sófocles y el *Critón* platónico) en el Ilustre Colegio de Abogados (cuya fundación data de los tiempos coloniales) y en la Academia de Legislación y Jurisprudencia; sobre aspectos de la arquitectura, en la Sociedad de Ingenieros y Arquitectos; sobre Ibsen y Grieg, en el Casino Español; sobre la cultura integral, en el Centro Asturiano.

Mejor que ningún otro español, debía ser Altamira quien iniciara esta nueva etapa de las relaciones entre España y América: relaciones intelectuales activas, intercambio internacional de hombres e ideas. Porque él es quien (si se exceptúa a Unamuno) mejor conoce a América en España. Unamuno, con su espíritu combativo y paradójico, no creo que hubiera llevado a buen término una campaña semejante. Altamira, en cambio, se ha mostrado siempre severo y sereno, evitando todo exceso, toda apariencia de atrevimiento innecesario. "No vengo a decir cosas nuevas, sino cosas buenas", repetía. A los que conocíamos sus obras, la solidez de su doctrina y la seguridad de su método, la magnitud de sus trabajos de historia y derecho, la fama, ya universal, de su labor en la extensión universitaria de Oviedo, Altamira nos reveló todavía algo nuevo: la plenitud de su personalidad, el secreto del éxito que ha obtenido en la enseñanza y en la propaganda social, su don de *evangelizador*, estimada la palabra en su valor neto, sin sombra de afectación, de *pose* ni de vanidad personal. La importancia de una obra social, parece decirnos Altamira con su actitud sencilla y firme, reside en ella misma y no en quienes la realizan: en estos sólo se requieren fe y esfuerzo perseverante. "Se expresa bien, —nos decía en conversación,— lo que bien se siente; y la expresión de lo que hondamente sentimos convence a los demás; la expresión imperfecta se debe siempre a la falta de claridad y de vigor en la idea y en el sentimiento". (Concepto qué, repetido ya muchas veces en forma vaga, viene hoy a formar la base de la *Estética* del insigne Benedetto Croce: la identidad de la intuición y de la expresión). "Por mi parte, —continuaba Altamira,— tengo la experiencia de que el público está conmigo cuando siento profundamente lo que expreso. Les confesaré que en esos instantes me pongo pálido".

El número de fiestas celebradas en honor de Altamira fué extraordinario: excursiones fuera de la ciudad, visitas a instituciones, banquetes, actos académicos... Ministros y embajadores, asociaciones y escuelas, españolas y mexicanas, todos se disputaban el honor de obsequiarlo. Las visitas a los centros hispanos alcanzaron inusitada animación: especialmente, el banquete del Casino Español, concurrido por centenares de personas.

Dos fiestas de carácter intelectual hubo de verdadera importancia entre las ofrecidas al insigne maestro: la reunión literaria que organizó en su casa el Ministro de Instrucción Pública y Bellas Artes, y la velada del *Ateneo de la Juventud.*

D. Justo Sierra, que acompañó a todas partes a su viejo amigo Altamira, tuvo la feliz idea de ofrecerle algo así como un torneo familiar de intelectuales y artistas de México. A aquella reunión asistió nutrido grupo de hombres distinguidos en actividades intelectuales diversas: Ezequiel A. Chávez, actual sub-secretario de Instrucción Pública, el novelista Federico Gamboa, el historiador Jenaro García, Casasús (que también festejó en su casa a Altamira), Victoriano Salado Alvarez, Manuel Calero, Carlos Pereyra y su esposa la poetisa *María Enriqueta* (residentes ahora en la Habana), los poetas Urbina, Rafael López, Roberto Argüelles Bringas, García Naranjo, los músicos Ponce, Lozano, Rocabruna, la Sra. E. de Rocabruna y la señorita Artemisa Elizondo, el pintor Enciso, el poeta italiano Gino Calza, el escritor español Gonzalo de Murga, el siempre entusiasta e ilustrado D. Telésforo García, cuya casa fué en México la residencia de Altamira. Entre las muchas notas interesantes de aquel conjunto tuvo gran significación la lectura del poema dramático *Dulcinea*, del brillante prosador Jesús Urueta: pues Urueta figura entre los más radicales y activos opositores del gobierno de Díaz, y el Ministro hizo caso omiso de toda disensión política para recordar solamente que el autor de la *Dulcinea* y de las conferencias sobre la poesía helénica ocupa uno de los primeros e indiscutibles puestos en la literatura mexicana. D. Justo, por su parte, nos leyó una introducción al poema de sus recuerdos juveniles, composición en alejandrinos claros, tersos, luminosos.

En la fiesta del *Ateneo de la Juventud* dió la bienvenida al sabio español el jóven presidente de la agrupación, Antonio Caso, conocido por sus serios trabajos filosóficos; el poeta Rafael López, reconocido ya como el más alto entre los del *último barco*, leyó una hermosa *Elegía a Campoamor*; Alfonso Reyes una erudita, sutil y brillante disertación sobre *La estética de Góngora*; y el que escribe, un trabajo sobre el Maestro Hernán Pérez de Oliva, una de las más fuertes, aunque ya medio olvidadas, figuras de la España literaria bajo Carlos V: se había dispuesto, como los trabajos lo indican, que todo en la velada se refiera a España, ya que hoy se acostumbra tributar homenaje a los hombres de estudio ofreciéndoles trabajos sobre cuestiones que les interesan, según se hizo en los homenajes internacionales a William James, a Henri Weil, a Menéndez y Pelayo.

Algo de las frases que pronunció Antonio Caso dará, para terminar, idea del valor que se conceda en México al viaje de Altamira: "Sois un *Profesor de idealismo*. Antes de venir a América érais el ilustre historiador de la civilización española, el sabio jurista, el apóstol de la extensión universitaria en Oviedo; al regresar a España habréis realizado una gran obra social, de altísima importancia futura; devolvemos a España una personalidad histórica, consagrada por el amor de diez naciones y la admiración de todo un continente".

Pedro Henríquez Ureña

El otro acto que cobró relieves internacionales y en el cual participaron los miembros del Ateneo, fue la defensa de José Santos Chocano, con motivo de una medida gubernamental por la cual se le aplicaba el artículo 33 de la Constitución mexicana. El día 27 de mayo de 1913 los socios del Ateneo se reúnen y firman la siguiente petición, que enviaron al presidente de la República y que copiamos de *El Imparcial*, del 28 de mayo de dicho año:

  Los Socios del Ateneo Interceden por Chocano.

  Ciudadano Presidente de la República:

  Los suscritos, socios del "Ateneo de México", desatendiéndose de toda idea o credo político, y sólo hablando con la voz de la amistad y del compañerismo, vienen con toda atención a rogar a usted, ciudadano Presidente, se digne volver a considerar el acuerdo de expulsión del país del señor don José Santos Chocano, revocándolo en definitiva.

  Creen los firmantes que alrededor del señor Chocano se han agitado torpes intrigas con el fin de hacerlo aparecer como conspirador en contra del actual Gobierno, pues alientan la seguridad de que, lejos de proceder en tal sentido, el señor Chocano ha venido dedicándose sólo a una vida de honrada labor y al ejercicio de su altísima misión de poeta.

  Pero aun para el remoto evento de que algo pudiese comprobarse en contra del mencionado señor Chocano, los subscritos, con un amplio impulso de confraternidad hacia el consocio del Ateneo y de noble admiración hacia el alto poeta, que es en todos momentos honra y prez de la América española, como su eminentísimo cantor, viene a rogar a usted, ciudadano Presidente, que, en uso de las facultades que por ley le competen, y con el noble sentimiento de hospitalidad que hacia todo extranjero debe manifestarse, máxime si es, como Chocano, una excelsa figura en el orden artístico, se digne, como al principio lo enunciamos, volver a considerar su superior acuerdo y resolver que no es de aplicarse el artículo 33o. de la Constitución al esclarecido poeta de América.

  Es gracia que suplicamos y por cuya concesión quedaremos profundamente reconocidos.

  México, 27 de Mayo de 1913.

  Licenciado Antonio Caso, licenciado Alejandro Quijano, Secretario; Rafael López, Vicepresidente; Alfonso Reyes, Luis G. Urbina, licenciado Guillermo Novoa, Julio Torri, Pedro Henríquez Ureña, F. E. Mariscal, Mariano Silva, Enrique Jiménez Domínguez, Jesús Urueta, Alfonso G. Alarcón, J. T. Acevedo.

Chocano, al igual que Ricardo Arenales (a quien P. H. U. conoció en 1910) y Escofet, fueron de los pocos extranjeros incorporados como miembros directos y participantes del Ateneo; como a Altamira, como a González Blanco,[117] se le invitó y se le homenajeó cordialmente. No extrañe pues la actitud de solidaridad en

---

[117] Pedro González Blanco dio una conferencia en la Preparatoria. Lo presentó P.H.U. (*El Diario*, 23 de agosto de 1912).

el pedido que, según nota de puño y letra de Pedro Henríquez Ureña en su archivo, fue redactada por Alejandro Quijano. Chocano contestó manifestando que, en atención principalmente a este testimonio, no haría fuera de México declaraciones algunas.[118]

VII. Nuevos libros: *Antología del Centenario y Horas de Estudio*

Pedro Henríquez Ureña dio diversas conferencias en el Ateneo: la ya mencionada, sobre Pérez de Oliva, en la velada con que se homenajeó a Rafael Altamira; la más fundamental de todas, la dedicada a José Enrique Rodó, que se incluye en la edición conjunta de *Las Conferencias del Ateneo*. Pero posiblemente no ha tenido menos repercusión la que leyó en noviembre de 1911 sobre "La decadencia de la literatura descriptiva", que dio motivo a una discusión sobre el realismo artístico, en el que terciaron Carlos González Peña, en defensa de la tesis realista, Antonio Caso y Pedro Henríquez Ureña, en contra de ella. La conferencia fue publicada simultáneamente en *Argos*, revista semanal de México, dirigida por el poeta Enrique González Martínez, en la edición del 5 de enero de 1912, y en *La Cuna de América*, de Santo Domingo, el 14 de enero de 1912. La conferencia, además del interés que tiene para deslindar posiciones estéticas de diversos miembros del Ateneo, alcanzó repercusión internacional. Charles Lesca trató de replicar a Pedro Henríquez Ureña en la parte en que éste tocaba los fueros del realismo francés, seguido en México por Carlos González Peña. Lesca publicó sus observaciones en *Mundial Magazine* (sección "Revista de Revistas", abril de 1912); Pedro Henríquez Ureña le envía una carta el 30 de abril precisando sus puntos de vista y corrigiendo las interpretaciones de Lesca. Este utiliza dicha carta sólo en los fragmentos que adapta a sus intereses (*Mundial Magazine*, agosto de 1912); por lo que la polémica se termina. En las discusiones que provocó la lectura de este trabajo también participó Julio Torri; mejor dicho, el trabajo de Pedro Henríquez Ureña provocó, conjuntamente con otro de Torri, titulado "El embuste", el juego de discusiones sobre realidad y verdad en el arte. No hemos podido dar con el trabajo de Torri, pero sí sobre sus reacciones, recogidas en un trabajo titulado "En elogio del espíritu de contradicción", leído en el Ateneo pocos meses después (enero de 1912), publicado en *Novedades* de México ese mes y año, dedicado a Pedro Henríquez Ureña.[119]

Como se ha visto, seguir en detalle las conferencias dadas por Pedro Henríquez Ureña en el Ateneo, nos ha hecho desviar un poco de la estricta sucesión cronoló-

---

[118] Sobre amplias crónicas sobre el "caso Santos Chocano", véase: *La Tribuna*, T. I. No. 185, 28 de mayo de 1913, p. 1, col. 5 y *El País*, año X, 4, 276, 28 de mayo de 1913, p. 1, col. 4. En *El País* del 26 de septiembre de 1912, p. 3, cols. 6 y 7, aparece sin antecedente a este asunto: "La polémica Toro-Santos Chocano", Carlos Pereyra fue el Subsecretario de Relaciones Exteriores durante estos sucesos.

[119] Fue reproducido en un número de *Nosotros* de 1912.

gica de los hechos. Y debemos volver a 1910 para destacar dos de las publicaciones de mayor trascendencia y que mayores satisfacciones dieron a nuestro protagonista. Nos referimos a la *Antología del Centenario* y a *Horas de estudio*, dos obras aparecidas en 1910.

Oportunamente vimos, con algún detalle, cómo, por invitación del poeta Luis G. Urbina, secretario privado del ministro de Instrucción Pública D. Justo Sierra, Pedro Henríquez Ureña fue designado para colaborar en la preparación de la mencionada antología. No abundaremos en detalles acerca de la gestación, proceso y culminación de esta obra fundamental, por no decir señera (pues inicia realmente una época) en la historia de las letras mexicanas. Sólo un testimonio de la época, por ser de quien es: Alfonso Reyes. "Cuando se acercaba el Centenario, —evoca tiempo después[120]— fue a instalarse [Urbina] en el fondo de la Biblioteca Nacional, para redactar, en compañía de Pedro Henríquez Ureña y Nicolás Rangel, aquella *Antología* en dos volúmenes donde se juntaron páginas y noticias tan peregrinas, y cuyo prólogo, de pluma de Luis, es una reconstrucción rápida y encantadora de aquel amanecer de la independencia". Y páginas más adelante:

> En aquellas grandes salas destartaladas, que poco a poco se fueron llenando de mesas y de libros, Pedro Henríquez Ureña y Nicolás Rangel iban hacinando materiales y trazando estudios monográficos. Y Luis dibujaba sus líneas sintéticas, sobre la movediza montaña de la obra en formación. Los escritores desfilaban por ahí, husmeaban, tomaban alguna nota. Julio Torri y yo metimos un poco la mano en ciertos lugares de la obra, y yo pude entonces documentarme sobre la historia crítica del *Periquillo Sarniento*.[121]

No bien publicado el primer volumen de la obra,[122] la crítica lo recibió con grandes aplausos. Los periódicos publicaron cartas elogiosas de Genaro García y Luis González Obregón; diarios y revistas publicaron editoriales y artículos, los más firmados por figuras conocidas del ambiente cultural de México, como Carlos Díaz Dufoo (*El Imparcial*), Antonio Caso (*El Diario*), Rafael López (*Revista Moderna*), Roberto Argüelles Bringas (*La Iberia*) y otros muchos, sin contar con lo que se difundía por el extranjero. Por ejemplo, *Las Novedades* de Nueva York (septiembre de 1910) dio una certera y completa exposición del primer tomo y reprodujo el hermoso proemio de Justo Sierra. Pero ninguno llegó a concentrar un juicio más cabal que Alfonso Reyes en su artículo, a tres columnas, que con el título de "Antología

---

120 En *Pasado inmediato*..., p. 190.
121 *Idem.*
122 La *Antología*... fue continuada en 1913, según el decreto que se dio a conocer en *La Tribuna*, No. 303, del 18 de octubre de 1913, que transcribimos:
"El Ministro de Instrucción Pública y Bellas Artes ha comisionado al licenciado Luis G. Urbina para que, bajo su dirección y con la colaboración de los señores Pedro Henríquez Ureña, Nicolás Rangel y licenciado Antonio Caso, continúe publicando la *Antología del Centenario* iniciada en 1910".

del Centenario" publicó en *El Diario*, el 10 de octubre de 1910. Damos el texto íntegro, tal como apareció entonces:

Han voceado ya las hojas periódicas la noticia de que los señores Luis G. Urbina, Pedro Hernández [sic] Ureña y Nicolás Rangel, bajo el alto patrocinio del Ministro Don Justo Sierra, dieron al público el primer tomo de la *Antología del Centenario.* Comprende éste una selección de poesías, artículos y trozos de varios, desde el dulce Fray Manuel de Navarrete (que floreció hacia 1806), hasta el ríquisimo e intencionado Don José Joaquín Fernández de Lizardi (el *Pensador mexicano*) pues con muy acertado acuerdo pudieron los antologistas, para orientarse en el instante histórico, y como enraizar su labor en más firme asiento refiriéndola siquiera a sus inmediatos antecedentes, comenzar por los verdaderos orígenes de esta época nacional, que son más profundos y anteriores a sus manifestaciones ostensibles.

Muy rara fortuna es definir los primeros valores de un época y de una generación literarias, en el simbólico momento en que el espíritu de todo un país parece reconcentrarse a la contemplación de su historia, y querer afirmar su conciencia cívica por medio de una síntesis de tanto recuerdo diseminado. Así la *Antología* tiene un indiscutible mérito de oportunidad. Pero hay más que ésto. Los primeros valores de una época y de una generación literaria he dicho que se definen en este libro, porque los aislados artículos y los pocos ensayos de crítica nacionales con que hasta ahora contábamos, por lo mismo que escasean y andan sueltos en los prólogos de los libros y en las revistas, han seguido su natural ventura en un ambiente donde las obras de esta especie no pueden causar hondo recuerdo, si no es cuando se ayudan con la apariencia misma de trabajo voluminoso y congruente. Fenómenos por otra parte muy explicable: definir los caracteres precisos de una cohorte de letrados, no es obra que pueda hacerse sin la intención premeditada de hacerla. ¿Y dónde ha de convenir mejor tal empeño que en los prólogos de las crestomatías? Ciertamente que críticas aisladas las tenemos, y abundantísimas, sobre los autores que ahora nuevamente desfilan ante nuestros ojos en las evocaciones del reciente libro; pero duro es confesar que tales viejos autores no se habían juzgado hasta hoy, sino por el deplorable procedimiento del elogio incondicional, y lo que es peor; del elogio impreciso. ¿Qué fé habíamos de tener en críticos que llevaban su inconciencia hasta equiparar el parnaso mexicano con el español? ¿Ni qué respeto hemos de conceder a los que para exaltar las muchas virtudes literarias de algún doctor de aquellos sólo recordados hoy por el nombre y quizás por dos o tres predicaciones insípidas, no tenían reparo en declarar que su sabiduría apenas se humillaba ante la sabiduría misma de Dios? Y no son estos ejemplos inventados para mero solaz de los maliciosos, sino sacados de ciertas biografías donde hay que buscar noticias de esta época literaria. La crítica frecuentemente, se ha reducido a declarar grandes y sabios a todos los ingenios de la época e igual calificación se aplicaba al orador sagrado que al maleante periodista, al doctor teólogo por sus disertaciones escolásticas que al fabulista por sus anécdotas maliciosas. ¡Eso sí! se hablaba siempre de las muchas distinciones y encomiéndas que cada quien había obtenido en los seminarios. Pero a cambio de tan ratera minuciosidad, la personalidad de cada escritor naufragaba y se disolvía, positivamente, en el ancho lago de los elogios imprecisos; al grado que todos los hombres, vistos a través de las críticas a que me contraigo, parecen una serie de contornos calcados sobre una misma sombra. El reactivo, pues, que recorta cada personalidad y la precisa; la conciencia crítica que establece, sinceramente, un valor para cada autor, interpretando con sagacidad las vidas, hasta en sus menores aspectos, y atribuye a todos su respectivo lugar en las tablas de calidades, aún no habían irrumpido en el variado huerto de nuestra literatura más antigua.

Si la *Antología del Centenario* no fuese más que una simple obra de selección, esto hubiera ya implicado cierta crítica elemental, que consistiría siquiera en aceptar y rechazar, en la afirmación y la negación sin tonalidades intermedias. Pero el carácter eminentmente crítico de la obra se señala aquí por los estudios y observaciones con que se inicia. Una sobria y meditada "Advertencia", debida a la pluma de Henríquez Ureña, donde el criterio de los autores de la *Antología* aparece revelado por aquella concisión y diafanidad admirables que orillan a aprender de coro las frases y los conceptos leídos, nos anuncia de una vez, y sin vueltas ni ambajes, que "no en todas las épocas ha producido flores nuestra literatura", y que, por lo mismo, se dará primacía, en la recopilación, al concepto histórico sobre el absoluto concepto estético. Quien desee, pues, leer meramente cosas que le agraden (a menos que éste sea un erudito o siquiera amante entendido de las letras), no lea la *Antología*; pero quien entienda ver resucitada una época merced al prodigio de una selección verdaderamente *colorista*, deléitese con el vistoso y palpitante cuadro de aquel instante histórico y dé gracias a los autores de la *Antología* por el sano placer que le proporcionan ilustrándole en nuestra tradición; cosa de que los mismo literatos grandemente se han olvidado.

En esta "Advertencia", y sólo de camino, para que se admire más la riqueza crítica que parece escurrir naturalmente de las páginas de este libro, se señalan omisiones e inadvertencias del Excmo. señor Don Marcelino Menéndez y Pelayo, y se le disculpa también con claro sentido, atribuyéndolas a la incompleta información que de aquí pudo recibir. Viene después el "Estudio Preliminar" del poeta Urbina, tan atractivo y reluciente que, hasta hoy, todas las noticias de los diarios parecen más bien referirse a él que no a la parte de Antología a que precede, y en el cual, aún contra mi empeño de brevedad, tengo que pararme un instante. Los poetas no son seres de quienes haya de desconfiar: muy al contrario, yo les tengo absoluta fé. Por eso, inversamente a lo que aconteció al Sr. Revilla, la misma cualidad de poeta de Don Luis G.

Urbina, me hizo esperar frutos muy excelentes de su pluma, ahora ensayada en terreno donde no solía ejercitarse y que, por lo mismo, asombra que haya corrido por el papel con tanta agilidad y soltura.

Pero Luis G. Urbina es estudiosísimo, e igualmente en su obra poética que en la prósica, si bien, a lo que entiendo, nunca se ha dedicado a madurar artificialmente y con elementos exteriores su técnica, su estilo, ni sus cualidades artísticas en general, ellas han cobrado paulatinamente aquella sólida madurez (menos brillante e inesperada, pero más positiva y mejor prevenida para las vicisitudes del tiempo), que surge, por natural manera, del perfeccionamiento interior merced al estudio y la disciplina de las ideas. Así, sus poesías, sin que él especialmente lo buscara, —porque Urbina no es un poeta de propósitos exteriores,— del ingenuo y desbordado romanticismo que antes las caracterizaba, suben, en virtud del conocimiento adquirido de los clásicos españoles, hasta la intensidad y la cálida galanura que hoy ya poseen y donde trasciende el aroma sutil de los siglos de oro; y así, de pronto, cuando por primera vez se pone a la crítica, hallamos que es un crítico avezado como el que más en las tareas de valorar almas y de interpretar vidas. Y era natural que su intuición poética y aun su hábito de poeta le sirviesen en esta ocasión; a través de su temperamento artístico, claro es que sólo se habían de filtrar los rasgos de color, los verdaderos signos del tiempo, operándose así en medio de los párrafos del "Estudio Preliminar", cargados de imágenes vivísimas y desarrollados por excelente estilo, la maravillosa aparición de los años muertos, y el amenísimo desfile de personajes, antes semiborrosos y oscuros y ahora fulgurantes y espléndidos como cuadros viejos a que se hubiese restaurado reforzando tintas y expresiones. Cuando las individualidades son poderosas y dominadoras como la del *Pensador Mexicano* o la del incomparable Fray Servando Teresa de Mier, resultan notables la maestría y el vigor con que Urbina sabe destacarlas. Una constante escenificación de los acontecimientos, muy parecida a la que usa Don Luis González Obregón en sus restauraciones de épocas, ayudan aquí a la mejor eficacia del conjunto. Pero cuando el crítico se ensaya en personalidades más vagas y fugaces, cuando le veis atrapar a vuelo éste o el otro espíritu diminuto que escapa ante él como duendecillo, cuando se empeña en dar nombre a las pequeñas almas y en dar unidad y valor propio a las cosas casi imperceptibles, es cuando la obra adquiere todo su interés magnífico y casi emocionante. Algo como una *intuición de raza*, ya adormecida, se nos revive entonces, al pronto, diciéndonos que allí está la verdad: que en esos olvidados orígenes del ser social es donde debemos encontrar nuestro norte un tanto perdido: que en ellos debemos reconocernos para volver al entendimiento cabal de nuestras cosas públicas y aún muchas de las individuales. Urbina es hombre que se regocija en tales recuerdos y por eso los ha expresado con tanto amor y por eso trajo a esta obra todas sus condiciones de ánimo; así sus juicios críticos adquieren por momentos, la intención de sus

madrigales; y así, cuando la acabada definición de una vida empieza a reque-
rir desarrollo excesivo y teme uno, según lo compleja que aparece, que vaya
a ser interminable, encuentra el poeta pronto y eficaz medio de resumirla en
un toque sintético y prestigioso. Escuchad, si no, como resume la situación
pública y la vida del fugitivo P. Mier: "Cada conflicto, cada dificultad, los salva con su audaz y supremo recurso: la evasión". Cuando aprieta mucho la
mano gigantesca y sombría del proceso, Fray Servando, resbaladizo y sutil se
escapa.

Posee esta obra crítica otra cualidad de no menor importancia: Urbina ha
sabido muy bien que su papel no era solamente de crítico, sino tanto como
esto (y ésta era importantísima parte en su tarea), de exponedor. Nuestros antiguos personajes literarios no nos eran tan familiares como hubiera sido de-
seable. Y como Urbina tuvo que hablarnos de cosas y de individuos a cuyo
trato no estábamos aún habituados, acudió al escelente medio de referir cada
manifestación nacional a sus fuentes europeas, casi siempre españolas. Mientras se tratase de definir a los ingenios desconocidos en sí y por sí la empresa
hubiera sido vana, pero cuando se diga que en sus obras hay lejanas resonan-
cias de la *intrincada música gongorina*, o que proceden de Quintana o de Meléndez Valdés, los hemos conocido ya. Y este fenómeno de inversión no debe
avergonzarnos; somos un pueblo joven que no había podido aún volver sobre
su historia y contemplarla serenamente. Nuestra verdadera literatura contemporánea, por otra parte, nuestra literatura militante (y la americana en general), habíase distraído corto trecho seducida por el delumbramiento de la
literatura francesa y había emigrado, a la vera de Rubén Darío, de José Martí,
Julián del Casal y Gutiérrez Nájera, en no lamentable antes provechosa pere-
grinación hacia la rica fuente del simbolismo, del parnasismo y las demás tendencias de entonces, y abrevádose lo superfluo en ella, para volver del viaje
trayendo como resabio final y última enseñanza, el secreto del arte libre. Pero
ya afianzada dentro de estas verdades nuevas, ya dueña de volar y agitarse
con holgura en todos los sentidos del aire, cúmplele aumentar su caudal interno con el conocimiento de las antiguas letras mexicanas, no para imitarlas,
no para seguir sus tendencias (esto sería absurdo) mas para salvar, al menos,
el honor profesional y por que no se diga que somos generación desligada de
nuestro suelo y de nuestra historia. Como encarnación de esta idea ha salido
al público nuestra *Antología del Centenario*.

Sus autores, improvisados mexicanófilos, han sabido en muy breve plazo
agotar las fuentes de la erudición nacional y propulsar su conocimiento con
un espíritu y una doctrina manifiestamente novedosos. Así lo han reconocido, deponiendo el natural celo que ha de despertar en los viejos aficionados
la precipitada irrupción de la juventud, personas tan discretas y autorizadas
en estos negocios como Don Genaro García y el ya citado Don Luis Gonzá-

lez Obregón. Don Justo Sierra, en las cariñosas palabras que dedicó a esta obra, así lo declara también.

La intuición, pues, y el educado gusto del poeta Urbina; el sólido criterio de Pedro Henríquez Ureña; la acuciosidad diligente de Don Nicolás Rangel, y una especie de orientación natural o instinto en todos ellos, para los hallazgos biográficos y bibliográficos, son las causas de un efecto tan admirable. Luis G. Urbina, que se ha reservado, como ya lo supondríais, la selección, ha sido por decirlo así, el porta-voz de la Antología. Y, en tanto que sus laboriosos y sagaces compañeros debatían a brazo partido, entre el "océano de papel" de que nos hablaba la "Advertencia", y buceaban allí con esfuerzo y tenacidad para salir con la diminuta perla de alguna noticia o alguna curiosa observación. Luis G. Urbina, coordinando los hacinamientos dispersos y dándoles de su espíritu para animarlos ensartaba, en los hilos de oro de su discurso, aquellas diseminadas perillas, y lanzaba generalizaciones, audaces como relámpagos sobre la movediza montaña una Antología en formación.

Esperemos con ansiedad el nuevo tomo, ya próximo a salir, y hagámonos, entre tanto un deber de conocer a fondo y manejar con facilidad el ya publicado. El criterio de la Antología, las críticas de Urbina, podrán ser rectificados eternamente: habrá, empero, que volver siempre a este libro ameno como a la primera manifestación vasta, tendenciosa y congruente de la crítica nacional.

México, Agosto de 1910.

De 1910 es también el libro *Horas de estudio*, que, por intermedio de Francisco García Calderón, publicó en París. En este libro incluye Pedro Henríquez Ureña una selección de su libro (*Ensayos críticos*) y lo mejor de sus trabajos escritos durante su estancia en México, desde 1906 a 1909. En la sección "Cuestiones filósoficas" se recogen los comentarios a las conferencias que sobre el positivismo había dado Antonio Caso, además de su estudio sobre "Nietzsche y el pragmatismo" y "La sociología de Ho tos". En la sección "Varia" se incluye "El espíritu platónico", con la supresión de la parte que se refiere a Alfonso Reyes, que hemos reproducido en páginas precedentes. También se recogen "La leyenda de Rudel", "Conferencias", comentario a la primera serie de la "Sociedad de conferencias" y la alocución pronunciada en el homenaje a Barreda. Como se ve, un importante material sobre México, que contiene, en lo esencial, la evolución ideológica que ocurrió dentro del grupo al que perteneció y que hoy ya se conoce con el nombre de la "Generación del Centenario" o del Ateneo.

La crítica recibió el libro con unánime aplauso. Del extranjero llegaban, y se reproducían en periódicos mexicanos, los elogios publicados en *Nuestro Tiempo*, de Madrid (Año X, No. 143, noviembre de 1910, pp. 275-6), firmado por Luis de

Terán, quien —dicho sea de paso— considera a Pedro Henríquez Ureña como mexicano, por Manuel Ugarte (*Nuestro Tiempo*, agosto de 1911), Federico García Godoy lo elogia en *Ateneo* de Santo Domingo (Nos. 11 y 12, diciembre de 1910), y
M. Márquez Sterling, en *El Fígaro* de La Habana (17 de julio de 1910), en tanto que
Francisco García Calderón lo da a conocer en Francia y Europa a través de la *Revue
de Métaphysique et de Morale*, en la sección "Livres nouveaux" (septiembre de 1911).
Mientras tanto, dos de las figuras más destacadas del pensamiento y de la cultura
europea, el filósofo francés Emile Boutroux, y el erudito español Marcelino Menéndez y Pelayo, le envían sendas cartas, que Pedro Henríquez Ureña hace difun-
dir profusamente en diarios de México. La carta de Boutroux, del 16 de febrero de
1911, dirigida a Pedro Henríquez Ureña, en realidad, comenta las *Conferencias del
Ateneo de la Juventud*, cuando dice:

> . . . j'y trouve, avec un culte très pur de la vérité, ce sentiment de la noblesse
> et de la fraternité humaine qu'il apartient aux nations latines de propager dans
> le monde.

Y en otra carta dirigida a Antonio Caso, del 17 de febrero del mismo año, el pensador francés agregaba este mensaje para Pedro Henríquez Ureña:

> Veuillez aussi avoir la bonté de transmettre mes remerciements a Mr. Pedro
> Henríquez Ureña, qui explique excellemment comment j'ai critiqué l'iodée
> de la nécessité. Ce n'est un fort motif de confiance dans le méthode que j'ai
> suivie que de constater un accord entre mes idées et celles des penseurs dis-
> tingués de votre pays, où l'intelligence est si vivre et si passionnée pour les
> grandes choses.

La carta de Menéndez y Pelayo, que se publicó en *El Mundo Ilustrado* de México, el 18 de diciembre de 1910, en *Ateneo* de Santo Domingo (No. 13, enero de
1911) y en *El Fígaro* de La Habana (10 de enero de 1911), pero que reproducimos
de la fotocopia publicada en *Biblos. Revista bibliográfica bimestral. Puebla y México* (mayo de 1913), dice así:

> Madrid, 23 de Noviembre de 1910.
> Sr. D. Pedro Henríquez Ureña.
> Muy señor mío:
>
> Por involuntaria tardanza, nacida de mis muchas ocupaciones, no le he
> contestado todavía a su interesante carta del 28 de abril de 1909, que me fue
> doblemente grata por su contenido y por venir firmada por un hijo de aquella
> insigne mujer que en la historia literaria de Santo Domingo representa el ma-
> yor esfuerzo de noble y elevada cultura.

Hoy me obliga a nuevo agradecimiento el obsequio de su libro *Horas de Estudio,* que justifica enteramente su título y contrasta con las lucubraciones abigarradas e incoherentes que producen, sin estudio alguno, tanto jóvenes españoles y americanos. Claro es que no puedo aceptar todas las ideas filosóficas del libro, ni algunas de las apreciaciones literarias; pero me complazgo en reconocer que todo ello está sinceramente pensado y sobriamente escrito, con una gravedad y decoro que se echan muy de menos en la actual generación literaria. Todo ello es prueba de exquisita educación intelectual, comenzada desde la infancia y robustecida con el trato de los mejores libros.

Todos los artículos me han interesado, especialmente los que se refieren a Santo Domingo, de cuya historia literaria tenemos tan pocas noticias en Europa. Pero el estudio culminante de la colección, por el trabajo de lecturas previas que supone y el buen arte con que está conducido, es el referente al endecasílabo acentuado en la sílaba cuarta, cuya genealogía y evolución histórica traza usted con tanto acierto. Este verso es una especie de anapéstico vergonzante, pero no irreflexivo en la mayor parte de los poetas antiguos que la emplearon.

Felicita a usted por sus trabajos y le exhorta a perseverar en ellos, su afmo, s.s.q.b.s.m.

MENÉNDEZ Y PELAYO

De los compañeros de México, los dos que volvieron a reseñar el libro de Pedro Henríquez Ureña, fueron Carlos González Peña y José Escofet. El comentario de González Peña apareció en *El Mundo Ilustrado* (noviembre de 1910) y dice así:

Soy yo, quizá, el menos señalado para hablar de Pedro Henríquez Ureña. La decisiva influencia que él ha ejercido en muchas de las orientaciones de mi espíritu; el cariño leal y profundo que a él me une de años atrás; y, sobre todo, mi admiración por su talento, uno de los más vigorosos que conozco, acaso fueran, para gente vulgar, obstáculos que me impidiesen juzgar con equidad de su persona.

Pero ¿quién mejor que aquel que ha vivido en íntimo contacto con una inteligencia, asistiendo al desenvolvimiento de ella durante un período interesantísimo de la vida, y acercándose a un alma, de tal manera que le ha sido fácil verla en no pocos de sus aspectos para el desconocido extraños, es capaz de referirse a ella con sinceridad?

Henríquez Ureña ha vivido con nosotros —los de la nueva generación literaria— muy hermosos momentos. Más aún: ha contribuido con su más noble entusiasmo a la formación de este grupo joven que en México persigue ahora altos ideales de saber y de belleza.

¡Ah! Las horas que pasamos en aquel inolvidable estudio, atestado de libros y revistas, en donde él y su hermano Max congregaban a los mozos de letras todavía desconocidos el día antes, y que súbitamente requiriesen el escudo de combate, henchidos de piedad por la santa memoria profanada de un poeta; las amistades allí estrechadas, entre taza y taza de té; las charlas y discusiones que tuvimos; la corriente de sentimientos fraternal que parecía emanar de aquellos muros, de aquellos muebles, de aquellos libros! . . . Pedro mostrábase siempre reservado y serio; Max decidor y amable. Se tocaba el piano, se fumaba, se reía. Y no ignorábamos que ellos, los dos buenos muchachos, eran el alma de aquel núcleo; los que de tierras lejanas habían venido a unirnos, a establecer un mutuo conocimiento y una mutua estimación entre nosotros.

La misma casa habitaban también otros dos poetas: Luis Castillo Ledón y aquel loco delicioso de Darío Herrera, tan pulido, tan exquisito, tan enamorado de Anatole France.

Era un nido de artistas; pero un nido terrible. A veces se antojaba un departamento de alienados. Este se sentaba al piano; aquel, indignado, discutía; el otro recitaba; el de más allá escribía. ¿Os imagináis cuatro artistas solteros, que sueñan, que piensan y que escriben, que reciben siempre una verdadera caravana, un ejército de amigos importunos que van a matar la pereza a su rincón?

De la mañana a la noche reinaba un estruendo de mil demonios. Allí se fraguaban protestas y conferencias; se proyectaban estatutos de sociedades, se componían versos, se pergeñaban artículos y se concebían libros . . .

Aquella casa de la calle de Soto, cuya apertura coincidió con la muerte de la revista *Savia Moderna*, fundada por Castillo Ledón y Cravioto, tiene una importancia histórica para la joven generación literaria.

* * *

¡Dichosa edad y tiempos dichosos aquellos!

Han corrido los años; la vida nos ha hecho conocer muchas de sus amarguras y no pocas de sus sonrisas. Desapareció la casa. Algunos de sus moradores alejáronse: uno se marchó a la Habana; el otro a la Tierra del Fuego —¡quién sabe, era un judío errante! . . .— Pero la mayor parte de los que nos conocimos entonces, hemos continuado en la persecusión del mismo ideal; pocas liras se colgaron de los sauces, y lanzas y adargas hay aún en manos de paladines indómitos.

De éstos es Pedro Henríquez Ureña.

Tengo en mis manos su último libro: *Horas de estudio*. Hojeándolo, meditando tras de haber leído, siento que una íntima satisfacción llena mi ánimo.

¡No ha perdido él su tiempo! Pasados los años inquietos, de afanosas y largas lecturas, de rebeldía simpática, llega la madura juventud, bella y risueña como una primavera, y el aspirante a crítico de ayer, el noble estudioso, crítico es ya.

Con razón dice, dirigiéndose a Leonor M. Feltz, una inspiradora intelectual suya, en el que pudiéramos llamar pórtico de su libro:

"La adolescencia entusiasta, exclusiva en el culto de lo intelectual, taciturna a veces por motivos internos, nunca exteriores, desapareció para dejar paso a la juventud trabajosa, afanada por vencer las presiones ambientes, los círculos de hierro que limitan a la aspiración ansiosa de espacio sin término. Antes tuve para el estudio todas las horas; hoy sólo puedo salvar para él unas cuantas, las horas tranquilas, los días serenos y claros, los *días alcióneos*".

Pero ¡qué espléndido aprovechamiento de esas breves horas que deja libres para el arte el trajín del vivir! El libro de Pedro Henríquez Ureña, libro de alta crítica, tan ameno para todos aquellos amantes de curiosidades intelectuales, tan profundo y severamente escrito, revela, antes que otra cosa, una amplia y laboriosa cultura. Bien aplicado está el nombre. Resultado de horas, de muchas horas de estudio, es la nueva obra. Podría tenérsela como un artístico balance de los conocimientos adquiridos por su autor en los últimos años, y como aquella en la cual ha venido a reflejarse, profunda y definitivamente, la personalidad del escritor dominicano.

* * *

¿Constituye *Horas de estudio* una sorpresa, algo no esperado?

A mi ver, no. En *Horas de estudio* veo al mismísimo autor de los *Ensayos críticos*. La visión es ahora más amplia, ciertamente; el saber más grande. Pero, en el fondo, creo descubrir al que no ha muchos años nos habló de D'Annunzio, de Bernard Shaw y de Strauss. Es la misma serenidad en la apreciación; idéntico el concepto profundo de las cosas; igual la transparente claridad del estilo y la jugosa abundancia de las ideas; todo ello ensanchado, acrecentado, perfeccionado; pero uno en el fondo. Quienes nos deleitamos con las páginas de aquel primer volumen de adolescencia, ya sabíamos adónde iba Pedro Henríquez Ureña y cómo había de llegar. Tenía su ruta trazada; tenía su ideal. Y como es voluntarioso y fuerte, no hizo más que seguirlos.

Hay en él un dulce y amoroso respeto por el arte. Semejante culto esplende, con irradiaciones magníficas, en su último libro, y a él aúnanse una erudición sólida y una amplitud de criterio ilimitada. Así como Henríquez Ureña es intransigente en materia artística, así también para él la belleza es infinita y no reconoce limitaciones ni géneros. Al artista veréis en *Horas de Estudio*, proclamando altos conceptos de estética en los artículos sobre Gabriel y Galán y Rubén Darío; en las breves apreciaciones sobre *La Catedral,* en las intensas sobre *El espíritu platónico* y Clyde Fitch.

Dos partes hay, sin embargo, en la flamante obra, en que la cultura de Henríquez Ureña culmina gallardamente y en que su penetración crítica ensaya los mejores vuelos. Son éstas las *Cuestiones filosóficas,* en las cuales, criticando magistralmente las conferencias de Antonio Caso, hace un análisis del positivismo de Compte ante las modernas tendencias filosóficas; y el espléndido, el definitivo estudio sobre *El verso endecasílabo,* el más completo, quizás, que a propósito de tal tema se ha escrito en castellano.

Pero si en la obra unos fragmentos superan a los otros por extensión o interés del asunto tratado, ya que el pensamiento del autor va desde las cuestiones trascendentes hasta las de mera actualidad, en todos ellos resalta una unidad de criterio que sorprende si se reflexiona en que el libro es el producto de una labor realizada a intervalos y en años diversos. Hermosa condición que hace honor al crítico, y que, como tal, le revela.

CARLOS GONZÁLEZ PEÑA

La reseña de José Escofet apareció en *El Correo Español,* de México (18 de noviembre de 1910). Su texto es el siguiente:

Horas de estudio

Libro de Pedro Henríquez Ureña.
Casa Editorial de F. Ollendorff.
París.

Hace cinco o seis años, un crítico español llamó a Pedro Henríquez Ureña "sabio macizo". Y estaba entonces el autor de *Horas de estudio* en lo más temprano y tierno de su juventud, época abrileña de su literatura, ¡cuando aún escribía versos!

Un joven sabio de veinte abriles no pudo inspirarme —lo confieso sinceramente— el respeto que siempre merece un digno representante de la ciencia; y aquel Perico socarrón y documentado, que hablaba grave y reposadamente de Shakespeare y de Goethe, que sabía filosofía y deliraba por la música de Wagner, más parecióme colegial indiscreto y pedantón, que literato talentoso y de provecho.

Sin embargo, Pedro Henríquez Ureña ha realizado el prodigio de avanzar en cultura algunos lustros de vida y experiencia práctica, y hoy reconozco, no sin sentir lamentablemente alterado mi amor propio —el cual, por ser pequeño, de quisquilloso no pasa— que la ignorancia que yo achacaba al imberbe crítico dominicano, sólo en mí existía; y como ya es castigo para toda culpa tener que confesarla en público, por castigado me tengo y con ello doy satisfacción a quien, tiempo hace, ya quiero y admiro.

Pedro tiene evidentemente la sólida y vasta cultura que le atribuía mi compatriota. Su vida, que si no es un curso universitario como ejemplo de método y de provecho intelectual bien lo parece, presenta la estudiada austeridad del hombre que avanza consciente hacia su formación, a quien satisface y deleita la lectura erudita, repartida metódicamente en las amplias casillas de su memoria, como moneda fraccionada en los compartimientos de una caja fuerte.

No se tenga al filósofo de *Horas de Estudio* por un vulgar roedor de biblioteca, atragantado de papel impreso y esquivo a la modernidad de las ideas. Personal y exteriormente, sí parece cubierto por el polvo de los libros y de mano se da con el texto peor encarado y más vetusto; pero de los admirables libros viejos, si bien tiene las pastas foscas y roídas, también guarda idéntico caudal de entendimiento.

Educado Pedro Henríquez Ureña en los Estados Unidos, aprendió de los americanos el equilibrio de sus costumbres, la solidez de su carácter y la práctica de su higiene, que mi querido amigo emplea sabiamente así en lo intelectual como en lo físico de su apreciabilísima persona. Hombre hecho ya, por el insuperable poder del talento y del estudio, pocos como él podrán decir, imitando a Nietzsche en la explicación de su vida: "Un sí; un no: una línea recta; un fin . . ."

Diríase que tiene la seguridad absoluta de su obra futura, según el buen cuidado que pone en nutrir su espíritu con sustanciosos manjares literarios y científicos, para asegurar el mérito de la labor pensada; y como también de la pícara vida hay que cuidarse, a la vez que el espíritu, nutre su estómago y come como un burgués egoísta, opulento de satisfacción sensual y de confianza.

El camino del triunfo es largo; un artista heroico ni siquiera calcula la distancia y emprende el vuelo. ¿Qué no llega a la cumbre? ¿Qué le falta la fuerza en las alas y rueda al abismo? Hubiérese dado a la prudencia y no a soñar en vuelos temerarios. Pedro hace el camino a pie, fiado en la resistencia de sus piernas y regularizando el paso para esquivar la fatiga. Como es hombre práctico y enemigo de perder el tiempo, camina y lee: llegará más pronto.

Pero ¿es qué no ha llegado todavía? ¡Oh, ese admirado acaparador de noble sabiduría, que algunas veces habréis visto en teatros y cafés, llevando un par de libros debajo del brazo y pellizcándose la sombría y maculada epidermis de su faz moruna, es un formidable ambicioso! ¡Va tan lejos! ¿Qué importa que su libro sea admirable?

A Pedro no le basta; hay que llegar al libro definitivo, a la obra que determina completa una personalidad.

Así *Horas de Estudio,* el producto de sus días *alcióneos* —alentadora evocación de la serenidad griega— no es un esfuerzo; es la consecuencia natural de sus estudios magistrales, el fruto maduro de una juventud dignificada con siglos de inteligencia.

Pedro es para nosotros, sus amigos fieles, un libro de consulta.

A él acudimos cuando una duda altera la sencilla resistencia de nuestras convicciones; muchos le debemos algo de lo que somos; todos con íntima satisfacción le respetamos; y mientras tanto él sigue su camino, más envidiado que envidioso, sin alterar su higiene de sabia conservación, comiendo bien, leyendo bien y pensando bien; feliz con sus días *alcióneos* de pensador no olvidado de toda vanidad.

¿Y qué voy a decir de su libro? ¿Que está bien escrito y mejor pensado? ¿Que revela una cultura admirable, y una penetración sutil y excepcional?

Todo esto es verdad; pero no es crítica.

Es necesario buscarle defectos a la obra de Pedro Henríquez Ureña, siquiera sea para reconocerla humana.

Ahí va uno: el modernismo, es decir, el excesivo amor al *dernier cri* del arte y la filosofía. Es frecuente en él esta frase elegantemente despectiva cuando se trata de un autor o de un libro un poco olvidados del público intelectual.

"¡Bah, está pasado de moda!"

Y no respeta reputaciones, porque el actualismo le atrae tentador; está entregado por entero al movimiento intelectual de Europa; y aunque no niega rotundamente, sí da a entender que los autores que sufren una crisis no le interesan.

Así, al estudiar el positivismo de Comte, del que acepta sólo los dos o tres impulsos iniciales, integrados en la tradición filosófica del siglo XIX, su personalidad se pierde bajo la avalancha de una copiosa lectura, hecha con seguridad de criterios; pero con la que el espíritu cede con frecuencia su lugar al simple informador documentado.

Pedro Henríquez Ureña, milita en la crítica independiente contemporánea y acaso sea su aspecto más personal precisamente ese mismo modernismo crítico, que puede ser consecuencia de evolución y camino de perfeccionamiento. Aceptada la opinión de que Comte fue un pragmatista "avant la lettre", el joven filósofo entiende que el pragmatismo comtiano no es crítico y llega a la conclusión de que "Comte no aportó a la filosofía ninguna noción esencialmente nueva, sino que puso a su disposición, en mejor orden que antes, el conjunto de las ciencias, como lo había deseado Novalis y lo habían ensayado pensadores del siglo XVIII"; y advierte luego que si "su previsión erró en puntos como la astrofísica, la hipótesis del éter y el tratamiento biológico, es de admirar como logra recorrer en orden el mundo de la ciencia, no guiado por sus principios metafíscos, como Spencer, sino solamente por el método de *enlace*".

Sin embargo, pone en duda si los principios de Comte, llamados por éste positivos, fueron menos metafísicos que los de causa y esencia, según hace notar De Roberty.

En su artículo "Nietzsche y el pragmatismo" se acentúa más esta tendencia de Pedro Henríquez Ureña a extender su acción simplemente informativa, cayendo en el defecto, que él mismo censura a Antonio Caso, de esquivar el análisis.

Parece que una confrontación entre Nietzsche y William James, requería —puesto que se trata de un crítico hábil y erudito— un estudio más detallado y profundo, dando más vigor a la síntesis buscada espigando en "La Gaya Ciencia".

Más crítico, si bien esta vez literario, me parece en su notabilísimo estudio del verso endecasílabo —que alguien ha considerado como lo más completo de cuanto se ha escrito en castellano a propósito de tan interesante asunto— y en su conferencia sobre Gabriel y Galán, que es acaso, lo mejor, por su estilo, de todo el libro.

El castellano de Pedro Henríquez Ureña, siempre fácil, castizo y flexible, alcanza en este trabajo una fuerza de expresión clásica poco o nada común en estos tiempos de estilos preciosos y retocados.

Y no me ocupo de otros magistrales trabajos que contiene *Horas de Estudio* —"Rubén Darío", "José Joaquín Pérez", "Gastón F. Deligne", "Clyde Fitch" y "La Moda Griega"—, porque este artículo me está saliendo demasiado largo y no hay espacio para tanto.

Entre la nueva generación de escritores castellanos, Pedro Henríquez Ureña es uno de los más serios, uno de los poquísimos que tienen algo nuevo que decirnos.

Yo le reverencio respetuosamente; es de los que van muy lejos, y debemos hacerle paso los que ya nos vamos quedando un poco atrás.

JOSÉ ESCOFET

En vista del éxito obtenido por *Horas de estudio*, los amigos de Pedro Henríquez Ureña, tanto mexicanos como los residentes en México, ofrecieron un banquete en su honor, que fue servido en el Restaurant Tarditi, el 11 de septiembre de 1910. Los periódicos dieron amplia difusión a dicho homenaje, considerado como "acto de confraternidad intelectual, celebrado en honor del joven y ya ilustre escritor dominicano señor Pedro Henríquez Ureña", según reproducía *La Lucha*,[123] de La Habana el 18 de septiembre de 1910. Al banquete asistieron Luis G. Urbina, Antonio

---

[123] Ver también *La Discusión*, La Habana: "En honor de un joven literato" (12 de septiembre de 1910) y *La Unión Española*, La Habana, 12 de septiembre de 1910: "En torno de Pedro Henríquez Ureña".

Caso, Alfonso Cravioto, Isidro Fabela, José Vasconcelos, Carlos González Peña, Alfonso Reyes, Marcelino Dávalos, José Escofet y Julio Torri, entre las personalidades más distinguidas de la intelectualidad mexicana del momento. El banquete fue ofrecido por Alfonso Reyes, después de cuyo discurso el poeta Luis G. Urbina recitó versos suyos.

VIII. Escuela de Altos Estudios, Nacional Preparatoria y de Jurisprudencia

Un aspecto de la vida de Pedro Henríquez Ureña que hasta ahora no había salido a relucir, es la cuestión de sus estudios académicos y títulos universitarios. Justo Sierra con motivo del Centenario, reestructuró la vieja Universidad de México para crear una nueva, sobre la base de una fusión de los institutos profesionales y de crear una Escuela de Altos Estudios. En vista de futuras perspectivas de docencia, Pedro Henríquez Ureña, que ya había revalidado su título de Bachiller, según consta en los Archivos de la Escuela Nacional Preparatoria, el 29 de abril de 1910 dirige una carta al director de la misma en la que "suplica se sirva librar sus órdenes a la Secretaría de dicha Escuela, a fin de que le sea expedido un 'pase' para la Escuela Profesional de Jurisprudencia, en la inteligencia de que las asignaturas correspondientes a los estudios preparatorios fueron cursadas por el suscrito durante los años de 1895 a 1900, inclusive, en Puerto Plata (República Dominicana). La orden fue librada de inmediato, y lleva la firma de P. Parra. De esta manera, Pedro Henríquez Ureña pasa a ser alumno oficial de la Escuela de Jurisprudencia. Durante todo ese año de 1910 Pedro Henríquez Ureña se dedicó a cursar las materias del primer año. El 6 de abril de 1911 escribe en sus "Memorias":

> Ayer terminé los cursos del primer año en la Escuela de Jurisprudencia, con el *reconocimiento* hecho por Don Julio García (subsecretario de Instrucción Pública recién nombrado) en su clase de Derecho Civil. El año escolar ha sido larguísimo: comenzó el 8 de mayo de 1910, y se prolongó tanto por ser de una serie de años escolares a los que se aumenta un mes para llegar a poner el año escolar a nivel del año fiscal como por haberse concedido de vacaciones el mes de Septiembre, el mes del centenario.[124]

Y a continuación nos presenta el siguiente cuadro, que es todo un documento de época, del sistema empleado en la Escuela de Jurisprudencia:

> El sistema de la Escuela de Jurisprudencia es enojosísimo: son cinco años (antes seis) de estudios, con poquísimas materias (tres o cuatro) en cada año, y con dificultad para que se permita *doblar*. Se aprende, por lo tanto, a perder

---

124 "Memorias", p. 143.

el tiempo: lo poco que hay que estudiar incita a estudiar menos aún. No hubiera yo emprendido estos estudios, tan largos y tan poco fructuosos, si no fuera porque teniendo ahora tiempo de hacerlos, me ha parecido conveniente realizar la carrera que mi padre me propuso y obtener siquiera un título, que aquí, por desgracias, sólo es de Licenciado en Derecho. En el primer año sólo se estudian Derecho Civil (con D. Julio García), Economía Política (con Luciano Wiechers) y Sociología (con Antonio Caso). El profesor más exigente es Caso; pero por nuestra vieja amistad y su convencimiento de mis anteriores estudios sociológicos, —como también porque, de haberse ocupado en mí, que no lo necesitaba, hubiera robado tiempo a los demás, no exigía las lecciones. Así es que nunca estudié el pobre texto de Worms; mis únicos deberes en esta clase fueron los cinco *reconocimientos* del año (temas escritos en clase a la vista del profesor) y un tema para desarrollar, para el cual fuí escogido por votación de los alumnos, junto con otros cinco conferencistas. Mi tema fue "Las ideas sociales de Spinoza". Los otros fueron: la "Política" de Aristóteles (por Manuel Herrera y Lasso, el alumno de primer año que tiene más facultades literarias, y más amplia educación filosófica, porque gozó a la vez de la escolástica —es católico— y del positivismo); la "Sociología" de Comte (por Manuel A. Chávez, hijo de la Directora de la Escuela Normal de Maestras y sobrino de Ezequiel A. Chávez, el exsubsecretario de Instrucción, muy bien educado a la manera positivista, aunque no partidario del comptismo), "La concepción sociológica de Gabriel Tarde" (por Enrique Jiménez Domínguez, tema excelente como los otros dos); la "Introducción a la sociología" de Spencer (por Juan B. Rojo, Jr., joven sinaloense que vino aquí a recibirse de abogado en la capital y sólo ha estudiado aquí sociología, no incluída en el programa que cursó: su tema fue mediano, no muy bien documentado aunque bien hecha la exposición del libro); y "Les lois sociologiques" de De Greef (por Alberto Campero, jovenzuelo educado por los jesuitas de Mascarones: su tema fue menos que mediano en la crítica, aceptable en la exposición).

En las otras dos asignaturas tampoco tuve mucho que hacer, pues Luciano Wiechers es perezoso y no se ocupaba ni en contar la asistencia ni en leer siempre los temas de reconocimiento; es, sin embargo, inteligente, si bien de cultura limitada, y explica con claridad y amenidad. D. Julio García enseña dogmáticamente y por preguntas; es bondadosísimo, más de los debido, pues pone pocas faltas y altas calificaciones. A mí me tocó despedirle con discurso, a nombre de los alumnos, según la costumbre que se practica a final de curso; se emocionó, según dicen que le sucede siempre. Wiechers fue despedido por Herrera y Lasso, y Caso por Manuel Chávez.

Caso se queja de que la actual Escuela de Jurisprudencia no vale lo que la anterior; que en *su tiempo* había más muchachos inteligentes. Es probablemente un espejismo el que sufre Caso. Como dice Mr. Slosson en su libro sobre las *Grandes Universidades Americanas*, todo graduado universitario afirma que estas instituciones están en decadencia y señala como fecha en que comenzaron a decaer el año en que él terminó sus estudios. Caso quizás juzga según el mismo prejuicio, y nos lo hizo concebir a Alfonso y a mí. Alfonso, que tiene resentimientos personales por muchas actitudes y hechos de irreflexión de sus compañeros, accede con demasiada facilidad a la tesis de Caso. Yo he hecho una comparación de grupos, y veo que no hay una diferencia real: a la distancia, parece que algunos grupos (años) de la época de Caso eran brillantes; pero en realidad la mayor parte de las personalidades cuyos nombres figuran allí se han hecho después de haber pasado por la Escuela: por ejemplo, Vasconcelos. No hay razón para suponer una decadencia: es cierto que hay muchos muchachos que no saben o no entienden lo que aprendieron en la Preparatoria; pero ¿eran menos, antes, los que se hallaban en el mismo caso? Sino que entre compañeros, y no estando demasiado *hecho*, formado, el que juzga se perdonan muchas cosas, y más tarde el tiempo las borra.

En fin, no hay razón de suponer una decadencia (por muy deficiente que sea la enseñanza); Acevedo, que se interesa siempre por saber *quiénes hay* entre la juventud que surge, ya encontrará sin duda gentes interesantes que sumar a las que ya conoce.

Lo que sí puede notarse es una transformación del espíritu estudiantil. La época de Caso es la época en que enseñaba Pallares: la Escuela de Jurisprudencia era *entonces* turbulenta, palabrera y patriotera; los alumnos se dejaban guiar por *leaders* oradores, políticos, periodistas. Papel más o menos importante de *leaders* tuvieron en esa época Rodolfo Reyes, José María Lozano, el mismo Caso en cuanto orador, no en cuanto estudiante de filosofía. Ese grupo salió de la Escuela a fines de 1908, cuando figuraban en el último año Hipólito Olea, Nemesio García Naranjo, Alfonso Teja Zabre. Sobrevino entonces un grupo de gente anodina; y ahora, a partir del grupo que entró a los cursos de primer año en el escolar de 1908-1909 y que ahora acaba de terminar [1911] tercer año, parece iniciarse un nuevo modo de ser: los alumnos son más serios en su conducta, metódicos y reposados generalmente, con ideales de cultura seria o de burguesía. Los frutos de aquella generación eran *meetings*; los de ésta son el Casino y el Restaurant de Estudiantes, el Congreso Estudiantil, cosas un poco burguesas, mutualistas, y limitadas, pero que acaso sirven como base de cosas mejores.

El grupo de compañeros de Alfonso no es muy brillante: figuran Torri y Mariano Silva, con sus aficiones clásicas poco amplias; Oscar Menéndez, yucateco, *chiflado* y desordenado, bohemio, único que aún, hoy, se parece a los de la época de Pallares; Luis MacGregor Romero, con sus triviales aficiones científicas, y otros que no son sino "buenos muchachos". El curso siguiente es el que lleva la batuta en la escuela, y el que prefiere Caso, quien los aficionó a la filosofía: en él figuran Gonzalo Zúñiga, *hombre de acción*, organizador del Casino de Estudiantes; un grupo de aficionados a la filosofía: Emilio Cervi, Benjamín Elías, y Carlos Díaz Dufoo, Jr. (este último muy fácil en trato y discurso); Emilio Castañares, recientemente premiado por su trabajo histórico sobre D. José María Luis Mora; José Benítez, espíritu lento pero tenaz (ahora proyecta irse a estudiar en Alemania); José Pereyra Carbonell, veracruzano, parlachín y ligero, con aficiones literarias mal dirigidas.

En mi año no se manifiestan como individuos salientes, sino algunos estudiosos. Es excepción Manuel Herrera y Lasso, quien, por sus facultades naturales, es más bien descuidado. Los otros dos que revelan mayores facultades intelectuales son Manuel A. Chávez —que quizás nunca se intelectualice, ni tome muy a pechos la labor de cultura, pues está muy *penché sur la practique* y Enrique Jiménez Domínguez. Este ha entrado con verdadero *furore* a los estudios filosóficos, y ha juntado en breve tiempo una pequeña y escogida biblioteca, que comprende desde Platón hasta Bergson.

Fuera de la Escuela de Jurisprudencia hay dos jóvenes, amigos nuestros, de gran capacidad intelectual: Martín L. Guzmán, hijo del Coronel muerto en la actual revolución, y Pablo Martínez del Río, hijo del famoso abogado y educado en Inglaterra al modo clásico.[125]

Antonio Caso, a quien Pedro Henríquez Ureña había criticado su serie de conferencias dadas en la Preparatoria, sobre la historia del positivismo, por su actitud un tanto tibia y no decididamente antipositivista, en 1909, se había convertido, desde la fundación de la nueva Universidad, de la que fue su primer Secretario, en el profesor mexicano de mayor atracción y respeto, tanto en la Escuela de Jurisprudencia como en la de Altos Estudios. Don Pedro, antaño su crítico, es ahora, desde el punto de vista oficial por lo menos y legalmente, uno de sus alumnos. Ya hemos visto las fricciones y alejamientos producidos con motivo de la equívoca actitud de Antonio Caso con respecto al reeleccionismo. Sin embargo, cuando en 1910 Caso se hace cargo de la Secretaría de la Universidad, logró colocar a Pedro Henríquez Ureña como Oficial Mayor de la misma. En varias oportunidades, Pedro Henríquez Ureña recuerda las horas pasadas con Caso, Reyes y otro, sobre todo en la biblioteca de aquél, estudiando, entre otras cosas, la filosofía moderna. El 29 de marzo de 1910 escribe en sus "Memorias":

> En su casa [la de Antonio Caso] vamos a leer la *Crítica de la razón pura*, dos veces a la semana, Vasconcelos y yo, y algunas veces Alfonso Cravioto y Alfonso Reyes. Después de mi reconciliación —muda, por supuesto— con Caso, nuestras relaciones parecen las mismas de antes; pero hay siempre un matiz de diferencia. Yo me había negado a ir a su casa; una vez me invitó, pero no fuí; sin embargo, el día en que hallándome todavía esclavizado en

---

[125] "Memorias", pp. 143-148.

el trabajo de "La Mexicana", renuncié las proposiciones que se me hacían para entrar al periódico corralista de Puga y Acal, ofreciéndome protegerme, con una clase o otra cosa gubernativa, volví a visitarle, sintiendo no sé qué sensación de fuerza y como queriendo hacer alarde de ella.[126]

Ahora, como alumno, se esfuerza por hacerle la mejor monografía posible del curso. Y escribe "Las ideas sociales de Spinosa", trabajo denso, que leyó en una de las últimas sesiones del Ateneo de la Juventud, a fines de 1911, después de haberlo leído en la clase de Caso y de haber sido aprobado por este. En la referida sesión del Ateneo asistió el entonces subsecretario de Instrucción Pública, Alberto J. Pani, más tarde rector de la Universidad. Antonio Caso (México, *Apuntamientos de Cultura Patria*, 1943, pp. 84-85) recordará esos momentos de estudio, en términos no distintos a los de Pedro Henríquez Ureña:

> En nuestra casa y compañía, don Pedro Henríquez Ureña, don José Vasconcelos, don Alfonso Reyes, y don Martín Luis Guzmán, el último, entonces, en su primera juventud, leíamos y comentábamos a Kant en el texto de Perojo.

Pedro Henríquez Ureña teminó los estudios en la Escuela de Jurisprudencia al final del año lectivo de 1913. El 16 de febrero de 1914 dirigió una carta al Secretario de Instrucción Pública y Bellas Artes solicitando que, en vista de estar la Universidad en receso por vacaciones, "se sirva autorizar a la Dirección de la [. . .] Escuela de Jurisprudencia, siempre que para ello no tengan inconveniente los señores profesores" que se integre y reúna un jurado que pueda permitirle sustentar el examen profesional de abogado, de acuerdo con la ley, y le permita así, luego de aprobado el mismo, ejercer su profesión. Al día siguiente, el director de la Escuela de Jurisprudencia, don Julio García, elevó el pedido al Ministerio a fin de que se conceda al interesado un "examen extraordinario profesional". Dicho jurado se reunió en el salón de exámenes de la Escuela Nacional de Jurisprudencia el día 21 de febrero de 1914. Estuvo integrado por el director de la Escuela don Luis Julio García, quien lo presidió, y los profesores Antonio Ramos Pedrueza, Roberto A. Esteva Ruiz, Francisco de P. Herrasti y Salvador Urbina, con la asistencia del Secretario, don C. Ricardo Cortés. El acta agrega:

> Comenzó el acto leyendo el sustentante una tesis bajo el título de "La Universidad", dió enseguida lectura a la resolución del caso que le fue señalado por la Dirección del Establecimiento de acuerdo con lo que previene el artículo 19 del Plan de Estudios vigente, a continuación contestó el Sustentante a las preguntas que sobre la tesis y resolución referidas le hicieron sus cinco examinadores, y éstos, después de debatir entre sí reservada pero libremente

---

[126] "Memorias", p. 123.

sobre los méritos y aptitudes del examinado lo declararon por unanimidad de votos digno de recibir el título de Abogado.

El título de abogado está firmado por Nemesio García Naranjo y lleva la fecha de 14 de marzo de 1914. Sin embargo, no le fue entregado inmediatamente, ya sea porque Pedro Henríquez Ureña no estuviera en México en momento de la entrega de diplomas, ya porque, habiendo sido firmado dicho diploma por un gobierno ilegítimo, solicitara su reválida. En el archivo de la Universidad Nacional de México hemos hallado la siguiente documentación complementaria que confirma estos hechos:

(Con fecha 20 de julio de 1916)

Antonio Castro [Leal] con domicilio en la avenida Chapultepec 316 y con poder especial del interesado, expone:
Que habiendo devuelto a ese Ministerio de su digno cargo el título profesional del Sr. Lic. D. Pedro Henríquez Ureña para que se revalidase (ya que el título había sido extendido por el gobierno de la usurpación), se extravió en los archivos de ese mismo Ministerio, según pueden informar el secretario particular y el jefe de la sección Universitaria en aquel tiempo, Lic. Mariano Silva Aceves y Ramón López Velarde respectivamente.
Por lo que a usted, señor Ministro, pido se sirva ordenar se extienda nuevamente tal documento, para lo que envío retratos y timbres, y con lo que se hará gracia y justicia.

Protesto lo necesario.

México, julio 20 de 1916.

Antonio Castro

El 24 de agosto de 1914 se accede al pedido y se entrega el título de abogado que se solicita al Sr. Antonio Castro Leal.

A fin de dar la relación completa de Pedro Henríquez Ureña como estudiante de la Universidad de México, debemos recordar que, a su regreso de los Estados Unidos, después de haber obtenido el título de Doctor en Filosofía de la Universidad de Minnesota.[127] Pedro Henríquez Ureña, en carta del 2 de enero de 1922, di-

---

[127] Véase mi libro *Pedro Henríquez Ureña en los Estados Unidos* (México. Editorial Cultura, 1961).

rigida al rector de la Universidad Nacional de México, Sr. Lic. don Antonio Caso, le solicita la revalidación de ese título. El 10 de enero de 1922 se concede dicha revalidación, y el 22 de enero del mismo año, Pedro Henríquez Ureña recibe el título revalidado.

De mayor importancia fue, tanto para Pedro Henríquez Ureña como para la Universidad de México, la actuación que éste tuvo como profesor de la misma. En 1910, al reavivar don Justo Sierra la nueva Universidad, designó como Rector al distinguido profesor de Derecho Romano don Joaquín Eguía Liz, y como Secretario a don Antonio Caso, quien llamó a Pedro Henríquez Ureña para ocupar el puesto de Oficial Mayor de la Secretaría. Pedro Henríquez Ureña nada dice de esto en sus "Memorias", y eso que llega hasta el momento en que Justo Sierra renuncia. Pero confirman esta designación diferentes pruebas, oficiales y periodísticas. Reproducimos de esta última fuente dos crónicas, una que incluye a la Universidad entre los actos principales de la celebración del centenario, y otra, que se refiere específicamente a la inauguración de la Escuela de Altos Estudios. Son las siguientes:

Celebración del Centenario y la nueva Universidad

Nos escriben de México: "Muy lucidas quedaron las fiestas septembrinas del Centenario. Más de 1600 personas, desde los aztecas hasta los soldados de Iturbide, figuraron en el desfile histórico. Las conferencias del Ateneo de la Juventud tuvieron extraordinario éxito. Fue muy aplaudida la de A. Caso sobre Hostos. Inaugurólas Justo Sierra. De su discurso es esta frase sincera: "No conozco a Hostos y, por lo tanto, espero documentarme en el estudio del conferencista". Caso obtuvo una ovación sonadísima.

Con la fusión de las Escuelas Profesionales y con la recién creada de Altos Estudios queda constituida la Universidad de México. Justo Sierra, como Ministro del ramo, pronunció en el solemne acto un discurso lleno de alusiones a las ideas modernísimas. Entre los delegados de Universidades extranjeras estaban; Baldwin, de Oxford; Martinenche, de París; Seler, de Berlín; Telésforo García, de Oviedo ... Hablaron en latín, francés, alemán, inglés; pero los más en castellano. Fueron nombrados doctores *honoris causa*: Víctor Manuel, rey de Italia; Roosevelt; Carnegie; Altamira; algunos médicos descubridores; y los mexicanos Mancera, el filántropo; Limantour, el hacendista; Agustín Rivera, el historiador, único doctor que áun vive de los graduados en las extintas universidades mexicanas. Doctores *ex officio*, éstos: Casasús, Sánchez Mármol, Porfirio Parra, Manuel Flores, Emilio Pardo, Leandro Fernández y los Macedo, y otros caracterizados profesores. El Rector es el Dr. Joaquín Eguía Liz, docto romanista. Antonio Caso es el Secretario; y Pedro Henríquez Ureña, dominicano, el auxiliar de la Secretaría. Honor a México.

(*Ateneo*, Santo Domingo, Noviembre de 1910).

Se inaugura la Escuela de Altos Estudios

Fué muy aplaudida la disertación del Prof. Baldwin.

La Escuela de Altos Estudios, instituto dependiente de la Universidad Nacional de México, celebró ayer su primera clase en la Escuela Nacional Preparatoria.

A las cinco y media de la tarde, hora señalada para que diera principio la clase, el salón de la Escuela Preparatoria se encontraba totalmente lleno por una concurrencia selecta, formada por los más distinguidos miembros del profesorado mexicano y por nuestros jóvenes intelectuales.

Entre las personas que anotamos se encontraban los señores licenciado don Pablo Macedo, licenciado Ezequiel A. Chávez, doctor Porfirio Parra, licenciado Luis G. Alvarez León, doctor Pruneda, Rodolfo R. Pizarro, Daniel García, licenciado Antonio Caso y Alfonso Reyes.

El señor Pedro Henríquez Ureña hizo la presentación del conferencista, Mr. John Mark Baldwin, a varios de los señores allí presentes, entonces dió principio la clase, que fué interesantísima.

Los puntos de ella, ligados entre sí por el análisis del sabio sociólogo Mr. Baldwin, fueron interesantísimos, por tratar científicamente un asunto tan delicado como profundo, y no caben en el reportazgo trivial escrito en el corto espacio de tiempo que requiere el periódico.

Pero eso sí, podemos decir que el señor profesor Baldwin estuvo a la altura de su renombre, y por ello se premió con una prolongada ovación su labor.

A las seis y media de la tarde terminó la conferencia del señor Baldwin.

No obstante la claridad con que se expresó el conferencista y su manera de hablar, que fué pausada y metódica, muchos de los asistentes sintieron no haber comprendido los conceptos, porque el inglés no es un idioma que sea conocido lo suficiente para que los alumnos mexicanos reciban una clase en él. Pero ya la Secretaría de Instrucción Pública y Bellas Artes estudia la manera de emplear un traductor en todas las demás clases que se den en inglés, y escogerá para ello a una persona que, al mismo tiempo que domine el idioma, sea conocedora del tema sobre el que verse el conferencista extranjero.

(De puño y letra de Pedro Henríquez Ureña, puesta al pie del recorte de su archivo, hay una nota que aclara: "Fue error de *El Imparcial* la noticia relativa a la presentación de Mr. James Mark Baldwin: éste fue presentado al público por el Lic. Chávez. Así rectificó el *Diario del Hogar*.).

(*El Imparcial*, 18 de octubre de 1910)

Según un manuscrito que se conserva en el archivo de Pedro Henríquez Ureña, las cátedras que don Pedro ocupó en México fueron las siguientes:

1912. (De febrero a abril): Castellano (Lengua Nacional), en la Escuela Superior de Comercio y Administración de México.
1912. (De abril) a 1913 (agosto): Literatura Española e Hispanoamericana. (2o. curso de Lectura comentada de producciones literarias selectas, 5o. año de estudios), en la Escuela Preparatoria de la Universidad Nacional de México.
1913. (De abril a fines de ese año): Literatura Inglesa, en la Escuela de Altos Estudios de la Universidad Nacional de México.
1913. (De agosto a fines del año): Historia de la Lengua y la Literatura Castellanas, en la Escuela de Altos Estudios.

(Esto en lo que corresponde a la primera estancia; las cátedras que ocupó entre 1921 y 1924, las daremos en su lugar correspondiente).

Al inaugurarse las clases del año de 1914 en la Escuela de Altos Estudios, Pedro Henríquez Ureña pronunció su notable discurso titulado "La cultura de las humanidades", en donde da una historia del movimiento cultural, en el que le tocó actuar desde 1906 hasta la fecha; y en otro trabajo, titulado "La influencia de la revolución en la vida intelectual de México", publicado en 1924, completa dicho discurso con una interpretación personal del movimiento. En este último trabajo dice, entre otras cosas: "Nuestro grupo, además, constituído en Ateneo desde 1909, había fundado en 1911 la Universidad Popular Mexicana, en cuyos estatutos figuraba la norma de no aceptar nunca ayuda de los gobiernos: esta institución duró diez años, atravesando ilesa las peores crisis del país, gracias al tesón infatigable de su rector, Alfonso Pruneda. . ." Alfonso Reyes, en *Pasado inmediato*. . . otra obra básica para el conocimiento de esta época, dice que la Universidad Popular fue fundada el 13 de diciembre de 1912.[128] Se refiere luego a la primera Facultad de Humanidades y da la lista de sus profesores. El texto de Reyes es el siguiente:

Entretanto, a pesar de que Pani ocupaba la Subsecretaría de Instrucción Pública, Caso la Secretaría de la Universidad Nacional y Pruneda la Dirección de la Escuela de Altos Estudios, esta escuela sólo acertaba a vivir disimulándose, y sólo se mantenía por el desprendimiento de los jóvenes. Al curso honorario de Caso, sigue el del matemático Sotero Prieto. Y aunque de repente acontece el golpe de Victoriano Huerta, la obra continúa. Accede a la dirección de Altos Estudios don Ezequiel Chávez, congrega valientemente a los jóvenes, y se crea una Facultad de Humanidades enteramente gratuita

---

[128] Según periódicos de 1912, la Universidad Popular fue creada en fecha reciente, probablemente el 12 de octubre de 1912 por el Ateneo de México. Rector, Alberto J. Pani; Vice, Alfonso Pruneda; Secretario, Martín Luis Guzmán.

para el público y para el Estado, donde por primera vez se oyen los nombres de estas asignaturas: Estética, por Caso; Ciencia de la Educación, por Chávez; Literatura Francesa, por Gonzalo Martínez; Literatura Inglesa, por Henríquez Ureña; Lengua y Literatura Españolas, por Reyes. Otros maestros de autoridad y experiencia nos acompañan: el matemático don Valentín Gama, el filólogo Jesús Díaz de León, y también los arquitectos y críticos de arte Lazo y Mariscal. Otro joven, Mariano Silva, se encargó del Latín. Todavía era, como diría Vasconcelos en sus conferencias de Lima, "el latinista que por culto a la perfección apenas osa escribir." Venía Silva de la provincia michoacana, cuna de tradiciones y de buena repostería; traía unos bigotes largos y rubios y una cara de galo dulcificado por el cristianismo. Traducía a Prudencio. Poco a poco empezó sus escarceos personales con cierto *Entremés de las Esquilas,* en que dialogan figuradamente los bronces de la Catedral; y al fin se abrió un sitio en el cuento, el cuento nacional, (¡inolvidable su interpretación de Juan Diego, el del mito guadalupano!), donde el nombre mismo de México adquiere singular elegancia. Conmovía el ver concurrir juntos a aquellas cátedras a ancianos como Laura Méndez de Cuenca, delegados de otra edad poética, y a adolescentes de los últimos barcos, entre quienes se reclutaría años después la pléyade conocida por el nombre de los Siete Sabios. Allí aparecieron Antonio Castro Leal, Manuel Toussaint, Alberto Vázquez del Mercado y Xavier Icaza. Pronto vendrían Lombardo Toledano y Gómez Morín, hoy en opuestos polos.

No es nuestro propósito hacer una historia detallada de las diversas cátedras, en los distintos cursos y años lectivos, de la Escuela Preparatoria y de la Escuela de Altos Estudios de la Universidad Nacional de México durante los años que van desde 1910 a 1914, que es el período que estamos estudiando con referencia a la actuación de Pedro Henríquez Ureña. Pero sí no podemos dejar de registrar un incidente, por demás lamentable, ocurrido con motivo de la distinción que hizo Luis G. Urbina, profesor propietario de la cátedra de Literatura Española y Mexicana en la Escuela Nacional Preparatoria, a su compañero y amigo en la preparación de la *Antología del Centenario,* el ya reconocido especialista en literatura mexicana don Pedro Henríquez Ureña, al dejarlo como profesor interino de la cátedra, durante el período de una licencia de seis meses. El incidente, ampliamente registrado en los periódicos de 1912, se desarrolló de la siguiente manera:

El Diario, el 16 de mayo de 1912, publica:

Profesor de literatura de la Preparatoria

El conocido escritor y poeta Luis G. Urbina, profesor de Literatura de la Escuela Nacional Preparatoria, acaba de presentar a la dirección de su plantel educativo, una solicitud para separarse de su clase que da a los alumnos de 5o. año, por seis meses, pues indica que se encuentra enfermo.

Para sustituir al poeta Urbina en su clase de literatura, a la que asistían de oyentes algunos jóvenes escritores y poetas, se ha nombrado a Pedro Henríquez Ureña, de nacionalidad dominicana y que presta sus servicios como empleado de la Universidad Nacional.

Los profesores de Literatura en nuestra Escuela Preparatoria se han visto lastimados, al ver que para dar las clases de Literatura Nacional y Española se recurra a extranjeros.

Sabemos que el señor Henríquez Ureña no es persona grata a los estudiantes preparatorios.

Veremos qué pasa con este nombramiento.

La Prensa, 17 de mayo de 1912, encabeza un editorial:

No quieren al prof. Henríquez Ureña por extranjero

Los alumnos de la Preparatoria se declaran en huelga y piden un nuevo profesor de Literatura. Pedro Henríquez Ureña había sido nombrado en sustitución de Luis G. Urbina. El 16 de mayo se presentó a dar la primera clase. [Los alumnos, según el periódico, demostraron gran antipatía a dicho profesor, se negaron a concurrir a su clase y se declararon en huelga. El cronista —un tal Rogerio y Meraz Rivera, según Pedro Henríquez Ureña—, comenta que los alumnos no lo quieren por extranjero y agrega:]

Por varios conductos fuimos informados que el Sr. Henríquez Ureña es actualmente alumno de la Escuela Nacional de Jurisprudencia; empleado de la Universidad Nacional; profesor de la Escuela de Comercio; miembro del Ateneo Juvenil [sic] y amigo íntimo del Sr. Lic. José Vasconcelos, que es presidente del referido Ateneo.

El Imparcial, 18 de mayo de 1912, trae la siguiente:

Noticia inexacta

En un diario de ayer apareció una nota en la que decía que los alumnos de la cátedra de segundo curso de literatura de la Escuela Nacional Preparatoria, se habían declarado en huelga y no habían querido entrar a la cátedra, a la cual se presentaba por vez primera el señor Pedro Henríquez Ureña, que acaba de ser nombrado profesor de esa asignatura, en substitución del señor don Luis G. Urbina. El principal motivo que tenían los alumnos para no querer entrar a clase, era que el señor Pedro Henríquez Ureña es extranjero.

Todo lo aseverado por el colega es inexacto desde el momento en que antier no hubo clases en la Escuela Nacional Preparatoria, y, por consiguiente, no podían declararse en huelga.

La dirección de la escuela todavía no ha designado el día en que tomará posesión de su cátedra el Sr. Henríquez Ureña.

El Intransigente, 18 de mayo de 1912, con amplio título dice:

> **Los preparatorianos siguen muy disgustados**. Dicen que no aceptarán al señor Pedro Henríquez Ureña. Aseguran que están indignados porque "a los extranjeros se les dan gajes y concesiones mejores que a los mexicanos, y que no utilizan los buenos servicios de éstos".

Luego el periódico, con el subtítulo de "Henríquez Ureña, patagón", dice:

> Los alumnos mostraban su descontento esta mañana en corrillos y clases, diciendo que por primera vez se les ponía un profesor patagón, que es una especie de biblioteca ambulante . . . [y se transcribe el siguiente diálogo entre los alumnos Muñiz y Rodríguez]:

—Se substituye a Urbina por el señor Ureña, como se substituyó al señor canónigo Andrade por una señorita que no sabe ni ortografía. Es decir, se substituye a un sabio por un analfabeto.

—Pero el señor Ureña sabe mucho.

—Sí, sabe hacer política. El señor Ureña merecía el artículo 33, por haber escrito artículos virulentos contra nuestro país en periódicos extranjeros. Ha cedido [parte ininteligible] eterna flexión de cintura ante el señor Vasconcelos, que cree ver en Ureña el Oráculo de la Pitonisa.

—Con esto ha pagado el señor Ureña el favor que le han hecho los intelectuales de México de aceptarlo en su seno. El señor Ureña no podrá substituir jamás a nuestros maestros Olaguíbel, Urbina, y no podrá ocupar el lugar que le correspondía a Alfonso Reyes.

—¿Pero qué remedio?

—Cómo qué remedio; no iremos a clase, protestaremos, veremos la forma de demostrar a este señor el poco cariño que le tenemos y el desdén con que vemos a los eruditos sin talento . . .

[De puño y letra de Pedro Henríquez Ureña está escrito debajo de este presunto diálogo el nombre de Joaquín Piña].

Como síntesis del diálogo entre Muñiz y Rodríguez [dos estudiantes ficticios] la conclusión es la siguiente:

El señor Muñiz dice que es por los artículos que el señor Ureña publicó contra México por lo que los alumnos no lo aceptan.

El señor Rodríguez asegura que los sueldos que en estos momentos gana el señor Ureña son tan excesivos que ningún mexicano los posee y que por este motivo el profesorado ha visto en el señor Ureña a un extranjero que, además de ser pernicioso, está explotando la estupidez de algunos empleados del gobierno.

Frivolidades. Semanario humorístico, 26 de mayo de 1912, dice:

Un señor Pedro Henríquez Ureña ha sido nombrado profesor de Literatura en la Escuela Nacional Preparatoria, en substitución del reconocido vate Luis G. Urbina, mi buen amigo.

Los amigos, que no son tontos, no aceptaron al nuevo profesor por además de ser extranjero, —lo que no haría al caso si fuera competente—, parece que por ser un gran acaparador de empleos, pues no sólo es profesor de literatura, sino también empleado de la Secretaría de Instrucción, empleado de la Universidad Nacional; profesor de la Escuela de Comercio; miembro del Ateneo Juvenil [*sic*] y amigo íntimo del señor licenciado José Vasconcelos, que es presidente del referido Ateneo.

¡Vaya si tiene sueldítos el señor Henríquez Ureña!

Estoy seguro de que, en la actualidad, no hay diez mexicanos que puedan decir otro tanto.

¡Bien por los preparatorianos!

Tente-Tieso

El Ahuizote. Semanario Político, 26 de mayo de 1912, sin firma, pero, según Pedro Henríquez Ureña, es de José Luis Velazco, dice:

Pedacitos

Un diario serio y bien informado casi siempre, asegura que ha sido nombrado profesor de Literatura Nacional en la Escuela Nacional Preparatoria, el señor Pedro Henríquez Ureña, literato dominicano proteguido hace tiempo del General Reyes, y pupilo ahora del grupo político que se denomina Constitucional, por ironía, y Progresista, por sarcasmo.

La noticia es, pues, exacta, para vergüenza de los mexicanos. Porque ocurre pensar, desde luego, que se ha tenido necesidad de llamar a un extranjero para que enseñe literatura patria a los nacionales. Eso quiere decir, según el super Vasconcelos, padrino y tutor intelectual de *menox* —como llaman a Ureña los estudiantes— que no hay en México un hombre capaz de substituir a Urbina en la clase de Literatura, puesto que se echa mano del primer venido, sólo porque es un magazine ambulante y un disertador locuaz.

Felicitamos calurosamente al pequeño Pani.

El Intransigente, 20 de mayo de 1912, trae: "El señor Henríquez Ureña no ha sido nombrado profesor"

Dice que Pedro Henríquez Ureña no tiene noticias de ese nombramiento, que no ha escrito nada en contra de México y que los preparatorianos, cuya conversación escuchó el reporter, están mal informados, seguramente.

El mismo diario, el 23 de mayo de 1912, publicó a grandes títulos:

Se evitó un gran escándalo en la Escuela Preparatoria

Dice que el nuevo profesor dio su clase, en tanto que los alumnos hacían comentarios. Estos alumnos —según el mismo diario— habían preparado "una ruidosa manifestación" en contra del intruso extranjero; pero el subdirector Sierra acompañó hasta su clase "al joven protesor portorriqueño". "Ya allí —dice irónicamente— [la clase] se dió sin ninguna novedad, en tanto que se hacían comentarios ruidosos sobre el nuevo empleo que disfruta el costarricense señor Ureña".

El Imparcial, 23 de mayo de 1912, se pone de parte de Henríquez Ureña, en una mesurada nota titulada:

Nuevo profesor de literatura

Acaba de ser nombrado profesor de literatura española y patria, en la Escuela Nacional Preparatoria, el joven y distinguido literato don Pedro Henríquez Ureña.

Algunos periódicos, con motivo de este anunciado nombramiento, han tenido conceptos desfavorables para el señor Henríquez Ureña, poniendo en duda sus aptitudes para enseñar la materia para lo cual ha sido designado por el Ministerio de Instrucción Pública. Es probable que esas opiniones hayan sido propaladas por personas malquerientes del mismo catedrático, quien posee una rara y exquisita cultura, un sólido criterio y una erudición verdadera, en el arte literario.

Muy serios y muy bellos trabajos de crítica así lo demuestran. El señor Henríquez Ureña es un excelente conocedor de las letras españolas y mexicanas. Su última obra, *Horas de estudio*, mereció calurosos elogios del eminente Menéndez y Pelayo, el cual aseguró, en una carta al autor, que esa obra es de las que "justifican su título y que contrastan con las lucubraciones abigarradas e incoherentes que producen, sin estudio alguno, tanto españoles y americanos."

El señor Henríquez Ureña fue uno de los principales colaboradores de la *Antología del centenario*, y en ella escribió muy serias observaciones acerca de nuestra literatura nacional.

El nuevo profesor es muy estimado entre la juventud estudiosa.

[Esta nota no lleva firma, pero en el archivo de Pedro Henríquez Ureña está escrito de su puño y letra el nombre de Urbina].

El Intransigente, el 24 de mayo de 1912, además de publicar la carta de Menéndez y Pelayo, dice que es falso que Pedro Henríquez Ureña haya atacado a nuestro país. Por el contrario, "él no escribe nunca sino acerca de letras o filosofía y cuando de nosotros se ha ocupado, no ha hecho sino llenarnos de alabanzas. Lo conozco muy bien; ha vivido hace tiempo identificado con nosotros. Conozco la mayor parte de sus trabajos y me comprometo a dar a usted la prueba de que se ha ocupado de las letras mexicanas, única cosa nuestra sobre la que ha publicado estudios, con palabras que tienen que satisfacernos mucho". Y reproduce juicios de Pedro Henríquez Ureña sobre Luis Rosado Vega, Ricardo Castro, las Conferencias de 1907, etc. El periódico no dice quién es el poeta entrevistado, pero Pedro Henríquez Ureña escribe en su archivo, al pie de la opinión que reproducimos más adelante, el nombre de Antonio Mediz Bolio. Este habría dicho:

[Pedro Henríquez Ureña] Pronunció un discurso en la Escuela Nacional Preparatoria, en un acto en honor de don Gabino Barreda, un discurso en el cual decía, entre otras cosas, que Barreda es uno de los hombres verdaderamente dignos de llamarse en América española, hombres de ciencia y maestros; y que acaso ningún otro educador hispanoamericano ha realizado labor tan decisiva y completa como la suya.

Ha traducido un estudio de García Calderón, presentado en francés al Congreso filosófico de Heidelberg, sobre la filosofía en América, agregándole varias notas sobre la filosofía en México. García Calderón reprodujo después esas notas en un libro en el que incluyó el estudio citado.

Ha colaborado en la formación de la *Antología del centenario,* descubriendo gran número de datos nuevos para la historia de la literatura mexicana.

Ha hecho reproducir en muchos periódicos de las Antillas producciones de intelectuales mexicanos, como Manuel José Othón (que por su modestia no es en América tan conocido como debiera serlo), de Díaz Mirón, de Luis G. Urbina, de don Justo Sierra, de González Martínez, de Antonio Caso, de Rafael López, de José de J. Núñez y Domínguez, Manuel de la Parra y Alfonso Reyes.

Luego de señalar otros méritos más de Pedro Henríquez Ureña, se refiere a la acusación de los muchos sueldos que éste usufructuaba:

A propósito de lo que se ha dicho acerca de que el señor Henríquez Ureña disfruta de muchos sueldos del gobierno, podemos asegurar que solamente tiene un puesto en la Universidad Nacional, el cual ocupa desde que ésta se fundó. Tuvo una clase en la Escuela de Comercio, la cual ha dejado para entrar al desempeño de sus nuevas funciones en la Preparatoria. En la Escuela de Comercio fué substituído por el profesor Enrique Peña.

También los estudiantes manifiestan su simpatía por el nuevo profesor, y lejos de protestar contra él, lo hacen contra quienes prepararon todas las calumnias y manifestaciones hostiles de que dieron cuenta los periódicos. *El País,* 25 de mayo de 1912, publica la siguiente carta con el título de:

Protestan los estudiantes de 5o. año.
No prepararon manifestaciones hostiles

Señor Director de *El País.* Suplicamos a usted atentamente que sea servido de dar cabida en el diario que usted tan dignamente dirige, a la siguiente protesta, por la cual le anticipamos a usted las gracias.

Los alumnos del 5o. año de la Escuela Nacional Preparatoria protestamos enérgicamente por las noticias publicadas por *El Intransigente* en su número de ayer, en la cual asienta que nosotros tratábamos de recibir al señor don Pedro Henríquez Hureña [sic] con una manifestación hostil, en virtud de haber sido nombrado profesor de literatura en dicha Escuela.

Y si esto no fuera suficiente para desvanecer semejantes aseveraciones, la superioridad de este plantel nos autoriza para decir que está dispuesta a dar los datos correspondientes a dicho asunto, con el fin de demostrar que tales noticias son del todo falsas.

Francisco Benítez; Jorge Graue; Aristeo Gómez Treviño; Ignacio Escoto, Jr.; Jesús Escobar Ortiz; Pedro González Peña; Arturo Puente; H. Gutiérrez; José Arroyo; Mariano R. Veitia; E. Muñoz Eligio; Miguel Olvera; R. Villagómez; Carlos Munguía; A. Chanona; J. Ignacio Boneta; Ernesto Flores Baca;

A. Peñafiel; Rafael Villaurrutia; Jesús Chapa; David C. Martínez; Rafael Peña; Rafael Fernández Mac Gregor; Alfonso Ferreiro; G. García B. Siguen las firmas.

La Verdad, del 29 de mayo de 1912, trae:

Del público
Protesta de los preparatorianos

A raíz del acertado nombramiento que para profesor de la cátedra de Literatura Española en la Escuela Nacional Preparatoria, hizo recaer la Secretaría de Instrucción Pública y Bellas Artes en el joven y erudito crítico don Pedro Henríquez Ureña, en las columnas de *El Intransigente* aparecieron groseras injurias en contra del nuevo catedrático, que se decía inspirado por los alumnos de quinto año de aquel plantel, en cuyo curso se halla comprendido el aprendizaje de esa materia.

La competencia del señor Henríquez Ureña en cuestiones literarias, reconocida en los círculos intelectuales de México, y ampliamente comprobada por los hermosos trabajos del autor de *Horas de Estudio,* le puso a cubierto desde luego del chaparrón de majaderías que sobre él hizo caer nuestro colega. En concepto de la opinión pública, el reportero o embozado envidioso que zurció en *El Intransigente* tan inmundas parrafadas, no estaba autorizado para poner en tela de juicio la aptitud de un escritor por mil títulos apreciable, y para quien el insigne don Marcelino Menéndez y Pelayo, por no citar personalidades de menor valía, tuvo frases de encomio y de aliento.

Y como buena parte de esa opinión la forman los mismísimos alumnos de quinto año de la Preparatoria, bien han hecho éstos en formular la enérgica protesta que reproducimos a continuación: [Se repite el texto aparecido en *El País*].

Por último, *El Imparcial,* 19 de mayo de 1912, publica la siguiente:

Carta del Sr. Henríquez Ureña

México, Mayo 18 de 1912.

Sr. Director de *El Imparcial*

Ciudad.

Muy señor mío:

En un diario de esta tarde aparece un artículo, en que se dice que he sido nombrado profesor de literatura en la Escuela Nacional Preparatoria, en substitución del señor don Luis G. Urbina, que actualmente goza de licencia. La noticia es inexacta; ni yo he recibido tal nombramiento, ni éste aparece en las listas de nuevos empleos, que regularmente se publica en el *Diario Oficial* y los demás periódicos. Sólo sé que don Luis G. Urbina, propietario de la clase mencionada, había pensado señalarme para que le substituyera.

Según el mismo periódico, en una conversación que sostuvieron dos personas, desconocidas para mí, se hablaba de que yo hubiera escrito artículos contra México. Lo afirmado por estas dos personas es absolutamente falso y calumnioso. Yo no he escrito sobre México sino a propósito de asuntos literarios y filosóficos, y nadie podrá encontrar en mis artículos ni una sola frase que pueda interpretarse contra este hospitalario país. Sobre política mexicana, jamás he escrito una línea, ni en los periódicos de aquí ni en los extranjeros.

Agradeceré a usted, señor, la publicación de estas líneas.

Soy su atto. S. S.

PEDRO HENRÍQUEZ UREÑA

Esta carta se publicó también en *La Prensa, El País, El Tiempo, Nueva Era* y el *Diario del Hogar*.

La verdad es que, después de toda esta alharaca, tanto las autoridades como los alumnos de la escuela reconocieron a Pedro Henríquez Ureña como profesor interino de la cátedra de Literatura Española y Mexicana, cátedra de la que siguió siendo profesor propietario el poeta Luis G. Urbina. Don Pedro tuvo a su cargo los cursos de mayo a julio de 1912 (1er. curso), de agosto a noviembre de 1912 (2o. curso), y de febrero a noviembre de 1913 (curso regular, llamado por Pedro Henríquez Ureña, 3er. curso). Estos datos los hemos tomado de una libreta de apuntes, de puño y letra de nuestro biografiado, en el cual encontramos anotados: a) La lista de los estudiantes de cada curso; b) el programa y su desarrollo clase por clase; c) la bibliografía y la asignación de temas y trabajos a cada estudiante. Consideramos de sumo interés dar la lista completa de los estudiantes de cada curso, con las anotaciones marginales puestas de puño y letra del maestro.

Participaciones del primer curso (de mayo a julio de 1912): 1. Antonio Aldana y Aranda; 2. Luis Arteaga (Mención por *Laxarillo*; firma de P. Calderas; y *Endecasílabo*); 3. Francisco Calderas; 4. Pedro Calderas (tachado "mención por *Laxarillo*"); 5. Antonio G. Castro Leal (Premio por *Hita y Santillana*); 6. David C. Martínez (Premio por *La época de los Reyes Católicos*); 7. Luis Norma (Premio por *Lazarillo*); 8. Aristeo Gómez Treviño (Premio por *Soneto a Cetina*); 9. Rafael Fernández McGregor (Premio por *Garcilaso*); 10. Alejandro Valenzuela y González (Premio por *Celestina*); 11. Fernando Valenzuela y González; 12. Ernesto G. Garza; 13. Eduardo Suárez (Mención por *Celestina*); 14. Rafael Villagómez (Mención por *Lazarillo*); 15. Luis F. de los Cobos; 16. Salvador Echegaray (Jr.) y Jáuregui (Trabajo hecho por A. Castro); 17. José M. Arroyo; 18. Mariano Lozano; 19. Emilio Longovia; 20. Javier Aguilera. Jr.; 21. José Ortiz y Tirado (Plagio de D. Marcelino); 22. Jesús Chapa; 23. Angel Lerdo de Tejada; 24. Manuel Sánchez Carmona; 25. Epitacio Montero y Rueda; 26. Rafael Meneses; 27. Rafael Peña; 28. Alfredo Peñafiel; 29. Eduardo Martínez Baca; 30. Arturo García y Vega; 31. Daniel García y Gonzaga (Trabajo hecho por A. Castro); 32. Carlos Valles Gallardo (Delegado universitario); 33. Carlos Munguía; 34. Ruperto Verdugo y Palazuelos; 35. Rogelio Lang; 36. Guillemo Huet; 37. Salvador Cardona; 38. José Ignacio Boneta; 39. Enrico Pastrana; 40. Alfonso Correa; 41. Julio Estrada y Zárate; 42. Alfonso Ferreiro y Varela; 43. Adán Montaño; 44. Angel M. Montaño; 45. Marcelo Villamil y Laurens; 46. Gabino García; 47. Federico Enríquez; 48. Francisco Benítez; 49. Ramón Romero; 50. José Rodríguez y Castro; 51. Alberto Rodríguez Rey; 52. Felipe Santos Vallejo (Mención); 53. Ignacio Escoto (Jr.) y Avellaneda (Mención por *Celestina*); 54. Jesús Escobar Ortiz; 55. Adalberto Genis Solís; 56. Salvador García Teruel; 57. Pedro Alvarez; 58. Enrique Bustamante; 59. Hermilo Calderón; 60. Manuel Covarrubias; 61. Alfonso Cordero y Capellán; 62. Alberto Chanona; 63. Ernesto Flores Baca (Mención por *Celestina*); 64. Vicente Flores Barrueta; 65. Joaquín González de la Vega; 66. Jorge Graue y Glenie; 67. Héctor Gutiérrez; 68. Antonio Hernández; 69. Joel Luévano; 70. Miguel Olvera; 71. Luis Pichardo; 72. Arturo Puente; 73. Arturo de los Ríos; 74. Enrique Rodarte; 75. Pablo Segura; 76. Luis Aguilar e Isla; 77. Juan Castro y Pizaño; 78. Manuel Díaz Corona; 79. José Oscar Morales; 80. Eligio Muñoz; 81. Francisco Osorio; 82. Pedro Pablo Rangel; 83. Mariano R. Veitia; 84. Agustín Villaurrutia; 85. Rafael Villaurrutia; 86. Josefina Catalán y Aguirre; 87. Soledad Luna y Lara.

Participantes del segundo curso (de 1o. de agosto a 14 de noviembre de 1912): 1. Federico Jiménez O'Farril; 2. Adolfo Desentis y González; 3. Fernando de la Fuente; 4. Francisco Lárrago y Argüelles; 5. Joaquín Paredes, Jr.; 6. José Mendoza y Oliveros; 7. Manuel Sánchez Mejorada; 8. Octavio Gordillo y Domínguez; 9. Jorge Palacios y Hope; 10. Homero Martínez y Azuara; 11. Francisco de la Torre y Rábago; 12. Gonzalo Gout y Abrego; 13. Alfonso Chico e Ibargüengoitia; 14. Leopoldo Vásquez Anguiano; 15. Rafael Cal y Mayor; 16. Pablo Gómez Zamora; 17. Vicente Lombardo Toledano; 18. Francisco Díaz Covarrubias; 19. Rodolfo Díaz Mercado; 20. Pánfilo Alva y Martínez; 21. Vicente Gómez y Montes; 22. Manuel Orozco y Campos; 23. Braulio Vásquez y Tobler; 24. Alfonso Rodríguez Miramón; 25. Alberto Salazar y Soto; 26. Marcos Manuel Arrangoiz y Vasavilbaso; 27. Luis Alcaide y Alcaide; 28. Francisco Vélez y Goribar; 29. María Ayala y Ahumada; 30. Consuelo Teodora Gómez y Fierro; 31. María Natalia Gómez y Fierro.

No hemos encontrado lista de concurrentes al tercer curso.

Según el plan y el temario de las clases de literatura, Pedro Henríquez Ureña combinaba la parte histórica con lo teórico-preceptiva; era más bien una especie de lectura comentada de textos. Así, por ejemplo, en la clase del 23 de mayo de 1912 se dice: "Lectura de párrafos, relativos a las lenguas clásicas y la española, del prólogo general a la *Antología de poetas hispanoamericanos,* de D. Marcelino Menéndez y Pelayo. Lecturas de párrafos del prólogo puesto por el mismo a la *Historia de la literatura española* de Mr. James Fitzmaurice-Kelly, relativos a los historiadores de las letras de España." Hay un cuestionario, tipo preguntas y respuestas a la manera como se hace en las universidades norteamericanas. La clase del 25 de junio tiene este plan: "La Retórica. Enseñanza del arte oratoria entre los griegos. Opinión de Platón. Los tratados de Aristóteles sobre *Retórica* (oratoria). La *Poética* (estudio de la Tragedia). El desarrollo del retoricismo y de la enseñanza retórica entre los romanos. La retórica en la Edad Media y en el Renacimiento. Cómo la literatura moderna se desarrolló fuera de las reglas retóricas. Lope. El retoricismo del siglo XVIII. La reacción iniciada por Lessing. Desaparición de la retórica. Aparición de la Estética. Carácter filosófico de esta disciplina; necesidad de los conocimientos filosóficos previos para estudiarla . . ."

Por varias fuentes nos hemos informado de que Pedro Henríquez Ureña propició, con la aprobación de Urbina, una reforma radical en la enseñanza de la literatura. Para ello esbozó un plan teórico-práctico y escribió una especie de texto-guía, que expuso primero en una conferencia leída en el Ateneo de México en octubre de 1912, en momentos en que se había propuesto la revisión del plan de la enseñanza de lengua y literatura en la Escuela Preparatoria. Esta conferencia fue escrita en septiembre de 1912 y publicada en la *Revista Mexicana de Educación,* en el número de diciembre de 1912 y enero de 1913; fue reproducida en la revista *Nosotros* (febrero de 1913), y publicada en folleto, junto con las *Tablas cronológicas de la literatura española* (Edición de la Universidad Popular Mexicana). En una nota manuscrita que figura al pie de la primera página del folleto "La enseñanza de la literatura", cuya fotocopia poseo, Pedro Henríquez Ureña escribió: "Esta iniciativa era del Vicepresidente de México y Ministro de Instrucción Pública, D. José María Pino Suárez, y acaso inspirada por D. Luis Cabrera; fué formulada en julio de 1912". Se refiere al parágrafo primero de su estudio, que dice:

Está pendiente de discusión en la Universidad Nacional de México una iniciativa para "revisar el plan de estudios de la Escuela Preparatoria con el objeto de reducir . . . el estudio de la lengua nacional y lectura comentada de producciones literarias selectas, restableciendo un curso de literatura preceptiva y de elementos de estética, a fin de que los alumnos tengan bases científicas para poder apreciar el valor estético de las obras literarias".

La iniciativa contiene 4 ideas: primera, la reducción de los estudios gramaticales y literarios en la Escuela Preparatoria; segunda, la enseñanza de la preceptiva literaria; tercera, la enseñanza de elementos de estética; cuarta, la necesidad de que los alumnos tengan *bases científicas* para poder apreciar el valor estético de las obras literarias.

Las 24 páginas del folleto están destinadas a examinar esas ideas, pero "por orden inverso al de su enunciación". O sea, empieza por la cuestión *científica* de las bases para juzgar la literatura; don Pedro declara "que no es posible dar a los estudiantes *base científica* para juzgar la literatura, porque la literatura no debe ni puede juzgarse con el criterio que se aplica a las ciencias". Y se extiende en una erudita digresión acerca del carácter de la ciencia, basado en pensadores contemporáneos, como Henri Poincaré, Ernst Mach, Wundt, Fouillée, Hofding, Bergson, Boutroux. Hace una distinción entre lo que se debe entender por estudio *científico* y estudio *filosófico*, basado en las doctrinas de la filosofía de la cultura (Windelband, Rickert, etc.) "para fijar de una vez el carácter de la Estética y, por tanto, el de los estudios literarios, como porción de aquélla". La conclusión es que la Estética es parte de la filosofía, "porción del estudio filosófico de los *valores*", y por lo mismo, no es una disciplina científica sino una disciplina de *discusión* constante: "No se ha llegado a formular un sistema definitivo de Estética; enseñar cualquiera de los que existen sería *imponer dogmas*, sería imponer nociones no definitivamente comprobadas. Los pensadores han abandonado el antiguo método de definir principios absolutos de arte que deban seguirse en la crítica, porque saben que muy pocos adoptarían tales principios, y menos en instituciones de enseñanza." Vale decir, que para Pedro Henríquez Ureña, de acuerdo con la doctrina de su tiempo, la estética no puede ser aplicada, aunque sí es formativa de conceptos teóricos que puedan servir de base a las funciones de la crítica literaria. Por eso, lo que se debe hacer en la enseñanza de la literatura es escoger, discutir, espigar en los mejores tratados, sistemáticos o no, antiguos y modernos. Debe enseñarse lo que Platón, Aristóteles, Longino, Horacio, Cicerón, Quintiliano, Lessing, Kant, Hegel, Schopenhauer, Coleridge, Ruskin, Taine, Bergson, etc., enseñaron con respecto al arte y la literatura. Por eso mismo no se puede hacer en la Escuela Preparatoria, porque tal estudio exige una preparación básica de filosofía general que los estudiantes no tienen; por lo cual "la Estética sólo puede estudiarse en toda regla dentro de la Facultad de Filosofía y Letras que debe abrirse en la Escuela de Altos Estudios. En la Preparatoria sólo podrían darse *elementos de Estética*, como lo expresa la proposición que discuto; pero, por desgracia, un curso elemental difícilmente sería bueno en las condiciones actuales del *Curriculum* preparatoriano: 1o. porque los alumnos no tienen preparación filosófica, según queda dicho; 2o. porque un estudio elemental, es decir, de dos o tres meses, enseñaría muy poco a estudiantes ayunos de filosofía. . ."

Descartada la enseñanza de elementos de Estética, quedaría la enseñanza de la *Literatura preceptiva*. Pedro Henríquez Ureña también discute el carácter de esa enseñanza, identificada desde antaño con la *Retórica* (sobre todo, la vieja oratoria y la didáctica). Se extiende en largas consideraciones sobre la historia de la Retórica, para proponer un nuevo plan, más bien de teoría y práctica literaria, dividido en tres partes: a) Consideraciones generales sobre el arte literario; b) Estilística (reglas y práctica para escribir en prosa y en verso); c) División y técnica de los géneros. Todo esto, por supuesto, basado en lecturas comentadas de textos escogidos, es decir, en una intensa práctica en la frecuentación de las obras literarias. Lo que en México todavía se enseña —dice— tanto en la capital como en las provincias, "deja a los estudiantes sin nociones de historia literaria ni lectura suficiente de producciones, [y] les obliga a aprender una nomenclatura arcaica, de la cual con el tiempo no subsiste sino vago recuerdo que les provoca risa". Por lo cual concluye:

1o. No conviene reducir el estudio gramatical y literario en la Escuela N. Preparatoria. Si cinco años no dan al estudiante dominio suficiente del idioma castellano —hecho ostensible—, nadie dirá que basten tres o cuatro . . .

2o. No sólo sería inconveniente reducir el estudio de la literatura en la Escuela Preparatoria, sino que hay verdadera necesidad de extender a un año completo el curso de literatura española, y además, de que en los dos de literatura general y española, se exijan pruebas de aprovechamiento, como en las principales asignaturas de la misma escuela.

3o. No pueden enseñarse elementos de estética sino en un curso en que se enseñen nociones sobre filosofía general.

4o. No debe enseñarse preceptiva literaria en curso especial. La parte útil de esa vieja asignatura debe enseñarse dentro de otras: los preceptos sobre el estilo y la métrica, en el tercer año de lengua nacional, el estudio de los géneros, en las clases de literatura.

El folleto "La enseñanza de la literatura" fue ampliamente difundido por toda América, como lo prueban las innumerables reseñas que se publicaron en distintos países. En México, además del comentario de *El Imparcial* (30 de mayo de 1913) se publicaron: el de Vicente Ponce [Antonio Castro Leal] en *La Tribuna* (29 de abril de 1913) y el estudio de José Escofet, titulado "Preceptiva literaria", también en *La Tribuna*, y reproducido en *La Vanguardia*, de Barcelona, en julio de 1913. La reseña de *El Imparcial* es simplemente informativa, no crítica ni estimativa, pero da una información adecuada de las distintas partes de que se compone el folleto, sus fundamentos teóricos y sus proposiciones prácticas. Castro Leal es aprobativo y elogioso. Veamos el de Escofet.

Preceptiva literaria

Confesamos que al hablar de América, del progreso intelectual de América, nos asaltan dudas que no sabríamos ahuyentar: decae nuestra fe en el pensamiento americano. Reconocemos que desde Andrés Bello a José Enrique

Rodó se han dado en la América española hombres ilustres; pero la intelectualidad ultramarina es aparatosa; tiene coqueterías exageradas, languideces del trópico: en los poetas se advierte un afrancesamiento vicioso y femenino; en los pensadores chispea el brillante artificial y acaso todo el escaparate de una quincallería. La Grecia de los americanos es como aquella parisién de Rubén Darío: se ama a Platón a través de Mallarmé.

Sin embargo se inicia ahora, allende el Atlántico, una juventud mejor orientada, más sobria, podríamos decir también más *europea*. A esa juventud, que preside Rodó, el original uruguayo, pertenece Pedro Henríquez Ureña. Que yo sepa, no ha tenido en España, este joven filósofo, otro comentador de su obra que el inolvidable Menéndez y Pelayo. Ni necesitaba más. Me ocupo yo ahora de su trabajo más reciente, *La enseñanza de la Literatura*, no para encarecer sus méritos —en este caso, hablaría de otros trabajos suyos magistrales: *Nietzsche y el pragmatismo* y *El verso endecasílabo*— sino por el interés que entraña el asunto, aquí igual que en América, y porque ha de complacernos siempre ver cómo aquellos hermanos nuestros del otro lado de los mares tienen quienes logran hacernos olvidar sus extravíos y sus revoluciones (los extravíos poéticos y las revoluciones políticas de pueblos incipientes) con un trabajo serio, intelectual y redentor.

El señor Henríquez Ureña es dominicano, pero reside en Méjico. "En la majestuosa ciudad de Anáhuac, como dice uno de sus críticos, es el Sócrates de un grupo fraternal". Aceptó una cátedra de Literatura en la Escuela Preparatoria (Instituto de Méjico) para ayudarse a vivir, y aunque a los veinticinco años se es poco iconoclasta, un poco revolucionario, y un espíritu sutil y cultivado, tenía que tronar forzosamente contra la enseñanza preceptiva. De este modo, después de negar que las *Retóricas* de Aristóteles sean libros de texto, escribe: "El espíritu formalista de los pueblos que heredaron la civilización helénica (especialmente del pueblo romano y sus descendientes medioevales) tendió a convertir esos estudios de Aristóteles en estatutos canónicos, y para ello fué preciso interpretarlos, desfigurarlos, aumentarlos; los preceptistas inventaron reglas para todos los géneros. El Renacimiento reanimó un tanto esta seca y árida enseñanza de preceptos, introduciendo en las escuelas la lectura de producciones literarias; pero la manía preceptista iba en aumento, y en nombre de Aristóteles se formularon reglas tan absurdas como la de las tres unidades dramáticas, contradictoria precisamente de los usos griegos. En el siglo XVIII, el arte literario europeo se hallaba convertido, gracias a las reglas amontonadas por los Escalígeros y Castelvetro, por Vida y Boileau, en un mecanismo para cuyo ejercicio se necesitaba consultar un enorme recetario".

Se supone lo que el señor Henríquez Ureña, profesor de Literatura *malgré lui*, dirá de esos trataditos de *Retórica y Poética* con los que aprendimos a ser, según la expresión de Menéndez y Pelayo, *poetas de colegio*. Pero es el caso que no se puede escribir un buen tratado preceptista. "No: el problema es más hondo, dice el señor Henríquez Ureña. Es, para mí, un problema de psicología. Cada obra de arte es la revelación plena de una personalidad, de una individualidad, y cada revelación de individualidad es, como diría Tarde, una *invención*, cuyo carácter principal estriba en ser *irreductibe e imprevisible*: no es explicable por invenciones anteriores, aunque descubramos todas las que le precedieron, porque no es una *suma*, sino una *síntesis*. En cualquier momento que contemplamos la evolución literaria podemos determinar qué elementos del presente obrarán sobre el futuro; pero no definir las nuevas formas que aparecerían, porque éstas quedan siempre reservadas a la realización individual. Cada artista de genio o siquiera de talento superior, trae consigo algún elemento nuevo, no solamente psicológico, sino también técnico. Cada manifestación de gran arte crea su propia técnica . . . ¿No vemos en España variar de siglo en siglo la métrica, desde el *Poema del Cid* hasta Garcilaso? Y sin embargo, el verso de cada una de las etapas intermedias realiza perfectamente sus fines. ¿No vemos la evolución de la prosa clásica desde la *Celestina* hasta Solís? Y sin embargo, ¿quién pretendería que las sagaces observaciones sobre la lengua y estilo hechas por Juan de Valdés tuvieran que ver con Santa Teresa, tan diversa de él en el manejo de la prosa como en la orientación mística? . . ."

Concluye el señor Henríquez considerando que la *imaginación creadora* nunca dejará advinar su determinismo, siendo tan vano dar reglas para producir belleza como para hacer fortuna. Se entiende que quien nos dijera: *Enséñeme usted a ser literato*, nos pondría en un serio compromiso.

Decidido que la enseñanza de la preceptiva literaria, en curso especial, habría de ser siempre ilógica e ineficaz, y atendiendo a que la literatura tiene importancia especialísima para la cultura del estudiante, pide el joven escritor dominicano un estudio largo y profundo del idioma, que se enseñen elementos de estética en un curso de filosofía general y que la parte útil de la preceptiva literaria se reparta discretamente en asignaturas afines, recayendo principalmente, como es natural, en la grámatica.

El señor Henríquez Ureña, nos ofrece, al final de su trabajo, unas interesantísimas *tablas cronológicas*, que formó para sus alumnos de literatura española y que, no obstante sus fines directamente pedagógicos, podrían servir de orientación preciosa al *amateur* o lector mediante erudito. Desde luego, para el estudiante de literatura, representan una simplificación insuperable. Son casilleros cuyas divisiones se reparten por siglos, épocas, reinados, géneros literarios, etc. Se dice, por ejemplo, en la tercera tabla: "Siglo xv (Transición de la Edad Media al Renacimiento). Reinado de Don Juan II, 1406-1454. Poesía: *Los Romances*.— La lírica cortesana; aparición de los *Cancioneros*.— Fernán Pérez de Guzmán.— Cancionero formado por Juan Alonso de Baena hacia 1445. Iñigo López de Mendoza, marqués de Santillana (1398-1458).—

Juan de Mena (1411-1465).— Poetas de la corte de Alfonso V de Aragón en Nápoles (1443-1458): el principal Carvajal o Carvajales; *Cancioneros* de Lope de Stúniga. Rocia 1458. Florecimiento de la poesía catalana: Jordi de San Jordi; Andreu Febrer: Ausias March (fallecido en 1460); Jaume Roig (fallecido en 1478).— Sátira: Coplas de la *Panadera*". En distintos compartimientos van: el teatro, la novela, géneros didácticos, historia y leyenda, leyes, etcétera.

Una simple ojeada basta para resolver las dudas del estudiante, quien tiene ante sí la historia *esquelética* de la literatura española, desde el poema del Cid a Gabriel y Galán, desde los libros de caballerías a Pérez Galdós, desde el *Libro de los Doce Sabios* a Miguel de Unamuno.

Sin duda la labor del señor Henríquez Ureña es excepcional entre la juventud americana y lo sería también entre la juventud española.

José Escofet

La campaña en pro de la reforma de la enseñanza de la literatura en la Preparatoria empezó a dar resultados inmediatamente. En un prospecto de la Universidad Nacional de México titulado "Escuela de Altos Estudios", aparece ya la "Subsección creada con el objeto de formar profesores de lengua nacional y de literatura para las escuelas secundarias, preparatorias y normales". El folleto, de 7 páginas, está fechado en México, el 11 de abril de 1913, y firmado por Ezequiel A. Chávez. Dada la rareza del mismo, conviene la transcripción completa:

Escuela de Altos Estudios

La Escuela N. de Altos Estudios invita a quienes deseen hacer los estudios de literatura en un grado más elevado que el de las enseñanzas que se imparten en las escuelas preparatorias y normales de la República, a fin de que se inscriban a la Subsección de Estudios Literarios cuyo establecimiento acaba de decretar la Secretaría de Instrucción Pública y Bellas Artes, con el objeto de formar profesores idóneos de lengua nacional y de literatura para dichas escuelas.

Las bases aprobadas al efecto por la relacionada Secretaría son éstas:

1a. Los estudios de la Subsección destinada a formar profesores de lengua nacional y de literatura para las escuelas secundarias, preparatorias y normales de la República comprenderán las materias siguientes:

1) Lengua y literatura castellanas.
2) Literatura mexicana y estudio breve de la literatura hispano americana.
3) Lengua y literatura latina.
4) Literatura griega y estudio breve de las literaturas orientales.
5) Literaturas europeas modernas sin incluir la literatura castellana.

6) Nociones de filología, con especial atención al idioma griego y a las lenguas romances.

7) Historia general, con nociones de geografía histórica.

8) Historia del arte (artes plásticas y música).

9) Estética, precedida de nociones de filosofía general.

10) Ciencia y arte de la educación, psicología y metodología general.

2a. Podrán inscribirse como alumnos para hacer los estudios que enumera la base anterior, las personas que reunan las condiciones establecidas en los artículos 10, 11 y 12 de la ley constitutiva de la Escuela.

Para los efectos de la prueba de aptitud a que se refiere el artículo 10 de dicha ley, el jurado respectivo podrá aceptar, en vez de exámenes, la comprobación de que el solicitante haya sido profesor de lengua nacional o de literatura, un año por lo menos, o la presentación de obras literarias.

3a. *Podrán inscribirse como concurrentes a las referidas clases:*

a) *Los maestros normalistas* que hayan alcanzado calificaciones superiores en sus estudios de lengua nacional o de literatura, y hayan tenido además un año de práctica en las escuelas primarias.

b) Los que hayan concluído sus estudios en las otras escuelas de la Universidad Nacional o en sus equivalentes de la República o de países extranjeros y hayan obtenido igualmente calificaciones superiores en sus cursos de lengua nacional o de literatura.

4a. Los cursos se desarrollarán en uno o dos años, salvo el de lengua y literatura castellanas y el de lengua y literatura latinas que deberán durar cada uno tres años.

5a. *El orden en que se cursen las materias será libremente elegido por cada estudiante.*

6a. *Las clases se darán una, dos o tres veces por semana, según acuerdo previo entre el director de la Escuela y el profesor respectivo, y de preferencia entre cinco y media y nueve de la noche.*

7a. Los estudiantes que, sometiéndose a las pruebas reglamentarias, hayan cursado todas las materias que abarca esta Subsección, completarán su preparación para llegar a ser profesores, desempeñando gratuitamente una clase de lengua nacional o de literatura, bajo la vigilancia de un profesor de la misma Subsección.

8a. Una vez que *los estudiantes* hayan cumplido con lo expresado en la base anterior, *tendrán derecho a que se les expida un certificado* de estudios en que se declarará su aptitud para el profesorado en materia de lengua nacional y de literatura.

9a. La junta de profesores de esta Subsección resolverá todas las cuestiones reglamentarias de puntos especiales que se deriven de estas bases.

Transitoria

Las enseñanzas a que estas bases se refieren se distribuirán por ahora de la manera siguiente.

1o.	La lengua y literatura castellanas	en 3 años.
2o.	La literatura mexicana y el estudio breve de las literaturas hispano americanas	en 2 años.
3o.	La lengua y la literatura latinas	en 3 años.
4o.	La literatura griega y el estudio breve de las literaturas orientales	en 1 año.
5o.	Las literaturas europeas modernas (sin incluir la literatura castellana) en:	
	a) La literatura francesa	en 1 año.
	b) La inglesa y la anglo-americana	en 1 año.
	c) Las literaturas italiana, alemana, etc.	en 1 año.
6o.	Las nociones de filología, con especial atención al idioma griego y a las lenguas romances	en 1 año.
7o.	La historia general, con nociones de geografía histórica	en 2 años.
8o.	La historia del arte (artes plásticas y música)	en 2 años.
9o.	La estética con nociones previas de filosofía general	en 1 año.
10o.	La ciencia de la educación, con psicología y la metodología general	en 2 años.

Para los efectos de la base 3a., en que se señalan los requisitos que deben llenar las personas que deseen hacer los estudios de la Subsección, a fin de tener derecho a que se les expida el certificado que acredite su aptitud para ser profesores de lengua nacional y de literatura en las escuelas normales y preparatorias de la República, la respectiva junta de profesores ha acordado que se pida a las personas que hayan hecho los estudios preparatorios o normalistas, haber obtenido cuando menos calificación de tres votos de muy bien o su equivalente, en sus cursos de lengua nacional o en los de literatura, y ha resuelto igualmente que ese requisito puede suplirse: 1o., con el hecho de ser o haber sido profesor de gramática, lengua nacional o literatura; y 2o., con el de haber escrito obras literarias o de otra índole, de mérito suficiente; pero, en uno y otro caso, deberá decidir si es de aceptarse esa suplencia la junta de profesores de las enseñanzas especiales que antes se han enumerado.

Los profesores que van a inaugurar las clases de conformidad con lo que las bases expresan, saben que su papel es sólo el de intermediarios entre las enseñanzas que actualmente existen ya y las del futuro doctorado, que aún no se definen, pero que sin duda han de ser más altas que las de la subsección que ahora se crea, de modo que tomarán como punto de partida de sus estudios el conocimiento que los alumnos deben de haber adquirido en las escuelas preparatorias y normales.

Saben asimismo los profesores de la Subsección que su primer esfuerzo, como para un grado de enseñanza que hasta ahora no ha existido en México, tendrá que corregirse y perfeccionarse cada día, aun más quizá que lo que deben corregirse y perfeccionarse perennemente todas las obras humanas; y así están dispuestos a hacerlo, teniendo siempre y en todo caso, como objeto supremo de sus esfuerzos, hacer una labor armónica, a efecto de conseguir que en las escuelas secundarias, normales y preparatorias del país pueda llegar a haber profesores salidos de ésta, que, por sus estudios de Humanidades, sean verdaderos propagandistas de la tolerancia, de la solidaridad, de la estimación y la recíproca ayuda de todos: ricos y pobres, poderosos y humildes, partidarios de ideas iguales o de ideas diversas, ya que el progreso de las repúblicas y aún su simple subsistencia, tienen como condición indispensable las virtudes sociales de todos sus hijos.

Para iniciar sus labores las clases de la Subsección principiarán el próximo día 21, de conformidad con el siguiente horario:

Clase de lengua y literatura castellanas, *Profesor Alfonso Reyes* .... de 6 a 7 p.m.
los martes y sábados de cada semana, con su primera clase el día 22 de abril.

Clase de literatura mexicana y sud-americana, *Profesor Luis G. Urbina* .... de 6 a 7 p.m.
los jueves de cada semana, con la primera clase el día 15 de mayo.

Clase de lengua y literatura latinas, *Profesor Mariano de Silva y Aceves* .... de 6 a 7 p.m.
los lunes, miércoles y viernes de cada semana principiando el día 21 de abril.

Clase de literatura inglesa y anglo-americana, *Profesor Pedro Henríquez Ureña* .... de 7.15 a 8.15 p.m.
los lunes y los jueves de cada semana desde el día 24 de abril.

Clase de historia del arte, *Profesores Carlos Lazo, Federico Mariscal y Jesús Acevedo* .... de 7.15 a 8.15 p.m.

los miércoles y viernes de cada semana, desde el día
2 de mayo.
Clase de estética precedida de nociones de filosofía
general, *Profesor Antonio Caso* . . . .   de 7.15 a 8.15 p.m.
los martes de cada semana, principiando el día 22 de
abril.
Y clase de ciencia y arte de la educación, psicología
y metodología general, *Profesor Ezequiel A. Chávez*   de 7.15 a 8.15 p.m.
los sábados de cada semana, desde el día 26 de abril.

Oportunamente se anunciarán las fechas en que se abran las clases de los
demás cursos de esta Subsección y el horario respectivo.

Los programas generales se darán a conocer a los alumnos en la primera
de cada una de las clases.

La Escuela recomienda a las personas que se inscriban para hacer los estudios a que este aviso se refiere, que tan pronto como sus otras atenciones lo
permitan, y si es posible desde luego, se inscriban también al curso especial
de lengua y literatura inglesa que, para perfeccionar los conocimientos impartidos en otras escuelas nacionales, se da en inglés en este establecimiento, y
que coadyuvará eficazmente para el buen éxito de los estudios de esta Subsección.

Dicho curso está a cargo del Profesor Joaquín Palomo Rincón, y sus horas
de clase son de 6.15 a 7.15 p.m. los lunes y miércoles de cada semana, desde
el próximo mes de abril.

Tan pronto como se establezcan los cursos de literatura francesa, italiana,
alemana, etc., se procurará igualmente establecer los cursos de perfeccionamiento de las respectivas lenguas, y asimismo se tratará de organizar los de
otras materias que debidamente coadyuven a integrar la educación de los alumnos en cuanto a Humanidades se refiera.

Finalmente, cuando la Escuela lo considere oportuno, dado el grado de
desarrollo de los programas y el avance en la educación de los alumnos, invi-
tará, mediante la aprobación respectiva de la Secretaría de Instucción Pública y Bellas Artes, a eminentes humanistas, de reputación universal, para que
vengan a presentar, en una serie de conferencias, durante un pequeño espacio de tiempo, el fruto de sus estudios, sobre partes bien elegidas de las materias de enseñanza, a fin de perfeccionar así, con especiales estudios analíticos,
los conocimientos que los alumnos y aun los profesores de la Subsección tengan en cuanto a puntos de excepcional interés.

Quedan abiertas las inscripciones de las materias a que esta Subsección
se refiere, y podrán inscribirse como oyentes todas las personas que lo deseen,

siempre que haya capacidad para recibirlos en las salas de clases y que se sometan a los reglamentos interiores de la Escuela.

México, 11 de abril de 1913.

EZEQUIEL A. CHÁVEZ

El plan de reforma de los estudios literarios fue aprobado parcialmente. Por esta razón, la revista *El Estudiante,* órgano del Centro de Estudios Católicos, dirigida por Julio Jiménez Rueda, después reconocido discípulo de Pedro Henríquez Ureña, y catedrático e historiador de las letras mexicanas en la Universidad Nacional Autónoma de México, recabó la opinión de distinguidos catedráticos y especialistas en la materia. Por supuesto, Pedro Henríquez Ureña fue uno de estos especialistas llamados a opinar. He aquí el texto de la mencionada revista y la carta de Pedro Henríquez Ureña:

Si las reformas parciales a un plan de estudios, forman un acaecimiento importante en la educación; el cambio de orientación en un sistema seguido durante muchos años es un suceso de trascendental interés. La Escuela Nacional Preparatoria ha roto con la tradición que en principio siguiera: el sistema positivo que pocos buenos frutos diera, ha sido sustituído por otro, que aun no es posible determinar cuáles sean los resultados a que conduzca. Estando en la jurisdicción del programa que hemos marcado para *El Estudiante,* el estudio de reformas que atañen directamente a la vida escolar, tanto más si estas reformas repercuten en la educación general de la juventud mexicana, nos hemos propuesto obtener opiniones de personas de reconocida competencia sobre el plan tantas veces citado. Atendiendo a la invitación que les hiciéramos, los señores profesores Don Pedro Henríquez Ureña, profesor de la Escuela de Altos Estudios, y Lic. D. Roberto Esteva Ruiz, director del Museo Nacional, se han servido condensar su opinión en las cartas que a continuación copiamos: [Sólo damos aquí la de P.H.U.]

México, 30 de enero de 1914.

Sr. D. Julio Jiménez Rueda,
Director de *El Estudiante,*
Ciudad.

Muy estimado discípulo y amigo:

Como respuesta a su comunicación del 27 de los corrientes, relativa al nuevo plan de estudios de la Escuela Nacional Preparatoria, manifiesto a usted que en *términos generales* lo creo bueno, y acaso el mejor de cuantos haya tenido el plantel. Yo sé que esta opinión parecerá a muchos exagerada, y a los comtistas ortodoxos parecerá blasfemia; pero por fortuna el positivismo (aun el más tolerante, el de origen inglés), ha perdido ya mucho terreno en México, y no temo que la protesta asuma proporciones graves. El nuevo plan tiene defectos, bien lo sé, pero a mi juicio son mayores los méritos, y en esta breve contestación me limitaré a hablar de los méritos, que son los que comúnmente querrán desconocerse.

No me asusta la frecuente reforma de los planes de estudios, a pesar de los excesos a que puede llevar. En las instituciones libres (como lo son las Universidades europeas y norteamericanas en todo lo que atañe a Currículum y programas, aunque en otras cosas dependan de los Poderes Legislativo y Ejecutivo) el progreso es constante: cada año se introducen reformas y novedades, de acuerdo con nuevas orientaciones de la ciencia o nuevas necesidades sociales. En las instituciones totalmente sujetas por la ley a los poderes políticos (como por desgracia sucede en las escuelas todas de México) y en que, por tanto, no pueden hacerse constantes modificaciones, el progreso es más difícil, y tiene que realizarse, no por evoluciones, sino por *revoluciones*, o sean reformas completas de los planes de estudio. En Francia se ha observado (creo que es Lanson quien lo dice) que cada diez años es indispensable una reforma en la enseñanza secundaria. Aquí los cambios acaso sean más frecuentes; pero acaso también se necesiten más.

El primitivo plan de Barreda tuvo excepcional importancia en su tiempo: no me refiero a su orientación positivista, —producto especial del momento,— sino a su extensión científica. Hubo exceso, sin duda, por lo menos en matemáticas; hubo, en cambio, demasiado pocas humanidades, rompiendo así con la mejor de las tradiciones intelectuales de México. Pero la renovación estuvo justificada: era necesario que las ciencias entraran en la cultura general de México, sustituyendo al excesivo estudio gramatical.

Como todo sistema educativo, al estancarse, produce pedantes, la Preparatoria, no vivificada ya por la presencia de Barreda, estaba produciendo pedantería científica, como la educación antigua produjo pedantería escolástica y pedantería gramatical. Los posteriores planes de estudio agregaron o corrigieron la tendencia inicial, el de 1907 procuró remediar las cosas, pero no lo logró porque no atacó de frente la tradición del fundador.

Ahora sí se ha hecho, con el nuevo plan. Se ha cambiado la distribución de materias; se han reducido a los términos necesarios las matemáticas, limitando el estudio de la trigonometría a solo la rectilínea y el del cálculo diferencial e integral y la geometría analítica a sólo simples nociones elementales sobre las nociones de su representación gráfica así como derivada e integrales; se ha concedido tanta importancia a las humanidades como a las ciencias. Hay un error grave en la sátira que lanza el cronista de *El Estudiante* (número de este mes): la novedad del plan actual no consiste en haber vuelto del revés el anterior.* No: la serie de las ciencias abstractas fundamentales es y tiene que ser la misma que antes: Matemáticas, Física, Química, Biología, Psicología (aunque las tres últimas se estudian demasiado juntas). Pero las ramas concretas de esas ciencias sí pueden estudiarse desde los primeros años (así lo pedía Huxley, así se hace en Alemania, así se hace en muchos países): tal es el caso de la Zoología y de la Botánica, como estudios descriptivos que preparan a la síntesis de la Biología. Así, los estudios biológicos, que habían sido el punto de la cultura científica en la Preparatoria, tendrán ahora la extensión debida.

Con la Geografía, la Historia y las literaturas no se ha hecho sino extenderlas más, para realizar el equilibrio entre las ciencias y las humanidades. La adición, por ejemplo, de la historia del arte, la estimo acertadísima.

Por fin, la Filosofía ha reaparecido, de acuerdo con las ideas de Boutroux, de Eucken, de Paulsen y de otros grandes pensadores y educadores. Esta reaparición es quizá el principal ataque a la tradición de Barreda, negadora de toda filosofía que no se limite a hacer síntesis de las ciencias positivas. La filosofía que se enseña ahora en la Escuela Preparatoria no será la positivista (como lo estaba haciendo implícitamente) ni ninguna otra en particular: será la exposición de los grandes problemas (el conocimiento, la existencia del mundo, el valor de la vida) y la discusión de las principales resoluciones que han propuesto los filósofos.

Termino, mi estimado discípulo, manifestándole que este plan no es obra exclusiva, ni mucho menos, de mis excelentes amigos los señores García Naranjo y Valenti, sino en gran parte del Consejo de la Universidad Nacional. Y que creo que mi opinión está libre de prejuicios, —a pesar de la parte, pequeñísima, tal vez, que me tocó en la elaboración del plan definitivo,— porque mis ideas personales tienden a una reforma mucho más completa.

IX. Conferencias en la Universidad Popular y la Librería General. La Partida

La actuación de Pedro Henríquez Ureña, tanto en la Escuela Preparatoria como en la Escuela de Altos Estudios de la Universidad de México, fue brillante y fructífera. Hemos consultado a algunos de sus alumnos de entonces. Todos coinciden en elogiar la solidez de sus clases, su método y la dedicación consagrada a sus alumnos, que se prolongaba fuera de las horas de clase y, en algunos casos, cuando el discípulo lo merecía, se transformaba en una verdadera tutoría. Además de las

---

* El cronista conoció el plan cuando el número había entrado en prensa, da la noticia como un rumor, ahora rectifica

clases ya mencionadas de literatura inglesa y el interinato de la cátedra de Urbina, parece que también desempeñó la de Historia de Literatura Española Medieval y la de Historia de la Lengua, además de un curso libre sobre problemas de literatura y cultura hispanoamericana. Por lo menos, podemos dar como datos documentados, los siguientes: En 1913 Alfonso Reyes fue designado Segundo Secretario de la Legación de México en Francia. Con tal motivo, debió solicitar licencia como profesor de Lengua y Literatura Castellana en la Escuela de Altos Estudios. La Dirección de la Escuela, por recomendación del propio Alfonso Reyes, llamó "al conocido literato don Pedro Henríquez Ureña, cuyos conocimientos en materia de literatura castellana son justamente estimados" (*El Imparcial*, 30 de agosto de 1913), para llenar dicha vacante. Sin duda, Luis G. Urbina también debió retirarse de la cátedra en los primeros meses de 1914, porque en el mes de abril el Director de la Escuela, Lic. Ezequiel A. Chávez, propuso que se nombre profesor de Literatura mexicana-hispanoamericana al señor Lic. Pedro Henríquez Ureña, según noticia que aparece en *El País* (México, 22 de julio de 1914); la misma noticia agrega: "Como este profesor se encuentra en el extranjero [se había ido a Cuba en la primera semana de abril de ese año], pide le sea extendido nombramiento de propietario al aludido, y que se nombre interinamente para que lo sustituya al joven Antonio Castro Leal, que con gran acierto viene desempeñando la clase de Literatura correspondienre al quinto año en la Escuela Nacional Preparatoria". Con respecto al curso extraordinario sobre literatura hispanoamericana, consagrado exclusivamente a problemas de la historia intelectual, con especial referencia a México, Cuba y Santo Domingo, el dato aparece publicado en *El Fígaro*, La Habana, 12 de abril de 1914, página 174.

Como labor de cátedra deben ser considerados serios trabajos de investigación en el campo de cada una de las materias que tuvo a su cargo. En literatura inglesa y norteamericana quedan numerosos estudios sobre la poesía y la prosa, el ensayo y el teatro de dichas literaturas, que fueron publicados con posterioridad. Baste con recordar aquí la revisión que hace de los conceptos vertidos por Menéndez y Pelayo sobre la literatura inglesa, publicados con el título de "La Inglaterra de Menéndez Pelayo" en *La Cuna de América* (Tercera Epoica, Año III, Números 80, 81, 22 de febrero de 1914 y 28 de febrero de 1914), y los "Veinte años de literatura norteamericana", publicado en la revista *Nosotros* de Buenos Aires (Año 21, t. 57, agosto-septiembre 1927, pp. 353-371) y recogido en *Seis ensayos en busca de nuestra expresión* (Buenos Aires, 1928). Con respecto a la literatura española, los ensayos no fueron menos numerosos e importantes. Pero más me interesa destacar la forma como supo mantener en muy alto nivel la cátedra que le confió Urbina, o sea la de literatura mexicana. De esa época son dos estudios fundamentales, por su erudición y originalidad, que completan los ya publicados en la *Antología del Centenario*. Nos referimos a "Traducciones y paráfrasis en la literatura mexicana de la época de la independencia (1800-1821)", publicado en *Anales del Museo Nacional de Arqueología, Historia y Etnografía* (México, vol. 5, julio-agosto, 1913 y tirada aparte) y "La métrica de los poetas mexicanos en la época de la independencia", discurso de recepción en la sesión del 2 de octubre de 1913, en que fue incorporado a la Sociedad Mexicana de Geografía y Estadística (publicado en el *Boletín de la Sociedad Mexicana de Geografía y Estadística*, México, t. 7, 1914, pp. 19-28). Con respecto a la literatura mexicana hay que decir que Pedro Henríquez Ureña se había propuesto una revisión total de sus figuras comenzando con la época de la Colonia. Entre sus trabajos publicados y los que quedaron sin publicar y que hoy se guardan en hojas sueltas[129] en el archivo que conserva su hija Sonia, se encuentran algunos que hicieron época, tanto por su labor de erudición como por la originalidad interpretativa. Tales, por ejemplo, las notas "En pro de la edición definitiva de Sor Juana", que empezó por esa fecha y que se fue aumentando año tras año, y la ya célebre conferencia en la librería de Gamoneda sobre Juan Ruiz de Alarcón, que tanto ha dado que hablar a la crítica y de la que se hicieron repetidas ediciones. Agreguemos la conferencia pronunciada en el Ateneo de México en 1912 sobre Rafael Cabrera y su libro *Presagios*, en agosto de 1912 y el primer esbozo de un posterior estudio sobre Enrique González Martínez, que escribió en 1914 y publicó con el título de "El poeta del día en México" en *El Fígaro* (La Habana, 12 de abril de 1914). Y no solamente las letras de México, sino las artes, como la arquitectura, por ejemplo, el pensamiento y la cultura general, fueron objeto de su devota atención. Así lo prueban sus estudios, aunque publicados en forma de reseñas, sobre la filosofía de Caso, la arquitectura mexicana, la pintura de Rivera o el barroco en México. Como visión totalizadora de la época en que le tocó actuar quedan su ensayo sobre "La influencia de la revolución en la vida intelectual de México" y el célebre discurso en la inauguración de los cursos de 1914 en la Escuela de Altos Estudios, titulado "La cultura de las humanidades".

Y como si esto no fuera suficiente, la actividad de Pedro Henríquez Ureña estuvo pronta para animar cuanto movimiento se iniciara en pro de la vida cultural y artística. Prueba de ello son las numerosas participaciones en núcleos y centros que auspiciaban conferencias y otros actos artísticos, así como las numerosas crónicas sobre representaciones teatrales y acontecimientos artísticos y musicales. Solamente mencionaremos algunos. Al crearse la Universidad Popular, de inmediato se propició un ciclo de conferencias. Entre los participantes de este ciclo, según la *Gaceta Musical* (noviembre 1o. de 1913), de la cual Pedro Henríquez Ureña era uno de sus directores, figuran: Alfonso Pruneda, Felipe Sierra, Carlos González Peña, arquitecto Federico E. Mariscal, Genaro Escalona, Jorge Engerrand, Martín Luis Guzmán, Erasmo Castellanos Quinto y Pedro Henríquez Ureña. Este dio su conferencia el 17 de octubre sobre Wagner. El año siguiente, según *El Imparcial* (30 de noviembre de 1912) repite la conferencia sobre el tema en el edificio del Orfeón de la ciu-

---

[129] Véase ahora la edición de *Estudios Mexicanos* de P.H.U. con prólogo de José Luis Martínez (México: Secretaría de Educación Pública. Cultura-SEP, 1984).

dad de México. En la misma Universidad Popular dio otras dos conferencias sobre música: una sobre Verdi y otra sobre Strauss. En la Asociación Cristiana de Jóvenes fue el orador oficial del homenaje rendido a Justo Sierra por la Escuela de Altos Estudios y la Universidad Popular, el 28 de septiembre de 1913 (*El Diario*, 28 de septiembre de 1913). Asimismo fue el orador oficial en el acto del 26 de noviembre de 1913, "Velada literario-musical", en honor del director de la Escuela de Altos Estudios, Dr. Ezequiel A. Chávez. En tal oportunidad se le obsequió un álbum con dedicatoria de los alumnos y profesores de dicha escuela. Pedro Henríquez Ureña escribió en dicho álbum:

> La alta cultura, pensaba Renán, es tan indispensable para los pueblos como la cultura popular; más tal vez, porque la alta cultura da un centro a la vida intelectual de un país, y desde él se difunde necesariamente la educación hacia todas las regiones de la sociedad.
>
> En México, a pretexto de educación popular (aunque ésta apenas existe aún), se ha pretendido desdeñar los centros de alta cultura, y el resultado ha sido la desaparición de aquéllos grandes esfuerzos intelectuales iniciados en el siglo XVIII y extinguidos en la segunda mitad del XIX.
>
> Don Justo Sierra y D. Ezequiel A. Chávez han restaurado la organización de la alta cultura en México. Pero al Dr. Chávez se debe ahora algo más: el extraordinario esfuerzo de poner en acción, de llevar a la práctica, la organización proyectada en 1910. México nunca podrá pagar esta labor al Dr. Chávez.
>
> México, noviembre de 1913.

En este plan de conferencias, no fueron pocas las veces en que le tocó presentar a algún visitante distinguido, quien, en ocasiones, llegaba a México por su intermedio. Las invitaciones a Manuel Ugarte y a Pedro González Blanco pueden citarse como ejemplos de esta participación de Pedro Henríquez Ureña. Según *El Diario* (23 de enero de 1912) Pedro González Blanco dio su conferencia en la Preparatoria el día 22 de ese mes y año, y fue presentado por Pedro Henríquez Ureña. Con respecto a Manuel Ugarte, hubo acontecimientos políticos que impidieron su llegada a México. La revista *Ateneo* (Santo Domingo, abril de 1912) nos informa:

> En enero, sin que fuese óbice la alarmante situación del país en lucha armada, mientras, por torpes incidentes, nada pudo lograr en pro de sus empeños Manuel Ugarte, apareció en el seno de los jóvenes ateneístas y fué favorablemente acogido otro conferencista español Pedro González Blanco, distinguido traductor de Nietzsche, a quien presentó, con mención honorífica del mismo y de sus hermanos, todos ilustrados, nuestro ilustre compatriota Pedro Henríquez Ureña. Con galantes conceptos, en honra de los Henríquez y de los Ureña, abrió su nutrida y brillante conferencia el escritor y conferen-

cista, ante un auditorio cultísimo, y discurrió con cabal éxito —según *El Imparcial, El País* y otros periódicos mexicanos— acerca de la *misión de la juventud hispano-americana.*

Como una muestra de esta participación e influencia de Pedro Henríquez Ureña en los diversos ámbitos de la vida cultural de México, reproduciremos a continuación un interesante diálogo que incluye Luis G. Urbina en su estudio titulado "Un insigne autor mexicano. Alfredo Gómez de la Vega" (*Excélsior*, 8 de julio de 1923, p. '4):

Allá, por el año de 1913, un jovenzuelo de 20 años, con aspecto de estudiante pobre, me esperaba a la puerta de mi casa. Al llegar yo, salióme al encuentro, y, comedidamente, me dijo, en brevísimas palabras, sus pretensiones. Me pidió una cita para una cosa que me hizo sonreír: para que le oyese recitar versos.

—¿Es usted alumno del conservatorio? —le pregunté—. ¿Está en la clase de declamación? ¿Va usted a examinarse?

—No señor, —me contestó.

—¿Entonces?...

—Es que me interesa conocer la opinión de usted. Tengo referencias de que acostumbra darlas sinceramente. Quiero dedicarme al teatro. Soy estudiante de la Escuela de Jurisprudencia. Pero me domina esta inclinación: la del tablado.

Al escuchar esta rápida confidencia, recuerdo como me picó la memoria la sátira de Fígaro. Y me pensé irónicamente: este chico quiere ser cómico. Como aquél.

Eché sobre él una discreta ojeada. El cuerpo, un poco bajo de estatura; fuerte de tórax, no largo de piernas, de brazos bien proporcionados y manos ricas de gesto. La cabeza correcta, fina, pálida y nerviosa. En el rostro, de perfil romano, se destacaban, una hermosa frente acusadora de terquedad, y unos grandes y obscuros ojos por los que pasaban, a cortos intervalos, los resplandores del incendio interior. La figura resultaba simpática.

—¿Quién sabe? —dije para mi coleto.

—Acaso sí. —Y calculando, en un instante, el tiempo de que podría yo disponer, insinué:

—Venga usted a las cinco y media de esta tarde. Lo oiré, y le comunicaré mi impresión.

Efectivamente: A la hora convenida, en el Salón de Juntas de la Biblioteca Nacional, Pedro Henríquez Ureña y yo, sentados en cómodos sillones y acodados en la descomunal mesa, de roto tapete, empezamos a oir al joven recitador, que, en pie, al extremo opuesto, no decía sólo, sino que declamaba, versos de Gutiérrez Nájera, de Guillermo Valencia... ¡qué sé yo!— de poetas americanos. Y luego, el Raymundo Lulio de Núñez de Arce, y, al final, un monólogo, en prosa, compuesto por el propio recitador.

La voz del muchacho era cálida, musical, baritonal, de extenso diapasón y agudos agradables. Estaba manejada con torpeza, con cierto cursi afán de forzarla y elevarla en descompuestas entonaciones. No sabía contenerla ni matizarla. Se dejaba arrebatar por la exaltación de un brioso temperamento. Pero en aquellas altisonancias, un tanto monótonas y fatigosas, ¡qué vibración, qué pasión, qué trasmisora facultad emotiva, qué derramamiento de alma, y, en particular, qué compresión, compenetración diré mejor, al interpretar el sentido lírico de los poemas recitados! La mímica era desmañada, pero no inexacta ni tonta. La gesticulación vacilante, pero no falsa ni insincera. Todo estaba, expresado con cierta inseguridad, pero entendido con mucha perspicacia y con extraordinaria advinación sentimental.

Lo presentimos Henríquez Ureña y yo. Teníamos enfrente a un principiante dotado de facultades de excepción. No vacilamos en decírselo, indicándole, a la vez, lo que creíamos defectuoso en sus interpretaciones. En realidad, sus defectos eran excesos. Volaba muy bien ese espíritu; mas con frecuencia los vuelos perdían orientación. Había que contener el impulso de las alas.

El muchacho, a quien felicitamos efusivamente, se conmovió, nos dió las gracias y se fué, con sonrisa de visible contento.

Poco después, para allegarse recursos, y emprender un viaje a España, en donde quería perfeccionar el arte y dar principio a su carrera, anunció unas veladas literarias y musicales en las que le ayudaron gentes de reputación y prestigio . . .

Después de todo lo que hemos visto, podemos asegurar que la venida de Pedro Henríquez Ureña a México fue una decisión singular, necesaria para determinar el destino de una vida. Pedro Henríquez Ureña encontró en México lo que iba buscando: una afirmación de su propio ser dentro de un ámbito cultural que le permitiese una valoración más alta y segura que la que hubiera podido lograr en países de menor tradición y significación histórica que México. Al mismo tiempo halló aquí lo que después fue el desiderátum de todas sus búsquedas y el contenido esencial de su obra: un sentido de la América hispánica. Cuando llegó a México, como él mismo confiesa, no tenía otra actitud filosófica ni otra visión del mundo y de la vida que la de su educación positivista. Rubén Valenti y Gómez Robelo le empezaron a descubrir otro mundo: el de Schopenhauer y el de Nietzsche, que abrieron los caminos para una valoración más amplia de las ciencias del espíritu. El grupo de *Savia Moderna* y de la *Revista Moderna* le hizo conocer nuevas perspectivas literarias. El europeísmo que dominaba en México en la década de 1900 a 1910 le hizo meditar acerca de las necesidades de encontrar medios más adecuados para una definición cultural de los pueblos hispanoamericanos. Puede decirse que, a medida que Pedro Henríquez Ureña fue conociendo a México, fue adentrándose más en sí mismo y en América, en nuestra América, esa América que exhibía los grandes monumentos de las culturas indígenas, un poco sepultadas por el olvido y el menosprecio del propio pueblo que todavía no había aprendido a valorarlas y a respetarlas; y fue adentrándose también en el más hondo y auténtico espíritu español, un tanto desvirtuado a partir de la dominación borbónica en la península. En Ménéndez y Pelayo vio Pedro Henríquez Ureña algunos de los elementos y virtudes que se requerían para una restauración del sentido de lo hispánico y latino en nuestra cultura. Pero Pedro Henríquez Ureña no era católico, ni reaccionario como el erudito maestro español. De ahí que lo que don Marcelino le daba era más bien la responsabilidad del saber y el contenido humanístico de la vida, la disciplina en el trabajo y el respeto a los valores permanentes de las ciencias, las letras y las artes. En realidad, Pedro Henríquez Ureña venía ya preparado para coincidir, en educación, intereses y búsquedas, con el sector joven mejor cultivado de México. Como ellos traía la avidez por lo nuevo y la necesidad de cimentarse en un criterio cierto y en una orientación segura. 1907 fue el año definitivo. 1909, el año de los frutos y las decisiones. 1910, el año de la consagración. Y aunque de 1913 a 1916 llame Pedro Henríquez Ureña los *años terribles* de México, cabe afirmar que es en 1914 cuando realmente se define la *mexicanidad*. Precisamente es el año de su definición de los elementos mexicanos en la obra de Alarcón, y sobre todo, de una coincidencia de grupo, que es como un asentimiento tácito y de su cultura, que es, en definitiva, el sentido y la intención de las conferencias dadas en la "Librería General" del 22 de noviembre de 1913 al 10 de enero de 1914.[130] Recordemos títulos y nombres, según una *brochure* de las mencionadas conferencias:

1. Luis G. Urbina, "La literatura mexicana" (Nov. 22, 1913).
2. Manuel M. Ponce, "Música mexicana" (Nov. 29, 1913).
3. Pedro Henríquez Ureña, "Juan Ruiz de Alarcón" (Dic. 6, 1913).
4. Antonio Caso, "La filosofía de la intuición" (Dic. 13, 1913).
5. R. P. Manuel Díaz Rayón, S. J., "El último libro de Maeterlinck" (Dic. 20, 1913).
6. Gonzalo de Murga, "Un epicúreo" (Dic. 27, 1913).
7. Federico Gamboa, "La novela mexicana" (Enero 3, 1914).

[130] Al mismo tiempo Pedro Henríquez Ureña difundía, en la cátedra, en estudios y en conferencias, la cultura de países no hispánicos especialmente de la lengua inglesa. Prueba de ello es, entre otras, la conferencia que podríamos llamar de literatura comparada, de la que se da noticia en los periódicos de la ciudad de México en enero de 1914. Se titula "El hombre del siglo XX: Bernard Shaw", conferencia pronunciada por Pedro Henríquez Ureña en la Asociación Cristiana de Jóvenes como representantes de la Universidad Popular Mexicana, según reza en la tarjeta de visitación. La pronunció el 7 de enero de 1914, según noticia de *Novedades*, México, 21 de enero de 1914, en donde se hablara de una "función en honor de P.H.U., profesor de la Escuela de Altos Estudios y de la Universidad Popular Mexicana" y se agrega "... uno de los más cultos y entendidos [profesores] que en México viven".

8. Arq. D. Jesús T. Acevedo, "Arquitectura colonial en México" (Enero 10, 1914).

Según una nota de Pedro Henríquez Ureña escrita sobre el programa que estamos usando: "Posteriormente hubo que cambiar las fechas, substituyendo una por otra, de las conferencias de Caso y Ponce. La de Acevedo fue el 17 de enero, y el 10 habló D. Leopoldo Escobar sobre "La tradición". La conferencia de Murga está dedicada a Antonio Caso y Pedro Henríquez Ureña. Se publicó en el diario *El Correo Español*".

Las dos conferencias que definen el espíritu de toda la serie son la de Pedro Henríquez Ureña y la del Arq. Acevedo. Sobre ambas hay una gran cantidad de notas y comentarios en los periódicos de la época. La de Pedro Henríquez Ureña sobre Alarcón tuvo una repercusión más amplia, extensa y duradera. Como un índice general, que resume el sentir y la opinión de todos los comentarios del momento, reproduciremos el artículo aparecido en la *Gaceta Musical*. Revista de información artística y literaria, cuyos directores eran Gustavo E. Campa y Pedro Henríquez Ureña, el 1o. de enero de 1914, bajo el título de:

Conferencias

Estudios sobre el espíritu mexicano en el arte

Triunfo sin precedentes está alcanzando la original idea del entusiasta y culto caballero español D. Francisco J. de Gamoneda, gerente de la Librería General, de organizar una serie de ocho conferencias para inaugurar el artístico establecimiento.

La serie que se inauguró el 22 de noviembre último, comprende la conferencias siguientes: La literatura mexicana, por D. Luis G. Urbina, director de la Biblioteca Nacional; La filosofía de la intuición, por D. Antonio Caso, director de la Escuela de Altos Estudios; D. Juan Ruiz de Alarcón, D. Pedro Henríquez Ureña, profesor de la Escuela de Altos Estudios; La música mexicana, por D. Manuel M. Ponce, profesor del Conservatorio Nacional; El último libro de Maeterlinck, por el P. Manuel Díaz Rayón, de la Compañía de Jesús; Un epicúreo, por D. Gonzalo de Murga; La novela mexicana por D. Federico Gamboa, C. de la Real Academia Española; La arquitectura colonial en México, por el arquitecto D. Jesús T. Acevedo, profesor en la Escuela de Ingenieros y la Academia de Bellas Artes. Estas dos últimas conferencias se darán los días 3 y 10 del presente mes de enero.

Rasgo característico de estas disertaciones, en su mayoría, ha sido la insistencia sobre temas mexicanos. Exceptúandose tres: la del Lic. Caso, brillantísima exposición de los principales puntos de vista de la filosofía en el siglo

XX, especialmente las ideas de Bergson; la del P. Díaz Rayón, estudio sobre el tema de *la muerte* según las ideas de Maeterlinck; y el ingenioso y ameno bosquejo de una psicología por el Sr. de Murga. Las otras tres que se han dado, y las dos que aun faltan, se refieren especialmente a México.

La del poeta Urbina es un interesante estudio a través del cual se busca lo típico del alma mexicana en la literatura, después de haber comprobado cómo se revela en otras manifestaciones sociales y artísticas. Al referirse a la arquitectura y a la música dice el Sr. Urbina: ". . . la mezcla de estas dos razas, la aborigen y la conquistadora, que han constituído el tipo del mexicano, del *mestizo* (llamémosle con el nombre evocador), ha producido alteraciones psicológicas que los sabios estudian ahora en el fondo de sus gabinetes. Medidas antropológicas, cálculos comparativos, investigaciones minuciosas patentizan, según se dice, que la estructura corporal del mexicano difiere del tipo español tanto como del americano. Fisiológicamente no somos ya ni éste ni aquél; somos otros, somos nosotros, somos un tipo étnico diferenciado, que, no obstante, participa de ambas razas progenitoras. Y una y otra luchan por coexistir, por sobrevivir en nuestro organismo.

"Pues bien: —me interrogué— por qué lo que acontece en el mundo fisiológico no ha de haber acontecido en el psicológico. Indudablemente que sí. Esa misma mezcla, ese mismo combate, esa misma coexistencia se verifican en las regiones del espíritu y han acabado por producir un tipo psíquico, bien determinado y diferenciado, y paralelo al nuevo tipo psicológico del mexicano.

"Entonces ví a mi alrededor. Y atentamente me puse a hacer un somero análisis del ambiente nacional. Sacando mi reflexión de la literatura, la dirigí hacia otras ideas correlativas a la que servía de objeto a mis investigaciones: pensé en la arquitectura y en la música. Y pensé en ellas, porque, siendo individuales, interpretan menos los sentimientos personales que los colectivos o sociales. Nada retrata mejor a un pueblo, si atentamente se considera, que sus edificios y su música. La arquitectura —dice un esteta moderno— es una música de líneas; la música es una arquitectura de sonidos. Están destinadas a la colectividad, y muchas veces son anónimas, y con frecuencia son resultado de oscuras colaboraciones. En ellas reside, como en ningunas otras de las bellas artes, el alma de un pueblo. Si es así, recordemos nuestras viejas casas coloniales, nuestras viejas iglesias, nuestras viejas fuentes, y las encontraremos con su sello peculiar, con su aspecto característico, con sus rasgos distintivos, con sus elementos propios que hacen variable el conjunto y le dan una tonalidad que no es española, ya, sino mexicana, para decirlo de una vez. Los materiales, el azulejo y el *tezontle*, combinados o aislados, contribuyen a peculiarizar las construcciones. Y en seguida el pormenor, la alteración caprichosa de los estilos, el labrado por el cual se desliza alguna greca precortesiana, la exhuberante floración, la hojarasca de piedra de Churriguera, retocada aquí y allá por un deseo más vivo de ornamentación excesiva, tal cual *motivo* que recuerda vagamente el encaje de los del *teocalli*. todo viene a peculiarizar la arquitectura de los tiempos devotos y fastuosos, durante los cuales se fue formando el espíritu nacional, ese que, difundiéndose y multiplicándose, ha de uniformar a este país tan interesante y tan desventurado, que está en peligro de perecer si no se logra al fin este magno propósito.

"¿Y la música? Cuando oímos una canción lánguida, sensual y llorosa, una danza que dulcifica la voluptuosidad con una enfermiza ternura, una melodía simple y apasionada, que prolonga en gemebundos calderones, sus quejas triviales y penetrantes, ¿no decimos: esta música es mexicana? La guitarra andaluza no es rasgueada aquí para acompañar cantos muelles de pereza oriental, ni suspiros de amor gitano; aquí todo ello se transformó en la ardiente danza costeña, hecha con hervores de sangre africana; en la erótica y triste canción del *Bajío*, hecha con besos y lágrimas; en las *Mañanitas* frescas y alegres como una aurora; en el *Jarabe Tapatío*, retozón, epigramático y picaresco, como un galanteo ranchero. Esta es otra revelación que nos distingue y nos desata los lazos hereditarios de España; el mexicanismo musical completo. Canta, dentro de él, la sensibilidad popular."

La de Pedro Henríquez Ureña sostiene la tesis de que en la obra dramática de Alarcón se revela a menudo el espíritu de un mexicano, contra la idea, corriente hasta ahora de que las comedias del autor de *La verdad sospechosa*, aunque peculiarísima en sus caracteres, nada debían a la patria del poeta.

La disertación de Ponce fué ilustrada por el autor con unas quince transcripciones y arreglos suyos sobre temas populares: fueron acogidos con el entusiasmo que siempre ha despertado la admirable labor nacionalista de Ponce.

El público que concurre a las conferencias no podría ser más brillante; todo el mundo intelectual y artístico, y no pocas familias distinguidas. Mencionaremos al Lic. Nemesio García Naranjo, Ministro de Instrucción Pública; arquitecto Federico E. Mariscal y señora Eloísa Abascal de Mariscal, arquitecto Nicolás Mariscal y señora; señora viuda de Ramos y señorita Sara Ramos, señora Cristina Méndez de Regil, señoritas Luisa y Eva Hernández, D. Ismael Palomino y señoritas Palomino, señorita Izábal Iriarte, Dr. Alfonso Pruneda y señora Dolores Batres de Pruneda, señoritas Artemisa y Julieta Elizondo, Lic. Demetrio Sodi, ex Ministro de Justicia, Dr. Eduardo Liceaga, director honorario de la Escuela de Medicina, Lic. Fernando González Roa, ex Subsecretario de Gobernación; Lic. Antonio de la Peña y Reyes, ex Subsecretario de Relaciones Exteriores; D. Julián Carrillo, Director del Conservatorio Nacional; D. Gustavo E. Campa, ex Director del mismo plantel; D. Luis Moctezuma, D. Telésforo García, Lic. Roberto A. Esteva Ruiz, Director del Museo Nacional, Dr. Fernando Zárraga; Dr. César Margáin; D. Manuel G. Revilla, de la Academia de la Lengua; D. Alfredo Ramos Martínez, Director de la Academia de Bellas Artes; D. Manuel Romero de Terreros, Marqués de San Francisco; D. Jaime Martínez del Río y Vinent, D. Antonio Álvarez Rul y Cortina; D. Emilio Pardo Aspe, Lic. Jenaro Fernández Mac Gregor, Lic. Roberto Múñoz Prida, Lic. Julio Torri, D. Manuel Herrera y Lasso, D. Guillermo Zárraga, D. Rafael Cuevas, Dr. Max Leopold Wagner, de la Sociedad Hispánica; D. Enrique Fernández y Granados, Presbítero D. Mariano Cuevas, Lic. Antonio Ramos Pedrueza, D. Rafael Ramos Pedrueza y señora, señora Laura Méndez de Cueva y señorita Cuenca, señora Maura Ogazón viuda de Herrera y señorita María Luisa Ross, ingeniero Manuel Torres Torija y señora Raquel Díaz Barreiro de Torres Torija, ingeniero Jesús Galindo y Villa y señora, señora Ana West de Guzmán y señoritas Mercedes y María Guzmán, D. Alfonso Herrera y señora, arquitecto D. Carlos Herrera y señora, señora Elvira Peña viuda de González y señoritas Paz y Elvira González Peña, D. Armando García Núñez y señora Luz Gallegos de García Núñez, señor Peón del Valle y señora Fabrés de Peón del Valle, señor Gómez Mayorga y señora Ana María Valverde de Gómez Mayorga, señorita Julieta Parrodi, señorita Jenny Bozzano, señorita Adela Vázquez Schaffino, señorita Isabel Ramírez Castañeda, Lic. Rafael Aguilar y Santillán y señora, señoritas González Salas, Dr. Tomás G. Perrín, D. Leandro Izaguirre, D. Gonzalo Argüelles Bringas, D. Francisco de la Torre, D. Saturnino Herrán, D. Alberto Garduño, D. Carlos Zaldívar, Lic. Mariano de Silva y Aceves, Lic. Alejandro Quijano, D. Francisco Quijano, Lic. Honorato Bolaños, D. Nicolás Rangel, D. Enrique M. Santibáñez, D. Alberto M. Carreño, Dr. Alfonso G. Alarcón, Lic. Ignacio Pérez Salazar, Lic. Delio Moreno Cantón, Lic. Antonio Mediz Bolio, D. Eugenio Zubieta, Dr. Rafael Sierra, ingeniero Angel Anguiano, Dr. Daniel M. Vélez, ingeniero Rafael de la Mora, Lic. Erasmo Castellanos Quinto, arquitecto Eduardo Macedo y Arbeu, D. Alberto Herrera, D. José de J. Núñez y Domínguez, D. Antonio Castro Leal, D. Leopoldo de la Rosa, D. Julio Jiménez Rueda, D. José Torres Palomar, Lic. Manuel A. Chávez, D. Lorenzo B. Serrano, director del *Correo Español*; D. Pedro Marroquín, director de *Novedades*; D. José M. Cuéllar, director de *La Ilustración Semanal*.

En enero de 1914 Pedro Henríquez Ureña fue designado corresponsal en México de *El Fígaro* de La Habana, Cuba. Dicho diario, en nota del 11 de enero de 1914, hace el elogio de nuestro autor; dice, entre otras cosas, que ha sido "uno de los más asiduos colaboradores de *El Fígaro*, en donde tanto se le admira y estima". Para fines de marzo de ese año ya está decidido el viaje de Pedro Henríquez Ureña a Cuba y Europa. El 2 de abril de 1914 *El Imparcial*, registra la crónica de una cena de despedida que los amigos de Pedro Henríquez Ureña le dieron en el restaurant de la Paix. Pedro Henríquez Ureña figura allí como "Secretario de la Universidad de Altos Estudios y ex-Profesor de Literatura Española". Se dice que "se embarcó anoche rumbo a Londres, a donde va con una comisión de su país, Santo Domingo". Y agrega:

Entre las personas que asistieron al banquete, figuraban las siguientes: Licenciado don Rubén Valenti, Subsecretario de Instrucción Pública; don Telésforo García, Representante de Santo Domingo; don Enrique González Martínez, ex-Subsecretario de Instrucción Pública; don Luis G. Urbina, Director de la Biblioteca Nacional; don Antonio Caso, Director de la Escuela de Altos Estudios; doctor Alfonso Pruneda, arquitecto don Federico Mariscal, don Angel Zárraga, arquitecto don Jesús T. Acevedo, licenciado Jenaro Fernández Mac Gregor, licenciado Alejandro Quijano, don Emilio Pardo Azpe, don Antonio Álvarez de la Cortina, don Nicolás Rangel, don Alfonso Cravioto, don Carlos González Peña, licenciado don Manuel Herrera y Lasso, licenciado Honorato Bolaños, profesores don Antonio Castro Leal, don Alberto Vásquez del Mercado y don Manuel Toussaint, Jr., don Carlos Díaz Dufóo, don José Estrada Otamendi y don Francisco J. Gamoneda.

El señor Ministro de Instrucción Pública y Bellas Artes, don Nemesio García Naranjo, envió una cariñosa tarjeta al señor Henríquez Ureña, excusándose de asistir por compromiso de familia.

A los postres dijeron versos los poetas Urbina, González Martínez y Zárraga, a quienes la concurrencia aplaudió calurosamente.

Como vemos, el último día de esta primera estancia de Pedro Henríquez Ureña en México fue el 1o. de abril de 1914. Pedro Henríquez Ureña debió sentir una profunda desgarradura al despedirse de México y sus amigos, pues a ellos los sintió y amó con amor y sentimientos sinceros, lo mismo que a sus monumentos antiguos y a su paisaje presente. Precisamente antes de irse dejó escritas poemáticas descripciones del Popocatépetl y los alrededores de Xochimilco, que reproducimos, para cerrar dignamente esta primera revista de Pedro Henríquez Ureña en México.

Convinimos en ir al Popocatépetl, por el lado sur, al día siguiente: en el lado sur, donde la nieve comienza después de 5,000 metros de altura, es donde tiene Murillo su choza y donde pinta; allí decidió fijarse después de haber recorrido el volcán por diversos puntos. Por el lado norte, como los vientos fríos no derriten la nieve, ésta comienza a 4,000 metros de altura, unos 100, o poco más, sobre la aldea de Tlamacas; por allí, sin embargo, es mucho más fácil la subida hasta la cúspide, porque la pendiente es menos empinada.— Volvimos al Sacro Monte para hacer más ejercicio, y regresamos a hacer preparativos. Dormí nuevamente en el suelo, en la casa de Murillo, como quería hacerlo para *endurecerme* un poco; pero, habiéndome dormido a las 11, desperté antes de las 4 de la mañana, todo magullado, doliéndome la cabeza, y el cuello, y el pecho. Desde las 5 llegaron los caballos, pero, con los preparativos, no pudimos salir sino a las 6 y media. Antes de las 7 estábamos fuera del pueblo, el cual, como está formado por casas grandes de un piso, tiene una enorme extensión. Ibamos Murillo, Galván, Henríquez y yo; el indio sirviente de Murillo, que es práctico en estos caminos, y otros dos indios cargando una enorme tela de pintar. Murillo y sus indios, a pie; él no iba ya descalzo, sino con *cactlis*. A las nueve de la mañana, habiendo desayunado ya en el pueblo de San Pedro (pueblo de indios, lleno de perros vigilantes y labradores), me sentía ya perfectamente: el magullamiento pasó, y todo el día estuve ya bien.

Como a las diez comenzamos a subir montañas, y sólo por intervalos de cinco minutos dejó de ser pendiente empinada el camino. El bosque debiera ser exuberante, pero se incendió en 1872, y además se han cortado muchos troncos, así es que casi todos los árboles son jóvenes. El sol quemaba como en las tierras bajas del trópico; y yo me quemé como si a ellas hubiera bajado. Como a la una de la tarde llegamos a un *améyatl*, lugar de agua, y nos bañamos; Murillo, al modo ruso o turco, primero se introduce en la tierra caliente y luego se lanza al agua helada. A las dos llegamos a la cabaña de Murillo; prendimos lumbre, y comimos. La carne asada sabía espléndidamente. Anduvimos sobre la montaña: el lugar está a una altura entre 4,700 y 4,800 metros, y a 50 metros más ya no hay vegetación; allí mismo, los árboles vivos son poquísimos; todos tienen las ramas torcidas hacia el Nordeste, pues el viento que sopla del Sudoeste los ha deformado, y aun los que no tienen hojas conservan sus palos vueltos en esa dirección. Cuando la vegetación se acaba, todo es arenal que arde de día y se hiela de noche. Por esos arenales anduvimos, cada uno a su modo, y llegué hasta *la puerta*: de allí se divisan los valles, de tierra cálida, o semi-cálida, del Estado de Morelos; las pendientes son enormes. El ascenso por entre la arena es penosísimo; y al llegar arriba, me fue necesario bajar inmediatamente, pues iba cerrando el crepúsculo y se desencadenaba el viento helado. El descenso fue rapidísimo, —como unos quince minutos—, y llegué a tiempo para observar despacio la puesta del sol sobre el Nevado de Toluca, al Oeste, algo hacia el Sur, a unos 125 kilómetros de distancia: el sol se hundió como dentro del enorme cráter, mucho más ancho que él. Con espacios claros, se hubiera visto México, por lo menos de noche (la distancia es de unos 70 kilómetros); pero la atmósfera estaba cargada de polvo (al subir la montaña, nuestros caballos iban levantando polvaredas; siete meses hace que allí no llueve) y México no se distinguía sino como una mancha de polvo más espesa que las otras. Los colores del crepúsculo eran violentos; rojos, violetas, terrosos, negruzcos . . .

Murillo, después de devolver los caballos y el burro de carga con dos indios que trajeron su tela, formó, con sus cuadros, una nueva choza junto a la que allí tiene, hecha de palos y *zacates*. Comenzó a soplar el viento; prendimos hoguera, e hicimos la cena. A las ocho se pensó en dormir, y Galván, Murillo y su criado indio se fueron a la choza formada con telas de pintar. Henríquez y yo nos quedamos un rato fuera; cesó el viento, y pudimos pasearnos algo por la montaña, y ver la salida de la luna, cerca de las nueve. No había una sola nube, ni la hubo en todos los días de nuestra excursión, sobre la cumbre de los nevados.

Al fin entramos en la choza, la tapamos con un cuadro, y nos envolvimos en todos los cobertores que teníamos y en el *zacate*, yerba seca que conserva el calor por modo extraordinario. En toda la noche no sentimos fríos, sin duda porque había cesado el viento; pero no pudimos dormir, por la escasez de aire. Dormíamos media hora, y despertábamos de nuevo. La choza en que estuve era pequeña, y sólo caben dos personas en ella, y ésas sólo sentadas; en cambio, la choza temporal que estaba junto de ésta ni siquiera permitía sentarse. Galván pasó la noche nervioso por esa imposibilidad, y por los ronquidos del indio, y no quiso dormir allí la noche siguiente, como habíamos pensado. Nos decidimos, pues, a ensayar hacia el límite de las nieves, y trepamos nuevamente los arenales, con enorme esfuerzo; llegamos hasta el pico de Hueyatlaco (5,000 o más metros de altura): desde allí se divisa un inmenso panorama: se ve el descenso de las tierras frías hacia las tierras calientes, de Amecameca a Cuautla, una extensión de 150 kilómetros en semi-círculo (más bien un tercio de círculo). Frente a Hueyatlaco se levanta el Espinazo del Diablo, cuya punta está, según las medidas de Sonntag (en 1857) a 5,240 metros sobre el nivel del mar: doscientos metros más arriba está la cúspide del volcán: para subir al Espinazo, basta con descender de Hueyatlaco unos cincuenta metros y subir luego unos trescientos; sólo allí había grandes cantidades de nieve. Donde nos hallábamos, sólo había pequeñas cantidades de nieve entre los huecos de las rocas. Desde Hueyatlaco hicimos rodar una enorme peña: pareció rodar medio kilómetro, pero al fin se enterró entre la arena. Debajo de ella había una multiud de insectos pardos, quizás ciegos, que corrieron a esconderse. Estos animales, y los cuervos, que volaban en evoluciones rapidísimas y variadas, el cuerpo negro blanquéandoles en el sol, y graznando a ratos, con voz *gangosa*, fueron los únicos seres vivos que encontramos.

Descendimos, y emprendimos la bajada a las 12 del día. En un recodo de monte, frente al nuestro, estaba ardiendo un tronco, que se había incendiado el día anterior, al parecer por alguna hoguera que hubo allí días antes, y que habíamos divisado desde Amecameca, creyendo la hubieran encendido junto a la choza de Murillo. Murillo nos acompañó hasta el *améyatl*, donde nos bañamos y comimos, y regresó a su choza a quedarse completamente solo, pues su indio venía como guía nuestro. Descendimos a pie, rápidamente, por entre las pendientes llenas de polvo; del améyatl salimos a las 2, y llegamos a Amecameca poco después de las 7. Yo hubiera deseado quedarme todavía el día siguiente; pero Galván y Henríquez querían regresar a México, regresamos ayer lunes en la mañana. ¡Qué extraña sensación de angustia produce abandonar la naturaleza en que se ha vivido activamente para volver al imperfecto artificio de las ciudades! Yo ni siquiera había experimentado necesidades intelectuales: en los cuatro días sólo leí unas cien páginas de Henry James. Al regreso, México se veía envuelto en nubes de polvo . . .[131]

Y a continuación:

Abril 11

Ayer hice otra excursión, esta vez a Xochimilco, lugar que no conocía no obstante su proximidad a México. La noche del sábado estuve desveladísimo, con González Peña, Escofet y sus *catecúmenos*; me acosté a las 4, pero había quedado con el *gachupín* Federico Morales en ir a Xochimilco a remo, y a las 6 me fue a despertar. A las 7 estábamos en Jamaica, y alquilamos el bote: un bote ligerísimo, de bajo bordo, con dos remos; no podía ser más pesado, pues el canal es de poquísimo fondo, y durante la mayor parte del camino se está tocando el fondo con los remos. En las dos horas que siguen a la salida, cuando se va a remo, se encuentran pueblos: uno de ellos, el célebre de Santa Anita, donde se celebran las fiestas populares, de flores y canoas, el viernes de Dolores. Después, el camino es solitario: el canal es de igual anchura, hasta que se está cerca de Xochimilco; en los bordes hay largas arboledas, que parecen plantadas especialmente para sombrear el canal, pues lejos de la orilla hay pocos árboles; el agua es lodosa, pero por eso mismo refleja constantemente los paisajes y el cielo. En el agua hay peces y serpientes; éstas nadan, naturalmente, con la cabeza fuera del agua. Por el campo hay pájaros, a veces en grandes bandadas; hay gorriones y cuervos; ví también las primeras golondrinas de esta primavera. Los indios recorren constantemente el canal en toda clase de barcas: *trajineras* enormes a veces (balsas con bordo), cargadas de comestibles, de madera y aun de piedras; piraguas diminutas, que apenas se ven sobre el agua: parece que los que en ellas van se sostienen sobre la superficie acuática, como Jesús. Los medios de locomoción son variados: los remos, dos, o bien uno para ir vadeando, las palas que empujan, el tiro con cuerdas, por la orilla, por gentes o por animales: como recomendaba Hernán Pérez de Oliva que se hiciera para llevar las cargas por el Guadalquivir hasta Córdoba. El ascenso es lento, pues la corriente del canal va hacia México. A las 11 de la mañana llegamos a un sitio donde el canal se bifurca; por un lado se hace ancho y profundo, por el otro estrecho y de poca profundidad; pero el canal estrecho es muchísimo más corto que el ancho (es una cuarta parte de lo que es aquél). La mayor dificultad está en entrar en él: su entrada está llena de lodo, y el bote encalla, a pesar de su extraordinaria ligereza. Tuve que saltar yo a tierra, y Morales (que tiene sus puntos de marino, pues nació en la costa

---

[131] Véase "Memorias", pp. 127-136. Lo que transcribimos empieza en p. 132.

cantábrica, en el Ferrol) hizo, con grande esfuerzo, entrar el bote en las aguas navegables: en una de las vueltas que dió, hizo salir sobre las aguas una semi-circunferencia de lodo. Anduve una hora a pie, paralelamente al bote, y volví a él cuando el canal se hizo algo más profundo. Poco después de una hora llegábamos a Xochimilco: pueblo primitivo, cuyas casas están a orillas de canales, y cuya vida se debe a los pequeños plantíos (cuadros encerrados en agua) de frutos y flores, que llevan el nombre de *chinampas*. No saltamos a tierra al pueblo; así es que no vimos el centro, algo poblado, sobre tierra. La gente de Xochimilco vive en el agua; encontramos multitud de niños bañándose, algunos de ellos con *flotadores* fabricados de cañas, que se atan a las espaldas, y por la enorme pluralidad de canales hay siempre barcas. Fuimos hasta el llamado *ojo*, el lugar donde brota el agua, limpia y profunda: yo esperaba cosa mucho mayor, como los *ojos de agua* que hay en Santo Domingo, dentro de Cavernas, vastos y claros. Había un buen número de gentes de México; la mayor parte había ido en lanchitas de vapor. Nos entramos en un remanso, y nos bañamos rápidamente para recuperar fuerzas: el baño nos hizo espléndido efecto. Buscamos comida, y nos la dieron mala, y nos quisieron cobrar como a *yankees*: fue imprevisión no llevarla propia.

Eran ya pasadas las cuatro de la tarde; desde las dos el cielo amenazaba lluvia, pero de pronto parecía suspender sus amagos. De todos modos, queríamos llegar a tiempo, antes de las 7, hora en que se recogen los botes, y pedimos se nos atara a una de las lanchas de vapor para ser remolcados. Nos ataron a la lancha de unos *yankees*, pero los tales protestaron que tenían que llegar a prisa; la mujer que nos hablaba temblaba de indignación, y el hombre que iba con ella amenazaba fríamente con cortar la cuerda. La razón era toda de ellos, pues la empresa cometía un desacato al querer que nos remolcaran sin siquiera haberles pedido. Desatamos, y nos ataron entonces a una *trajinera* que a su vez iba remolcada por un bote de vapor: el pobre llevaba buena carga. En la lancha de vapor y en la trajinera iba un gran número de personas; iban chiquillos, y éstos se sintieron intrigados por nuestro bote; comenzaron a dirigirnos preguntas, y a observar cómo estaba atado el bote a la lancha, y a discutir que tirando ellos de la cuerda se disminuiría el peso que tenía que arrastrar la barquilla de vapor: la cual ciertamente iba despacio, y máxime teniendo que echar por el camino largo y ancho, no por el atajo que nosotros habíamos recorrido en la mañana. Este camino, aunque más largo, ofrece muchos más paisajes: los nevados, el Popocatépetl y el Ixtlaxihuatl, se ven cercanos en apariencia (ahora estaban igualmente cubiertos de nieve por norte y sur: Murillo ha quedado en plena nieve), se ven mayores perspectivas de campo y de agua. Poco antes de ponerse el sol, comenzó a llover con estupenda fuerza; nuestro bote iba descubierto, y como la trajinera y la barca de vapor iban cubiertas, se compadecieron de nuestra chistosa situación, y un joven que iba en la primera, simpático, algo distinguido, y afable, nos hizo pasar con ellos, y hasta nos obsequió cerveza. Tuvimos que sostener conversación con él, y recurrimos al tema de las excursiones: el jovenzuelo no parecía tener cultura extensa, y, aunque lo ensayé, no fue fácil llevar la conversación a temas variados. Eché mano del tema del Popocatépetl, e hice creer que lo había subido por todos lados, y que había bajado por el Norte, rumbo a Tlamacas, resbalando sobre la nieve sentado en *petate* indígena. Los chicuelos, cuando el joven dejaba de hablar nos abrumaban a preguntas; y al fin se les ocurrió entrarse en nuestro bote a remar. No podíamos menos que permitírselo, y allá se fueron; poco a poco de estar en el bote, advirtiendo que con el remo a sobrepujar el límite que la cuerda marcaba al bote, discurrieron soltar la amarra y remar solos. Pero una vez sueltos, como en realidad no sabían remar, el bote comenzó a dar volteretas y a correr de una orilla a otra encallando constantemente: bien pronto los dejamos atrás y fue necesario detener la barca de vapor y recogerlos al cabo de algunos minutos. La lluvia cesó, o continuó a intervalos; era luna nueva, y en todo el canal no había luz, y las barcas de los indios, especialmente las enormes trajineras, que iban rumbo a Xochimilco y Chalco cargadas de mercancías (dentro de su apariencia primitiva, estas trajineras llevan dentro grandes comodidades, y en el lenguaje popular las han apodado *pullmans*), amenazaban chocar con nosotros: mi compañero Morales temía constantemente que nuestro bote, flojo al extremo del tren de barcas, fuese la víctima de las que pasaban. Poco antes de caer la noche, en uno de los intervalos sin lluvia, vimos venir hacia nuestras barcas a los chicuelos indios de un diminuto caserío, pidiéndonos centavos (la presencia de viajeros, especialmente *yankees,* ha formado la codicia de toda la población de Xochimilco y de su canal): Morales comenzó a arrojarles lo que pedían, y los chicuelos vinieron corriendo tras nosotros, por la orilla, durante un cuarto de hora, tan a prisa como nuestro tren de barcas, todos vestidos de harapos, desgreñados, gritando peticiones de dinero, aunque el dinero no parezca que tenga para ellos mucho uso.

Al fin, a las ocho de la noche, recia ya la obscuridad, preferimos bajar en Santa Anita, después de tres horas de trayecto de regreso y dejar el bote en manos del maquinista de la barca de vapor, empleado de la empresa de barcas.[132]

---

[132] "Memorias", pp. 136-140. De la p. 140 en adelante relata un viaje a Xochimilco con Isidro Fabela.

Segunda época
1921-1923

I. El hermano definidor

En 1914 se produjo en México la contra-revolución de Victoriano Huerta. Obvio sería relatar aquí la serie de sucesos que enturbiaron la historia del país.[133] Pedro Henríquez Ureña llamó "años terribles" a los transcurridos de 1913 a 1916. Y Alfonso Reyes nos da esta presentación del momento histórico:

Vuelve la Revolución con Carranza, para vivir de convulsiones hasta el año de 1920. La generación sacrificada aún tiene fuerzas para sacar la revista *Nosotros*. González Martínez reúne los miembros dispersos en su revista *Pegaso*. Pablo Martínez del Río, en el número único de *La Nave*. La literatura continúa como puede en medio de las luchas civiles. En los peores años, de 1914 a 1916, la labor editorial de México es abrumadora y superior a cuanto habíamos conocido hasta entonces (. . .)[134]

José Vasconcelos, otro de los compañeros de grupo y generación de Pedro Henríquez Ureña, recordando la integridad de su amigo, en una de las páginas más justas de su pluma, ha escrito:

En el fondo, el alma de Pedro era un caso raro de reaparición del estoicismo. Tenía de la honradez un concepto viril. Frente a las situaciones políticas, era de tanta exigencia y limpieza, que no pudo resistir en México el ambiente de Victoriano Huerta y se trasladó a los Estados Unidos.

Se comprende que Pedro Henríquez Ureña, que acababa de terminar su carrera de leyes, pero sin esperar el diploma de Abogado (que encarga que lo reciba a uno de sus mejores discípulos: Antonio Castro Leal; una vez revalorado por autoridad legítima), se marchara a Cuba, país de donde había partido para venir a Méxi-

[133] Véase al respecto, por ej., Enrique Krauze, *Biografía del poder* (F.C.E., 1987, 8 vols.) o Alan Knight. *The Mexican Revolution*. (Cambridge Univ. Press, 2 vols.) o John Hart, *Revolutionary Mexico. The Coming and Process of the Mexican Revolution* (University of California Press, 1988) o Frederick Katz, *La guerra secreta en México*. . . y sobre el asesinato de Madero y el advenimiento de Huerta, se recomienda Cole Blasier, "The United States and Madero", *Journal of Latin American Studies*, Cambridge University Press, vol. 2, Part. 4, noviembre 1972, pp. 207-231.

[134] *Pasado inmediato y otros ensayos* (El Colegio de México, F.C.E. 1941, p. 46).

co, como queda relatado. Todavía en marzo de 1914, o sea un mes antes de partir, puede entregar los apuntes, aun incompletos, "En pro de la edición definitiva de Sor Juana".

Pedro Henríquez Ureña estuvo en Cuba desde abril a noviembre de 1914.[135] De noviembre de 1914 a junio de 1921 vivió en los Estados Unidos de Norteamérica, donde volvió a trabajar como periodista, hasta que se dirigió a la Universidad de Minnesota como estudiante y como profesor hasta lograr su doctorado. Lo que hizo en este lapso está registrado en mi libro *Pedro Henríquez Ureña en los Estados Unidos*. Aquí sólo nos importa consignar que durante esta ausencia nuestro autor no olvidó a México ni a sus amigos mexicanos. Sin duda, la correspondencia debió ser copiosa,[136] ansioso como estaba Don Pedro de saber todo cuanto iba sucediendo en México. En el *Heraldo de Cuba* y en *Las Novedades* de Nueva York abundan las páginas, de todo género, dedicadas a la situación política, las letras y las artes de México. En la *Revista Bimestre Cubano*, de la Habana, da a luz "La cultura de las humanidades", uno de sus trabajos que, con "La revolución y la cultura en México", dan a conocer el panorama cultural mexicano desde 1906 a 1914. En *Revista de Revistas* (México, 1915) publica "Sutileza", cuya parte final está dedicada a valorar esta cualidad en los escritores de México, en especial Manuel Gutiérrez Nájera. El trabajo está fechado en Washington, en 1915. También es de 1915, y enviada de Washington, la prosa poemática "Lacrima rerum", dedicada al fino y excelente amigo Pablo Martínez del Río y Vinent. También escribe en Washington su prólogo a los *Jardines de Francia*, de Enrique González Martínez (México: Porrúa Hnos., 1915). Y con el título de "Desde Washington"[137] publicó en el *Heraldo de Cuba* una serie de artículos referentes a las relaciones entre Estados Unidos y México, que ponen de relieve hasta qué punto pudo afectar a Pedro Henríquez Ureña la actitud hostil del gobierno norteamericano. En todo momento veía al "caso México" como un ejemplo de la resistencia que nuestros países al sur del río Bravo eran capaces de ofrecer al "coloso del norte". El 3 de diciembre de 1914, bajo el título de "¿Abstención al fin?", comenta en el mencionado periódico la forma dual en que ciertos funcionarios de Estado (de los Estados Unidos, por supuesto) interpretaban la doc·

[135]La primera publicación en Cuba la hace y publicó en *El Fígaro* de La Habana (12 de abril de 1914) "El poeta del día en México". [Sobre Enrique González Martínez]. Véase la publicación de "Notas de viaje" [A Cuba] de Pedro Henríquez Ureña, publicados por Alfredo A. Roggiano, en *Revista Iberoamericana*, No. 130-131, enero-junio de 1985.

[136] Además de las intercambiadas con Alfonso Reyes y José Vasconcelos, véase la correspondencia con Julio Torri, en Serge I. Zaitzeff, *El arte de Julio Torri* (México. Editorial Oasis, 1983, pp. 121-150).

[137] Después de la aparición de mi libro de *Pedro Henríquez Ureña en los E.U.* (México. Editorial Cultura, 1961), se publicó *Desde Washington. Pedro Henríquez Ureña* (La Habana: Cuadernos Casa de las Américas No. 14, 1975), complicación e introducción de Minerva Salado. Ver también Soledad Álvarez, *La magna patria de Pedro Henríquez Ureña* (Santo Domingo: Colección Ensayo, No. 3, 1981) y el artículo de Enrique Zuleta, "Pedro Henríquez Ureña y los Estados Unidos" (en: *Cuadernos Hispanoamericanos*, No. 442, abril 1987, pp. 93-108).

trina Monroe. Y otra vez "El inagotable caso México" da ejemplo de las dos doctrinas: la que era esgrimida como arma de penetración y la que se invocaba como tesis de defensa. Sus fervientes deseos en pro de la paz y la justicia de México le hacen abrigar, por momentos, alguna esperanza:

La retirada de Veracruz señala el comienzo de una nueva política, la de abstención, cuyos principios no se han formulado todavía, pero que acaba de hacerse evidente con la aparición, ayer, del conflicto entre Inglaterra y Colombia por las violaciones de neutralidad que a ésta se atribuyen. Las oportunidades para el cambio de actitud no podían escogerse con peor tino porque se diría que no se hubiera optado por la abstención si México no resultara "imposible" y Colombia no fuera tibia en su amistad hacia los Estados Unidos.

En otro artículo del mismo diario, titulado "En torno a la doctrina Taft contra Wilson", vuelve sobre el mismo tema:

El cambio decisivo en la actitud del gobierno norteamericano frente al problema de México está produciendo sorpresa. El abandono de Veracruz aparece, a los ojos de amigos y enemigos de la actual administración, como un signo de fracaso. Para los que opinan (como el *New York World*) que la ocupación no se justificaba, la retirada es una confesión de error. Para los que piensan que el gobierno de Wilson contrajo el deber de pacificar y reorganizar el país vecino, la retirada es una prueba de inexplicable debilidad.

Entre los censores de la segunda especie —la más numerosa, ya se supone—, figura Roosevelt. Inclinádose al punto de vista contrario, según parece, Mr. Taft acaba de unir su voz al coro de censuras. Y, como cabía esperarlo, en su discurso, pronunciado anteayer, discute el intento de fundar en la Doctrina Monroe la política del "caso México".

En otro suelto que tituló "Vanidad nacional", condena la constante intervención de los Estados Unidos en México y afirma:

Los pesimistas dirán que los Estados Unidos pueden coadyuvar en México a la guerra, pero no a la paz. Y es evidente que han influído en la lucha y que no han logrado poner paz. [. . .] Sólo la vanidad nacional, después de los recientes fracasos, más o menos bien intencionados, pueden seguir atribuyendo a los Estados Unidos el papel de árbitro moral de los destinos de México.

En "¿Cuál es el remedio?" vuelve a manifestar sus dudas acerca de la solución, justa y digna, que pudiera darse a una relación duradera entre México y los Estados Unidos. El artículo, por la capacidad de análisis y el fervor mexicanista de su autor, merece transcribirse completo:

¿Cuál es el remedio?

La intervención activa del gobierno de Wilson en los conflictos mexicanos está en suspenso. Ahora sí cabe afirmar que se observa la táctica de "watchful waiting". Una que otra advertencia "amistosa" no falta; la información sobre el estado de cosas se mantiene al día; pero la presión sobre la política de México ha disminuído hasta hacerse apenas perceptible para el público.

El abandono de Veracruz fue el remedio, "amargo, pero necesario", con que se puso fin a los males de la intervención ineficaz. Wilson comprendió que la retirada provocaría una tempestad de censura, y no por otra razón, tal vez, vaciló y tardó, con la esperanza de encontrar pretextos plausibles. No se presentaron, y el presidente optó por el abandono del puerto, sin más explicaciones. El coro irritado de los periódicos, de los hombres públicos, inclusos los expresidentes, resonó durante días a través de todos los Estados de la Unión. El presidente y sus secretarios, con asombrosa firmeza, esquivaron las discusiones. Poco después, Wilson se presentaba a leer un mensaje ante el Congreso, y omitía toda mención del problema mexicano. . . Nuevos murmullos y comentarios. Otra semana, y poco a poco fue extinguiéndose la campaña de censuras.

El abandono de Veracruz no fue, en sí mismo, el tema de la crítica. Lo fue como símbolo, como confesión de fracaso. Según los redactores de *Current Opinion*, en su resumen de los juicios de la prensa, difícilmente se tropieza con un periódico que aplauda en su totalidad la política de Wilson en el "Caso México". Pero cada quien señala soluciones destintas, como en las asambleas de Esopo, y todos se equivocan. La campaña está moribunda, no sólo porque el gobierno evitó las disputas, sino también porque los críticos no se ponen de acuerdo. Ni siquiera Roosevelt, con sus cuentos espeluznantes de "horrores de la guerra", produjo impresión profunda.

Pero si la tormenta ha cedido, ráfagas sueltas soplan por momentos. Ayer, en la Cámara de Representantes, el jefe de los "republicanos", Mann, de Illinois, habló de la necesidad de "poner remedio a la situación de México, que, desde hace cuatro años, es campo de devastaciones y muertes". El discurso de Mann, aunque breve, sufrió constantes interrupciones. No siempre es fácil saber quién interviene, porque el presidente, el "speaker", rara vez menciona el nombre del representante al concederle la palabra, y se limita a llamarle "the gentleman from New York", o "from Texas", o cualquier otro Estado a que pertenezca. El tiroteo de interrupciones y preguntas es frecuente y rapidísimo, y la prensa pocas veces lo narra con todos sus pormenores.

Uno de los representantes de Minnesota preguntó a Mann: ¿Cómo si van cuatro años de calamidades, nada hizo por remediarlas la administración "republicana", que terminó en 1913, la administración del Partido en que está afiliado "el caballero de Illinois"? Antes, quizás, habría sido más fácil que hoy.

Ahora bien: desde noviembre de 1910 hasta febrero de 1913 hubo en México frecuentes disturbios revolucionarios, pero hubo siempre gobiernos organizados, indiscutibles, y nunca transtornos radicales del orden legal de las cosas ni de la vida normal de todo el país. La situación anómala, la difícil y contradictoria, comenzó en febrero de 1913, días antes de que terminara el periodo gubernativo de Taft. Pero Mr. Mann no se da cuenta de los hechos, y no sabe explicar a su contradictor por qué su Partido, en el poder, se cruzó de brazos.

Bien pronto surge otra interrupción. Es un joven representante de Indiana: "Aplaudo las intenciones. Si hay remedio para la terrible situación de México, y ese remedio está en nuestras manos, apliquémoslo. Pero ¿ha encontrado ya ese remedio el caballero de Illinois?"

Mann, ahuecando la voz: "No lo he encontrado, pero si yo fuera el Poder Ejecutivo, sabría encontrarlo". (Aplausos de la minoría republicana).

No, representante Mann. "El Caballero de Indiana" tiene razón. El remedio no se ha encontrado aún. Y en todo caso, no parece que haya de encontrarse en los Estados Unidos.

En "La ilusión de la paz", asegura que no hay "ilusión más frágil que la paz fundada en la prosperidad material" y que "todo problema social implica problema económico; pero no solamente económico", para concluir:

He aquí el caso de México. ¿Quién, al conocer el México de años atrás, con su apariencia de organización definitiva, no pensó que los intereses económicos impedirían, si no toda revolución, al menos el estado de revolución constante? El acelerado triunfo del movimiento de 1910, y la rapidez con que todo pareció volver a su orden normal, alterado apenas, pudieron tomarse como demostración de que se imponían las fuerzas económicas. Pero después. . .

Esta obsesión por la paz, la justicia y la grandeza de México se manifiesta en todo momento en que un "motivo" mexicano mueve su pluma. Así, un grupo de fotografías de construcciones arquitectónicas del México colonial, le da pie para escribir el artículo "Homenaje a un pueblo en desgracia", en donde, en realidad, se da una síntesis histórica de la arquitectura mexicana (y así se llamará, más tarde, este artículo, al hacer el elogio de una obra de Federico E. Mariscal, que aprovecha estas notas), para rematar:

La arquitectura de la exposición resulta, así, un homenaje al espíritu artístico de la nación vecina —en contraste con el desdén y la burla que muchos arrojan sobre su tragedia política. No pudo imaginarse más delicado tributo a un pueblo en desgracia.

Cuando comenzó sus labores en *Las Novedades* de Nueva York, uno de sus primeros trabajos está dedicado a "La filosofía en·la América española", que es, en realidad, un elogioso ensayo sobre el libro *Problemas filosóficos* (México: Porrúa, 1915) del "joven y cultísimo pensador Antonio Caso". De Estados Unidos envía sus prólogos y textos de autores (Rubén Darío, Juan Ramón Jiménez, etc.) para la colección de la Editorial Cultura de México. También en Nueva York da a conocer, junto con Salomón de la Selva, la actividad literaria que se desarrolla en México, pero que ignoran los norteamericanos, aprovechando, para ello, las reuniones de la Sociedad de Escritores Hispanoamericanos de Nueva York. Y ya en Minnesota, no sólo da cursos de literatura hispanoamericana en los que incluye a los mejores autores de México, sino que invita a jóvenes escritores mexicanos a dar clases en aquella prestigiosa universidad. Desde Nueva York envía una extensa carta a Alfonso Reyes sobre la difusión de Rubén Darío (que en esos momentos visitaba Estados Unidos) en inglés; y en un diario de Minneapolis difundía en inglés la obra de su fraternal amigo ("A Mexican writer"). La experiencia norteamericana no amenguó, por cierto, su amor por México; por el contrario, el contraste le hizo valorar más y más las cualidades del pueblo mexicano y las glorias y grandezas de este país. Su ideal de cultura integral, que maduró en las discusiones del Ateneo de México y que propició en sus experiencias de la nueva universidad mexicana creada por Justo Sierra, se ahondó y afirmó frente a la enseñanza especializada de las universidades yankees, como lo prueba su fundamental estudio, publicado en *La Reforma Social* de Nueva York, sobre "La cultura y los peligros de la especialidad". Cuando Vasconcelos, flamante Rector de la Universidad Nacional de México, invitó a Pedro Henríquez Ureña a venir a colaborar en su vasto plan de educación, éste le envió el mencionado estudio, que Vasconcelos hizo reproducir en el *Boletín de la Universidad* (enero de 1921, pp. 7-15). Al final del artículo, que tanto debió gustar a Vasconcelos, recomendaba:

> No perdamos de vista nuestra sana orientación latina, las tradiciones intelectuales que nos dieron el hábito de clasificar y coordinar los conocimientos, la noción clara de que cada disciplina esencial tiene su lugar necesario e insustituible en el programa de cultura que deben cumplir las escuelas.

El remate de este profundo interés y de su gran fe en México lo constituye, sin duda, un breve pero certero artículo sobre la ejemplaridad en la conducta política de México y su conducción futura como guía de los pueblos latinos. Se titula "El hermano definidor" y se publicó en *El Mundo* de México, el 5 de septiembre de 1923; dice así:

El hermano definidor

Por Pedro Henríquez Ureña

Hasta hace poco, en el eterno problema de las relaciones entre la América inglesa y la América Latina, la iniciativa, y hasta el derecho de iniciar, parecían monopolio de los Estados Unidos. Nuestro papel era, políticamente, pasivo, por lo menos después de Bolívar; a través del periódico y del libro discutíamos mucho— y discutimos todavía —"el peligro norteamericano"; a veces, los escritores proponían caminos eficaces de acción internacional, los juristas promulgaban principios, pero, en el momento de obrar, con rarísimas excepciones, los países latinos se cruzaban los brazos ante los Estados Unidos. Las naciones que comenzaban a tener gran significación internacional —como Brasil, la Argentina, Chile— se limitaban egoístamente a defender sus intereses políticos inmediatos. Así en 1897, ningún gobierno prestó oídos a la proposición de Hostos, residente entonces, en Chile, de que las tres potencias meridionales declarasen la independencia de Cuba en su lucha contra España: con esta intervención tal vez se habría disminuido la excesiva y exclusiva tutela que los Estados Unidos asumieran sobre la isla.

Ahora, desde hace pocos años, y a medida que aumentan las actividades de los Estados Unidos en nuestra América, la actitud pasiva y espectante comienza a desaparecer. Hay todavía naciones enfermas de "inmovilismo" como dos o tres de Centro América; las hay que incautamente o por absurdo egoísmo, aceptan la ingerencia, —inocente al parecer, y por ahora,— del gobierno de Washington. Pero, desde luego, las naciones meridionales, especialmente la Argentina, se dan cuenta ya de que la distancia no les evita peligros: a lo sumo, los aplaza, y ahora que el capitalismo norteamericano ha descubierto que cabe en lo posible dominar desde Wall Sreet a cualquier nación, si se la halla desprevenida, sin necesidad de manifestaciones de fuerza armada, quizás no hay ni siquiera aplazamiento. Entre las naciones pequeñas, Santo Domingo ha demostrado una capacidad de propaganda internacional, a tal punto superior a sus recursos económicos, que ha dejado sorprendidos a sus invasores. Y, sobre todo, México está asumiendo, desde la Revolución, el "hermano definidor". México está indicando a los pueblos de su estirpe, que hemos de confiar en nosotros y solo en nosotros; que si nuestro poder material es escaso por ahora, y no bastaría para oponerse al ataque de los extraños, la fe en nuestro porvenir, la conciencia de que tenemos personalidad original que desarrollar y defender, nos dará fuerza para resistir, no solamente a la presión política del norte, sino a la presión diaria, incesante, del ejemplo y del éxito; sabremos oponernos a la conquista moral que sobre nosotros pretende ejercer una civilización incompleta e imperfecta, y que, si se realizara, nos tornaría pasivos ante la conquista militar.

En los Estados Unidos, el Partido Republicano, hecho a vivir de tradiciones, —en realidad de rutinas,— cuenta todavía con el "inmovilismo" de las naciones latinas: el reciente discurso de Hughes, sobre la Doctrina Monroe lo demuestra. Y si no bastaran los comentarios de la prensa latino-americana para revelar que las proclamaciones de "pan americanismo" no se reciben ya con el ingenuo candor de antes, el mensaje del Presidente de México al Congreso el día 1ro. de septiembre, lo probaría. Hay dos afirmaciones en el mensaje, que son signos de los tiempos nuevos: una, la reanudación de relaciones entre los Estados Unidos y México se realizó sin el tratado previo que la nación septentrional exigía; y otra, en la Conferencia de Santiago se abrieron paso las tendencias de los puebos hispánicos, hasta el punto de modificar una institución hasta ahora dominada por los Estados Unidos: la Unión Pan-Americana de Washington. En las asambleas de la Quinta Conferencia Pan-Americana dominó una sombra, como en escenas famosas de Shakeaspeare: la sombra del "hermano definidor", el espíritu de México.

El Mundo, Tomo VI, No. 495. 5 de septiembre de 1923, pág. 3., cols. 1 y 2.

II. La Escuela de Verano

Durante el verano de 1920 (de junio a septiembre) Pedro Henríquez Ureña fue a Madrid a trabajar en el famoso Centro de Estudios Históricos, junto al insigne filólogo don Ramón Menéndez Pidal, a fin de completar su tesis sobre *La versificación irregular en la poesía castellana*, con la cual obtuvo su título de Doctor en la Universidad de Minnesota. Con tal motivo, la Universidad Nacional de México lo comisionó para que adquiriera en Europa libros y publicaciones para las bibliotecas y escuelas dependientes del Departamento Universitario y de Bellas Artes. El acuerdo que le concede tal misión y que se encuentra en el archivo de la Secretaría de Educación Pública de México, fue firmado por el rector el 5' de junio de 1920 y dice así:

EL C. PRESIDENTE CONSTITUCIONAL SUSTITUTO DE LOS ESTA-DOS UNIDOS MEXICANOS, ha tenido a bien comisionar a usted, para que en representación de esta Universidad Nacional, adquiera en Europa libros y publicaciones para las bibliotecas y Escuelas que dependen de este Departamento Universitario y de Bellas Artes, asignándole las comisiones que en cada caso se especifiquen en los pedidos.

Lo comunico a usted para su inteligencia, en el concepto de que esta comisión comenzará a contarse a partir de esta fecha.

En 1920, como es sabido, José Vasconcelos, asume la Rectoría de la Universidad y llama a Pedro Henríquez Ureña, que está en Minnesota, para que venga a México a fundar, organizar y dirigir una Escuela de Verano, semejante a la que sostenía en Madrid el ya mencionado Centro de Estudios Históricos. Pedro Henríquez Ureña acepta. Termina el año lectivo en Minnesota, en la primera semana de junio de 1921 e inmediatamente se traslada a México. Según el "Informe sobre los cursos de verano" presentado al Rector a mediados de septiembre de ese año y publicado en las ediciones del Centenario de los principales diarios de México y en el *Boletín de la Universidad Nacional*,

Informe sobre los cursos de verano

La Universidad Nacional de México consideró útil abrir cursos especiales para el verano como los que existen en muchas universidades de Europa y de los Estados Unidos; pero como el año escolar de la ciudad de México coincide con el año natural (en vez de extenderse, como el de otros países, de septiembre a junio), los cursos de verano no podían dedicarse a otro objeto que la enseñanza de los extranjeros que desearan venir al país durante sus vacaciones.

El plan general de organización de estos cursos de verano para extranjeros se hizo sobre el modelo de los que organiza en Madrid desde hace varios años el Centro de Estudios Históricos, bajo la dirección de don Ramón Menéndez Pidal; y la Universidad Nacional tuvo la fortuna de contar con los consejos de don Federico de Onís, miembro de aquel centro y catedrático de las universidades de Salamanca y de Columbia, y sobre todo con la eficaz ayuda de don León Sánchez Cuesta, quien, por haber trabajado en la escuela veraniega de Madrid, conoce a fondo su funcionamiento. El señor Sánchez y el señor licenciado don Mariano Silva, Secretario de la Universidad, prepararon el plan general de los cursos y el folleto de anuncio que se imprimió y repartió a partir del mes de mayo.

Para la dirección efectiva de los Cursos de Verano, así como para que se encargase de la jefatura de la sección de intercambio universitario fue llamado el señor licenciado don Pedro Henríquez Ureña, quien últimamente desempeñaba una cátedra de lengua y literatura castellanas en la Universidad de Minnesota; quien goza, además, de singular reputación en los centros universitarios norteamericanos, y conoce íntimamente el funcionamiento de los cursos de verano en España y en los Estados Unidos, por haber tomado parte en ellos.

El señor Henríquez Ureña está reconocido en el mundo de habla española como uno de los más prominentes escritores de América. Hombre de vasta cultura y de serena penetración crítica, a él se debe, en buena parte, la moderna evolución literaria de México, que promovió con generoso entusiasmo. Su nombre descuella en las principales revistas de ambos continentes, y figura al frente de nuestra "Antología del Centenario", para la cual llevó a cabo valiosas investigaciones y escribió sintéticos estudios. Ha producido, además, Henríquez Ureña, libros muy importantes, entre los cuales mencionaremos: *Ensayos críticos* (1905), *Estudios Griegos*, traducción de Walter Pater (1908), *Horas de Estudio* (1910), *Don Juan Ruíz de Alarcón* (1913), *El Nacimiento de Dionisos*, tragedia (1915), *La Versificación Irregular en la Poesía Castellana* (1920).

Atendidos tales merecimientos, la Universidad Nacional estimó que nadie como el señor Henríquez Ureña podrá asumir con más justificación y honrosos antecedentes la dirección de la nueva dependencia, por medio de la cual México pretende estrechar relaciones de cultura con el extranjero.

Los cursos organizados en México, aunque se concibieron sobre el modelo de los de Madrid, resultan diversos, tanto por necesidad de adaptación a un medio diferente, como por el deseo de adoptar sistemas parecidos a los que rigen en las universidades de los Estados Unidos, de donde proceden la mayoría de los estudiantes extranjeros que aquí llegan. Así, el sistema de Madrid consiste en organizar unos pocos cursos de lengua y literatura castellanas, en torno de los cuales se agregan, como simples adiciones e ilustraciones, conferencias sobre geografía, historia, política, arte, etc. En cambio, en el sistema mexicano se ha preferido que cada asignatura o asunto constituya un curso separado, y que los estudiantes reciban certificado, ya de examen, ya de asistencia, en cada uno de ellos, a fin de que puedan utilizar estos certificados sumándolos a los de sus estudios hechos en sus propias universidades.

El Rector de la Universidad comunicó al Presidente de la República el objeto de estos cursos, y el Primer Magistrado dictó un acuerdo según el cual se concedían pasajes gratis en los Ferrocarriles Nacionales a los profesores y estudiantes avanzados de español, procedentes de universidades extranjeras, que quisieran asistir a estos cursos de verano. Este acuerdo fue oportunamente publicado, y unas cien personas han hecho uso de la franquicia para venir a México este verano y asistir a los cursos anunciados.

La Escuela de Verano, fundada de este modo en el presente año, ha ofrecido dos ciclos de cursos de seis semanas cada uno; el primero comenzó el día primero de julio y terminó el 15 de agosto; el segundo comenzó el primero de agosto y termina el 15 de septiembre.

Los edificios donde se dan estos cursos son el de la Escuela de Altos Estudios y el Museo Nacional de Arqueología, Historia y Etnología.

De acuerdo con el plan, los dos ciclos comprendían las siguientes materias;

PRIMER CICLO:

CURSO	PROFESOR	DIA	HORA (Oficial)
Literatura Española. (Drama moderno)..	Lic. Julio Torri...	Martes y jueves ..	12 del día.
Lengua Española .. (Gramática)	Lic. Pedro Henríquez Ureña......	Lunes, miércoles . y viernes	9 a.m.

Historia de México.
(Periodo de Indepen-
dencia) . . . . Luis Castillo Le-
dón . . . . Martes y viernes . 4 p.m.
Arte mexicano (Ar-
tes menores) . . . . . . Manuel Romero de
Terreros . . . . Martes . . . . 5 p.m.
Arte mexicano. (Pin-
tura, escultura, ar-
quitectura) . . . . Arq. Manuel
Ituarte . . . . Viernes . . . . 5 p.m.
Arqueología mexica-
na . . . . Lic. Ramón Mena. Viernes . . . . 12 del día.
Lectura e interpreta-
ción de textos . . . . . Lic. Ricardo
Gómez Robelo . . . Diario . . . . 11 a.m.
Conversación espa-
ñola . . . . Antonio Adalid . . . Diario . . . . 10 a.m.
Lectura en voz alta Sra. Eugenia Torres
de Meléndez . . . . . Miércoles . . . . 4 p.m.
Literatura mexicana. Lic. Pedro Henrí-
quez Ureña . . . . . . Martes y viernes . 3 p.m.

Los dos últimos cursos, lectura en voz alta y literatura mexicana, fueron agrega-
dos durante la segunda semana del primer ciclo, a petición de los alumnos.

El Segundo Ciclo comprende las asignaturas siguientes:

CURSO	PROFESOR	DIA	HORA (Oficial)
Literatura mexicana.	Carlos Pellicer Cámara	Lunes, martes, miércoles y jueves	9 a.m.
Lengua española. (Gramática)	Raimundo Sánchez	Lunes, miércoles y viernes	12 del día.

Lectura e interpretación de textos	Lic. Ricardo Gómez Robelo . . .	Diario	10 a.m.
Historia de México. (La Reforma y la Revolución de 1910) . .	Lic. Vicente Lombardo Toledano . .	Martes y jueves . .	4 p.m.
Arqueología mexicana	Lic. Ramón Mena	Viernes	9 a.m.
Arte mexicano (artes menores)	Manuel Romero de Terreros	Lunes	5 p.m.
Arte mexicano (Pintura, escultura y arquitectura)	Arq. Manuel Ituarte	Jueves	5 p.m.
Geografía de México	Abel J. Ayala	Martes y jueves . .	12 del día.
Conversación española	Jorge Juan Crespo de la Serna	Diario	11 a.m.
Lectura en voz alta.	Sra. Eugenia Torres de Meléndez	Martes	12 del día.
Fonética	G. Oscar Russell	Lunes y jueves . . .	5 p.m.

El curso de Fonética fué amablemente ofrecido por el estimado catedrático de la Universidad de Utah, señor Russell, que se halla de visita en México.

Los diarios, tanto de México como de los Estados Unidos —y merced al folleto-*brochure* que se difundió extensamente —dieron amplia publicidad y resonancia de acontecimiento extraordinario a la creación de dichos cursos de verano. Los resultados fueron, tanto en lo cultural como en lo económico, muy satisfactorios: en el primer curso la inscripción llegó a cien estudiantes, y, según *El Demócrata* (4 de julio de 1921, p. 8, col. 7) hubo necesidad de crear un curso especial de español para extranjeros a cargo del profesor Rafael Bonilla, además de los cursos ya mencionados. Este éxito aseguró el mantenimiento de la Escuela de Verano y el aumento de la inscripción en años sucesivos. El *Boletín de la Universidad Nacional de México* (T. I, No. 2, agosto de 1922, p. 69) trae la siguiente información con respecto a los cursos de 1922:

El acto de inauguración de los cursos de Verano y de recibo del diploma
y saludo enviado a la Universidad Nacional de México por la de Georgetown

El día 13 de julio, a las 19, se verificó en el Claustro de la Universidad Nacional de México y bajo la presidencia del ciudadano doctor Ezequiel A. Chávez, Director de la Facultad de Altos Estudios, una muy interesante y solemne ceremonia, pues, además de inaugurarse los cursos de verano, se recibieron el diploma y saludo que a nuestra Universidad enviaba la de Georgetown.

Una numerosa concurrencia llenaba la extensa sala. Se encontraban presentes casi todos los alumnos de los cursos de verano y la gran mayoría de los profesores y alumnos de las facultades universitarias.

La ceremonia comenzó con una alocución que, en inglés, pronunció el doctor Pedro Henríquez Ureña, Director de la Escuela de Verano, y en la que, además de dar una afectuosa bienvenida a los ciudadanos de los Estados Unidos que habían venido a seguir dichos cursos, hizo un sucinto programa de ellos y una amplia exposición de los fines que persigue la Universidad Nacional de México con su establecimiento. Frecuentes y entusiásticos aplausos interrumpieron la alocución del doctor Henríquez Ureña.

En seguida el señor Mac Elwee, al entregar al distinguido representante del ciudadano Rector de nuestra Universidad, el elegante diploma enviado por la de Georgetown, pronunció también en inglés, otra corta alocución que fué recibida con unánimes aplausos.

Uno de los actos de mayor trascendencia cultural realizado durante el gobierno de Alvaro Obregón, fue la creación, a propuesta de José Vasconcelos, de la Secretaría de Educación Pública y Bellas Artes. La propuesta fue hecha en el mes de junio de 1921 y la aprobación o "bando solemne" que promulgó el decreto de la creación de dicha Secretaría, tuvo lugar el 18 de julio. Como consecuencia de esta creación, José Vasconcelos fue elevado de la categoría de Rector de la Universidad a la de Secretario de Educación Pública. Bajo la nueva Secretaría se colocaron las diferentes dependencias de la Universidad, como la Escuela de Altos Estudios, ahora elevada a Facultad, la Escuela Preparatoria, el Departamento de Bibliotecas y Archivos, el Museo de Arqueología, Historia y Etnología, el Conservatorio Nacional de Música, la Academia Nacional de Bellas Artes, los Talleres Gráficos de la Nación, etc. Al frente de cada uno de estos Departamentos Vasconcelos colocó a figuras de conocido prestigio en el ambiente cultural de México, como Antonio Caso, Alejandro Quijano, Ezequiel A. Chávez, Carlos Pellicer, Vicente Lombardo Toledano, etc. Entre las nuevas dependencias de la Universidad Nacional figuró el Departamento de Intercambio Universitario, cuya dirección se encargó al doctor Pedro Henríquez Ureña. Tanto en el *Boletín de la Secretaría de Educación Pública* (T. I, No. 1, 1o. de mayo de 1922), recientemente creado, como en el *Boletín de la Universi-*

dad Nacional de México (T. I, año 1, abril de 1922), se dan completas informaciones acerca de la creación, funcionamiento, catedráticos, etc., de la Escuela de Verano, por cuya razón no insistimos. Para concluir este tópico de nuestro estudio, daremos el informe que Pedro Henríquez Ureña presentó al Lic. Vasconcelos sobre los cursos de Verano de 1923, poco antes de presentar su renuncia para abandonar México.

Informe que presenta el Director de la Escuela de Verano,
Doctor Pedro Henríquez Ureña, al Rector de
la Universidad Nacional de México
1923

La Escuela de Verano de la Universidad Nacional de México, durante el presente año de 1923, anunció por tercera vez sus cursos iniciados en 1921. A diferencia de los años anteriores, en que los cursos se agruparon en dos ciclos, para este año se prefirió ofrecer un ciclo solamente, que comenzara el día 5 de julio y terminara el 17 de agosto.

A pesar de la campaña que durante el año de 1922 se hizo contra de la Escuela de Verano, especialmente por el diario *El Universal*, y a pesar de que en realidad los ciclos de 1922 tropezaron con ciertas dificultades debidas a escasez de locales y a la presencia inesperada de muchos principiantes para quienes no se habían anunciado cursos en aquel año, la opinión de la enorme mayoría de los estudiantes de entonces nos fue altamente favorable y nos sirvió de excelente propaganda en los Estados Unidos, como lo demuestran la multitud de cartas que nos dirigieron y no pocos artículos que publicaron en periódicos norteamericanos.

Por eso, a pesar de que nuestros prospectos se repartieron muy tarde, en el mes de mayo, debido a retrasos de la imprenta, lo cual nos colocaba en notoria inferioridad respecto de las escuelas de verano de otras universidades americanas o europeas, tuvimos una asistencia numerosa que ascendió a 343 alumnos.

Los Ferrocarriles Nacionales y el Mexicano ofrecieron a los estudiantes extranjeros un descuento de 50% en sus pasajes dentro de nuestro territorio, y posteriormente hicieron extensiva la franquicia, a los viajes parciales dentro del país. Igualmente hicieron descuentos a nuestros estudiantes, gracias a gestiones que previamente hicimos, la Línea Ward, en los vapores que viajan entre Nueva York y Veracruz, y varios ferrocarriles de los Estados Unidos.

* * *

Los cursos se realizaron según la siguiente distribución:

Cursos elementales: Gramática, (cursos 1 a, b, c y d) a cargo de los Sres. Guillermo Hall, Antonio Heras, Jorge Juan Crespo y Tomás Montaño.

Lectura, (cursos 2 a, b y c) a cargo de la Srita. Concepción Alvarez y de los Sres. César Ruiz y Luis Enrique Erro;

Conversación, (curso 3), a cargo del Sr. Guillermo Hall. Estas asignaturas formaban un conjunto ligado por la unidad del texto que fué el libro *Poco a Poco* del mencionado señor Hall, y la dirección general asumida por éste.

Cursos intermedios: Gramática (cursos 101 a, b, c y d) a cargo de la Srita. Ofelia Garza y de los Sres. Salvador Cordero, Raimundo Sánchez y Moisés Sáenz.

Lectura, (cursos 102 a y b) a cargo de la señora Eugenia Torres viuda de Villalpando, la señorita Soledad Anaya y Solórzano.

Conversación y composición, (cursos 103 a, b, c, d, e y f) a cargo de los Sres. Antonio Adalid y Manuel Romero de Terreros (curso combinado), Francisco del Río, Enrique Sosa, Gustavo Sandoval y señoritas Guadalupe Zúñiga y Ernestina Alvarado.

Tomó la dirección de los cursos intermedios el Consejero de la Escuela, D. Moisés Sáenz.

Todos los cursos de lengua castellana que acabamos de indicar se daban diariamente, es decir, cinco veces por semana, de lunes a viernes, pues los sábados nunca se daban clases.

Cursos avanzados. Gramática, a cargo de los señores Dr. Rafael Sierra, D. Manuel Puga y Acal y D. Luis Chávez Orozco.

Lectura e Interpretación de textos a cargo de los señores D. Ricardo Gómez Robelo, León Felipe Camino y Rafael Ramos Pedrueza;

Conversacón y composición a cargo de las señoritas Soledad Anaya Solórzano y María de los Angeles Uriarte y de los Señores Eduardo Colín, Samuel Ramos y Ciro Méndez.

Para los estudiantes elementales se dio el curso de Ojeada sobre México (111 B) en inglés, por el Sr. Manuel Romero de Terreros; igual curso dio en castellano (111 A) el Sr. Eduardo Villaseñor. Estas clases eran diarias.

Los cursos avanzados comprendían además de los lingüísticos arriba indicados, los siguientes: La Vida en la América Española (curso 113), a cargo de D. Carlos Pellicer, cinco clases por semana; Historia de México (114), a cargo de D. Vicente Lombardo Toledano, 3 veces por semana; Geografía de México (112), a cargo de D. Abel Ayala, 2 veces por semana; Geografía de la América Latina (113), a cargo de D. Pedro Magaña Peón, 2 veces por Semana; Correspondencia y Métodos Comerciales (161), a cargo de D. Agustín Castro, clase diaria; Fonética, cursos 211 A, tres clases por semana y 211 C, 2 veces por semana, a cargo de D. Pablo González Casanova, y Curso 211 B, a cargo de D. Antonio Heras, 3 clases por semana; Filología: El Español en América (211) Dr. D. Pedro Henríquez Ureña, 3 clases por semana; Etimología Comparada (214), C. Carlos Rutlidge, 3 veces por semana; Métodos de Enseñanza del Español (215 A y B), D. Guillermo Hall; Literatura Española: Drama del Siglo XVII (221), D. Julio Torri, cinco veces por semana: Literatura Española: La Novela de los Siglos XIX y XX (222), D. Federico Gamboa, cinco clases por semana; Literatura Hispano Americana (223), Dr. D. Pedro Henríquez Ureña, cinco clases por semana; Literatura Mexicana (224), D. Julio Jiménez Rueda, cinco clases por semana; Problemas Políticos de México (231), D. Daniel Cosío Villegas, sustituido después, en vista de que tuvo que ausentarse de México, por D. Eduardo Villaseñor; La Educación en México (232) Dr. D. Ezequiel A. Chávez, dos clases por semana; Ojeada sobre el Arte Español (241), Dr. D. Carlos M. Lazo, dos clases; Ojeada sobre el Arte Mexicano (242), D. Manuel Romero de Terreros, dos clases; Arqueología Mexicana (243), D. Ramón Mena, 3 clases; Artes Mexicanas aplicadas a la Educación (245) a cargo de la Srita. Estefanía Castañeda y la Sra. María Luisa de la Torre de Otero, cinco clases por semana; Canción Mexicana, cursos 251 A y B, D. Porfirio Pastor, dos clases por semana.

Temporalmente se utilizaron los servicios de otros profesores que no continuaron en el desempeño de sus funciones por falta de número suficiente de alumnos en los cursos que se les encomendaron. Estos fueron la Srita. Angela Pérez de León y los Sres. Salomón de la Selva y Alfonso Teja Zabre. No llegaron a darse los cursos extraordinarios de francés y Etnología Mexicana ofrecidos respectivamente por la Sra. Lompiou Asenjo y el Sr. D. Miguel O. Mendizábal.

Los locales utilizados para los cursos de la Escuela de Verano fueron principalmente la Escuela de Altos Estudios y la Escuela Preparatoria. Como excepción se utilizaron para el curso de Arqueología, el Museo Nacional, y para los de Canción Mexicana, la Escuela Nacional de Música.

* * *

Las excursiones a lugares de interés artístico fueron las siguientes:

1. *San Angel, Coyoacán, Churubusco, Xochimilco,* el sábado 7 de julio, bajo la dirección del Sr. D. Manuel Rodríguez Lozano y el Sr. Enrique C. Bravo, como ayudante.

2. *San Juan Teotihuacán,* domingo 8, bajo la dirección de D. Manuel Rodríguez Lozano.

3. *Castillo de Chapultepec,* jueves 12, bajo la dirección de D. Manuel Rodríguez Lozano.

4. *Desierto de los Leones y Viveros de Santa Fé,* sábado 14, bajo la dirección de D. Manuel Rodríguez Lozano.

5. *Convento de Tepotzotlán*, miércoles 18, bajo la dirección de D. Manuel Rodríguez Lozano.

6. *Ciudad de México*: Visita a la catedral, el Sagrario, a la Academia de Bellas Artes, a las iglesias de la Santísima Trinidad y de Loreto y a los edificios de la Escuela Preparatoria, miércoles 18, bajo la dirección del Dr. D. Pedro Henríquez Ureña y D. Manuel Rodríguez Lozano.

7. *Ciudad de México*: Igual recorrido que la anterior, sábado 21, bajo la dirección del Dr. D. Pedro Henríquez Ureña y D. Manuel Rodríguez Lozano.

8. *Ciudad de México*: Visita al Teatro Nacional, miércoles 25, bajo la dirección de D. Eduardo Villaseñor y D. Ciro Méndez.

9. *Ciudad de México*: Visita a escuelas, especialmente la "Francisco I. Madero" y la "Belisario Domínguez", viernes 27, bajo la dirección de la Sra. María Luisa de la Torre de Otero.

10. *Cuernavaca y Grutas de Cacahuamilpa*: Sábado 4 de agosto, bajo la dirección de D. Eduardo Villaseñor y D. Enrique C. Bravo como ayudante.

11. *Subida al Ixtacíhuatl*, sábado 4 de agosto, bajo la dirección de D. Moisés Sáenz.

12. *Ciudad de México*: Visita a la Facultad de Ciencias Químicas, lunes 13, bajo la dirección de la Sra. María Luisa de la Torre de Otero.

Particularmente, los estudiantes hicieron otras excursiones, entre las que se cuentan las dirigidas por el Sr. Pattison, a Xochimilco, Teotihuacán, Cuernavaca, Guadalajara y subida al Popocatépetl.

* * *

La Dirección de la Escuela de Verano organizó varias ceremonias en honor de sus estudiantes. La primera fue la Asamblea inicial celebrada el día 13 de julio, a las 12, en el Anfiteatro de la Escuela Preparatoria. Hizo uso de la palabra el Rector de la Universidad Dr. D. Antonio Caso. Después habló el Sr. D. Guillermo Hall. Hubo un breve programa musical a cargo del Cuarteto Clásico del Conservatorio.

Aquel mismo día, de las 4 en adelante, se celebró una fiesta social y artística en la Escuela "José María Iglesias", especialmente decorada para la ocasión en detalles mexicanos por jóvenes maestros de dibujo, entre los que se contaban los Sres. Julio Castellanos y Agustín Romo de Vivar. El profesor de la Escuela, D. León Felipe Camino, distinguido poeta español, recitó una de sus poesías. Hubo un programa musical, en el que sobresalió la estimada soprano mexicana Sra. María Luisa Escobar de Rocabruna. Después se bailó con música de la Orquesta "Torreblanca", merced a la galantería del Señor Presidente de la República.

La Dirección de la Escuela Normal de Maestras ofreció a nuestros estudiantes una fiesta el sábado 21 de julio en la tarde, con un breve e interesante programa desempeñado por alumnas de aquella Escuela, la cual terminó con el jarabe tapatío.

La Escuela de Enseñanza Doméstica ofreció otra fiesta, no menos interesante, el viernes 10 de agosto en la tarde. Otra fiesta les fué ofrecida por la Asociación Cristiana de Jóvenes, en la noche del jueves 26 de julio; el Club Americano dio en su honor un lucido baile en la noche del martes 24 y el Colegio "María Josefina Hooker", de Tacuba, les ofreció un té en la tarde del miércoles 15 de agosto.

El lunes 23 de julio el Orfeón de la Escuela Nacional de Música les ofreció un breve programa de música de Palestrina en el Anfiteatro de la Escuela Preparatoria, combinado con una exhibición cinematográfica de industrias y paisajes mexicanos, en películas cedidas por los "Artistas Unidos" y la "Paramount Picture Company".

La Banda de Policía les ofreció un concierto, en el mencionado Anfiteatro, el 28 de julio, de 10 a 12 de la mañana.

Ofrecieron conferencias especiales a los estudiantes el Dr. D. Carlos León, sociólogo venezolano, el jueves 9 de agosto, en el salón de actos del Museo Nacional; el profesor norteamericano Mr. Francis I. Walter, el día 8 de agosto en la tarde y el pintor D. Diego Rivera, quien explicó las tendencias de su obra, a petición de los estudiantes, en el Anfiteatro de la Escuela Preparatoria, decorado por él. Su interesante conferencia fue precedida por música de Palestrina cantada por el Orfeón ya mencionado.

Finalmente, la Secretaría de Educación Pública les ofreció en el patio de su edificio, el miércoles 15 de agosto, en la mañana, una fiesta en que tomaron parte cerca de 2,000 niñas de las escuelas públicas. El programa fue de música mexicana, a excepción de un número brasileño: la machicha *Pembe-ré*, bailada por alumnas de la Escuela "José María Iglesias". Los demás números fueron la canción regional *Te Vas*; *La Tehuana*, de Castro Padilla; *La Sirena*, *La Golondrina*, los *Aires Nacionales*, por la Orquesta Típica dirigida por D. Rafael Galindo, y el *Jarabe Tapatío* bailado por las alumnas de la Escuela de Enseñanza Doméstica.

Los estudiantes organizaron una fiesta en honor de sus profesores, del Secretario de Educación Pública y del Rector de la Universidad, la cual se celebró en la Casa Sanborns el miércoles 8 de agosto. En ella hicieron uso de la palabra el Director de la Escuela de Verano, el Secretario de Educación Pública, y, como representante de los alumnos el Sr. C. Scott Williams. Actuó como maestro de ceremonias el Dr. Harry T. Collings, de la Universidad de Pensilvania. Hubo un interesante programa musical y finalmente se bailó. Las palabras del Secretario de Educación Pública, D. José Vasconcelos, fueron una declaración de los principios que rigen a México en su esfuerzo hacia una civilización original. En sus palabras, el Director de la Escuela explicó los propósitos cumplidos durante los tres años que lleva, de asociar en ella a maestros procedentes de España: en el primer año, la Escuela de Verano debió mucho a la ayuda de D. León Sánchez Cuesta, quien desgraciadamente no pudo tomar parte en los cursos; en el segundo año, el Consejero y Profesor Dr. D. Federico de Onís; en el presente año, fueron profesores D. León Felipe Camino y D. Antonio Heras, a quien se invitó especialmente a venir desde la Universidad de Iowa.

La fiesta de despedida la dio la Dirección de la Escuela, el viernes 17 de agosto en la tarde, en la Academia de Bellas Artes, con programa de literatura, música y baile.

Hay que mencionar, además, que los estudiantes fueron invitados, y grupos de ellos asistieron, a muchas ceremonias y fiestas de carácter intelectual, entre los cuales mencionaremos las conferencias dadas por el poeta y crítico brasileño D. Ronald de Carvalho, sobre la historia y las letras del Brasil; los conciertos de órganos dados en la Preparatoria, los domingos, por la Sra. Julia Alonso de Dreffes; las conferencias del Centro de Debates formado por estudiantes de la Escuela Preparatoria, las cuales versaron sobre problemas relacionados con el cristianismo y estuvieron a cargos de la Señorita Palma Guillén y de los Sres. Salomón de la Selva, Diego Rivera, Xavier Icaza y José Romano Muñoz; la conferencia del Dr. D. Pedro Henríquez Ureña sobre la *Evolución de la pintura contemporánea*, a invitación de la Liga Higienista y Cultural formada por estudiantes preparatorianos; las fiestas de la Dirección de Cultura Estética, dadas en la tribuna monumental de Chapultepec y en diversos locales de cinematógrafos; los conciertos de la Academia "Juan Sebastián Bach"; el concierto de obras del maestro Arnulfo Miramontes, organizado por la Liga Femenina; y reuniones en la Casa de la Estudiante.

* * *

La Dirección de la Escuela de Verano hizo todos los esfuerzos necesarios para que los estudiantes encontraran alojamiento conveniente. Para ello, formó una lista clasificada de hoteles y casas de huéspedes, pidiendo, además, a los profesores de las escuelas públicas, que, cuando les fuera posible, ofrecieran en su casa alojamiento a los visitantes, los cuales muy a menudo prefieren vivir en una casa de familia donde no haya otros huéspedes, en vez de ir a un hotel o casa de asistencia. Los resultados fueron muy satifactorios, especialmente porque contamos con la ayuda que nos prestaron la nueva institución que lleva el nombre de Casa de la Estudiante, bajo la competente dirección de la Srita. Carolina Duval Smith, y la Asociación Cristiana de Jóvenes, la cual se ha mostrado cada año solícita y eficaz en su ayuda a la Escuela.

* * *

Entre los resultados de este tercer curso de la Escuela de Verano, debemos mencionar el gran interés que hacia todas las cosas de México revelaron los estudiantes. No es exagerado decir que este interés va en aumento. Mencionaré el hecho de que la Escuela "Francisco I. Madero" produjo una impresión de asombro en muchos de los visitantes y que uno de ellos, el Sr. Harry Greenwall, decidió conceder un donativo de cien pesos, como estímulo, a uno de los niños más aprovechados de dicha Institución.

Además, a iniciativa del Sr. W. I. Kelsey, de Detroit, los estudiantes firmaron una iniciativa para que se elevara, en la frontera de los Estados Unidos y México, un monumento a Lincoln y a Juárez. Según la iniciativa, los maestros de ambos países harán propaganda entre sus alumnos a fin de que el monumento puede erigirse costeado exclusivamente por niños de las escuelas norteamericanas y mexicanas. Esta iniciativa fue firmada por todos los alumnos y presentada por ellos mismos al Señor Presidente de la República, encabezándolos una comisión nombrada por los alumnos y formada por los Sres. W. I. Kelsey, Harry T. Collings y C. Scott Williams; el señor Presidente, acompañado por el Secretario de Educación Pública, recibió al grupo en los salones del Palacio Nacional, oyó las palabras de presentación de la iniciativa que pronunció el Sr. Kelsey y respondió a ellas con un breve discursos en el cual definió el papel que debe llenar México entre las naciones cultas, abriendo sus puertas a todos los hombres y a todas las ideas. El discurso produjo gran impresión en los oyentes.

El curso de la Escuela de Verano de 1923 tuvo éxito completo, capaz de disipar las dudas que hubieran podido engendrar, en los timoratos, los rumores de origen interesado que se hicieron circular respecto del curso de 1922. El profesorado cumplió a satisfacción de todos, tanto los profesores invitados a venir desde países extranjeros, Señores D. Antonio Heras y D. Guillermo Hall (y me complazco en hacer notar que el Sr. Hall realizó espontáneamente una labor mucho más extensa de la que se le había pedido), como los profesores mexicanos. Sin pretender amenguar el valor de la obra realizada por ninguno, debo hacer constar que los estudiantes declararon con mucha frecuencia a la Dirección de la Escuela la gran satisfacción con que veían el trabajo de los Sres. Gamboa, Sáenz, Torri, Lombardo Toledano, Cosío Villegas, González Casanova, Pellicer, Lazo y Jiménez Rueda. No deben olvidarse, tampoco, los valiosos servicios prestados por el Sr. D. Eduardo Villaseñor en los preparativos del curso de 1923.

Otra de las circunstancias dignas de mención es la de que la Escuela ha pagado sus propios gastos, tanto en este año como en el anterior, dejando siempre algún sobrante de fondo que pueden destinarse a los preparativos del curso siguiente.

Los estudiantes que concurrieron este año a los cursos de verano fueron, en su gran mayoría, estudiantes serios, dispuestos a obtener el máximo de las clases que se les daba y de la visita al país. Puede considerarse que el tipo de estudiante juvenil que abundaba en 1922 y cuyo fin principal era venir a México para satisfacer una simple curiosidad, desapareció casi completamente en este año. La Escuela de Verano, pues, ha comenzado a presentarse a los ojos del estudiante extranjero como una institución seria de trabajo y no como objeto de mera curiosidad.

Es de lamentar que el número de estudiantes mexicanos no haya sido grande. Es evidente que para aumentarlo será necesario entrar activamente en gestiones con los gobiernos de aquellas ciudades donde las vacaciones escolares ocurran en verano, pues sería de gran utilidad el poner en relación frecuente grupos numerosos de estudiantes mexicanos y norteamericanos: el beneficio sería mutuo.

La Escuela de Verano, pues, debe considerarse ya como una institución firme y que podrá continuar sin dificultad una vida normal de éxito siempre creciente. (*Firmado:* PEDRO HENRÍQUEZ UREÑA)

III. El Congreso Internacional de Estudiantes

Además del éxito obtenido por la Escuela de Verano, otros sucesos dieron repercusión internacional a la Secretaría de Educación y llevaron el nombre de México y los representantes de su cultura al extranjero. Entre estos sucesos debemos mencionar la celebración del Congreso Internacional de Estudiantes; la creación de la Federación de Intelectuales Latinoamericana y la celebración del Centenario de Dante.

El Congreso Internacional de Estudiantes fue propuesto por la Federación Mexicana de Estudiantes, que entonces presidió Daniel Cosío Villegas y tenía como jefe del Departamento Técnico al hoy famoso poeta Carlos Pellicer. Los preparativos se iniciaron a fines de junio y contaron con el auspicio del entonces Rector José Vasconcelos. En el mes de septiembre, cuando los delegados de los distintos países llegaron a México, Vasconcelos era ya Secretario de Educación y Antonio Caso Rector de la Universidad. El 20 de septiembre se da la bienvenida a dichos delegados. En el acto hablaron José Vasconcelos, Daniel Cosío Villegas, Miguel Angel Asturias (delegado por Guatemala), Héctor Ripa Alberdi (delegado por Argentina), Raúl Porras Barrenechea (Delegado por Perú), Manuel Gómez Morín (delegado por México) y Pedro Henríquez Ureña (delegado por la República Dominicana). Mención especial debe hacerse de la presencia de don Ramón del Valle Inclán, huésped del Gobierno de México, especialmente invitado para concurrir a la celebración del Centenario de la Independencia, que ese año se festejó con gran pompa. Inmediatamente comenzaron las deliberaciones, en las primeras de las cuales tomó participación activa Pedro Henríquez Ureña. Reproducimos de *El Universal* (21 de septiembre, p. 7, col. 4), parte del debate de los delegados:

> El doctor Pedro Henríquez Ureña, delegado al Congreso por la República Dominicana, ocupó después la tribuna. Con palabras hóndamente sinceras habló del bajalato que han establecido los Estados Unidos en la citada república antillana, y agradeció que el señor Roberto Barrios, quien habló en nombre de las Delegaciones de Centro América, se haya acordado de su patria, exponiendo, sintéticamente, la triste situación política que atraviesa. Y terminó su discurso asegurando al Congreso Internacional de Estudiantes los más brillantes triunfos. •

En el mismo periódico (29 de septiembre, p. 10, cols. 4 y 5) al referirse a "La sesión de ayer del Congreso Internacional de Estudiantes", se reproducen, con amplios detalles, las discusiones o cambios de ideas —más bien, encontradas opiniones— ocurridas entre los delegados argentinos Héctor Ripa Alberdi y Arnaldo Orfila Reynal y Pedro Henríquez Ureña acerca de la acción social de la Escuela, uno de los temas de la agenda del Congreso:

> Habla Henríquez Ureña en su contra [de Héctor Ripa Alberdi], principiando por decir que se podían hacer objeciones al fondo y a la forma de la proposición: redacción poco clara y palabras ambiguas, que no significan nada o expresan un dogmatismo que debe combatirse.
>
> La exposición del doctor Ureña, breve y concisa, fue muy bien recibida porque aclaró varios conceptos que no se habían comprendido por la asamblea.

Y más adelante:

> Henríquez Ureña vuelve a la tribuna y dice que le parece ridículo que el Congreso se declare bergsoniano o pragmatista y que no tiene derecho para fundamentar un dogmatismo pedagógico cuando se lucha contra ellos. Aboga por la educación integral señalando la influencia moral del hogar y de la calle que muchas veces están en oposición con la de la escuela, señalando el peligro de abandonar la inteligencia como medio de educación, el más adecuado y real porque lo demás es sólo fantasía. Cree que los que escuchan no entienden a los oradores y solicita que se sea claro en los discursos, exponiendo de modo admirable la tradición civilizadora de la raza latina y mediterránea, que ha tenido a la razón como suprema directora, que no puede abandonar pues se presta a peligros de importancia.

También *El Universal* (6 de octubre, p. 10, col. 7) trae una buena reseña de "La sesión de ayer del Congreso Internacional de Estudiantes":

Una larga discusión se entabla entre los delegados Palacios, Orfila, Cosío, Dreyzin, Porras, Enriquez [sic] Ureña, Roca y otros, terminando por aprobarse el primer punto del dictamen que dice así: I. Que las relaciones internacionales deben descansar sobre la integración de los pueblos en una comunidad internacional.

El 8 de octubre (p. 1, col. 3) asienta *El Universal*: "Quedó formada la Federación Internacional Estudiantil", donde nos enteramos que se ha creado un "Comité Directivo Provisional", integrado por Daniel Cosío Villegas, Pedro Henríquez Ureña y Manuel Gómez Morín, y que la Delegación Centroamericana protestó por estar incluidas en la familia personas que no son estudiantes.

En las crónicas posteriores sobre dicho Congreso que hemos visto en los diferentes periódicos no hemos encontrado ninguna otra participación de Pedro Henríquez Ureña. Sabemos que asistió, porque figura en la lista de los concurrentes, al banquete que se ofreció a los Delegados en el Palacio de Chapultepec, en el cual hablaron Ramón del Valle Inclán, José Vasconcelos, Carlos Pellicer y otros delegados. Al parecer, la atención de Pedro Henríquez Ureña se fijó más en la Federación de Intelectuales Latinoamericanos, cuya primera sesión fue registrada por *El Universal*, el 4 de octubre de 1921 (p. 1, cols. 6 y 7). En esta sesión se eligió como presidente a José Vasconcelos, como secretario a Rafael Heliodoro Valle, como tesorero a Isidro Fabela, y como presidente honorario, a Ramón del Valle Inclán. Pedro Henríquez Ureña figura entre los vocales.

Otro de los acontecimientos que cobró extraordinaria resonancia en México ese año fue a la celebración del Centenario de Dante. Con tal motivo se formó un Comité Honorario para las Fiestas del Centenario de Dante, que fue presidido por el mismo Alvaro Obregón (como presidente honorario, se entiende). En dicho Comité está toda la alta plana de la intelectualidad de México, según la crónica de *El Universal* (23 de octubre, 2a. sección, p. 2, cols. 4 y 5). Y en él figura Pedro Henríquez Ureña.

Sin embargo, el Congreso Internacional de Estudiantes deparó a Pedro Henríquez Ureña algunos amigos con quienes mantendrá correspondencia durante muchos años, y otros, a quienes evocará después de su muerte con profunda emoción. Tal es el caso de "El amigo argentino" Héctor Ripa Alberdi, sobre quien escribió páginas inolvidables y cuyo nombre incluyó en su libro *Seis ensayos en busca de nuestra expresión*.

Aparte de estas actividades y de su labor como director y profesor de la Escuela de Verano, Pedro Henríquez Ureña asesoró a Vasconcelos en diversos aspectos de su obra al frente de la Secretaría de Educación, como, por ejemplo, la programación de una serie de conciertos populares a cargo de la Orquesta Sinfónica de México, la preparación de una serie de clásicos de la literatura universal y la realización de un plan de estímulo para la investigación del folklore y la literatura popular, tarea esta última que contaba con el apoyo de una sección especial de la Secretaría de Educación, pero que se realizó dentro del medio más adecuado para la investigación en los cursos de la Escuela de Altos Estudios. Volveremos sobre este punto más adelante.

Otro aspecto de la labor de Pedro Henríquez Ureña fue, como en otras ocasiones, el de las conferencias. Y en este sentido cabe suponer que, por más que yo haya revisado las páginas de los principales diarios a la caza de estas noticias, es muy probable que mis hallazgos sean incompletos. La primera que encuentro en los periódicos de 1921 es una conferencia auspiciada por la Academia de Literatura y Ciencias, como parte del "Programa de Conferencias Públicas" ofrecido por dicha Academia durante los meses de septiembre y octubre "con motivo del centenario de la consumación de la independencia de México". La conferencia, que versó sobre Sor Juana Inés de la Cruz, fue pronunciada el 30 de septiembre de 1921 en el paraninfo de la Escuela Nacional Preparatoria. Otra conferencia —y de esto no estamos seguros— debió ser pronunciada en la ciudad de Jalapa, al parecer en un programa general auspiciado por la Universidad Veracruzana, sobre el tema general "La investigación personal". El diario *Alma Provinciana* de Jalapa (21 de diciembre) trae este comentario: "Aunque estuvo entre nosotros solamente un día, en la pequeña charla que con él tuvimos, lo apreciamos en todo lo que vale y nos dimos cuenta cabal de la bondad de sus conceptos". En realidad, fue una clase en un seminario de la Universidad Veracruzana sobre distintos aspectos de la enseñanza.

Entre los acontecimientos artísticos que llenaban el ámbito mexicano de 1921-22, como parte del plan cultural de la Secretaría de Educación Pública y Bellas Artes, debemos destacar las pinturas de Diego Rivera: en la Secretaría de Educación, en la Preparatoria y en los decorados de la Escuela de Agricultura, en Chapingo. Por tratarse de una figura de tanto relieve, no era posible dejar de presentarla a los alumnos de la Escuela de Verano. Pedro Henríquez Ureña invitó a Diego Rivera, en agosto de 1921, a que hablara de sus propias pinturas a los visitantes extranjeros. Poco después, el mismo Pedro Henríquez Ureña dio a publicidad unas "Notas sobre Diego Rivera", que aparecieron, con profusión de ilustraciones, en la revista *Azulejos,* en México, (el 5 de septiembre de 1921, pp. 22-23). Dicha conferencia fue reproducida, ahora sin ilustraciones, en el diario *El Mundo* de México, el 6 de julio de 1923. Días después, el diario *El Universal* (9 de julio de 1923), bajo el epígrafe de "Letras y monos", publicaba un comentario de un tal "Crispín" en el que sostenía lo siguiente:

> La obra del pintor mexicano Diego Rivera, provoca en estos momentos alternativamente, las más acervas críticas y los elogios más apasionados. Hay quien niega todo a Rivera —hasta el conocimiento de las artes de dibujo— y quien le suponga el pintor máximo de la república [. . .] Del ultraje zafio para la obra de Rivera, se pasa sin transición al elogio dogmático, doctoral y desapoderado de Henríquez Ureña.

El cronista sigue opinando sobre las pinturas que Diego Rivera ejecutó en el Anfiteatro de la Escuela Preparatoria y las que en esos momentos se hallaba ejecutando en la Secretaría de Educación, para luego, con el objeto de denigrar a Pedro Henríquez Ureña, le pregunta al famoso pintor:

—¿Le satisfacen a usted los elogios de Henríquez Ureña? —[Contesta Diego Rivera] Pedro Henríquez Ureña ha visto y ha amado las mismas obras de arte que yo; ha visto todo lo que el lenguaje pintado puede decir como precedente y justificación de mi trabajo. Conozco su gusto depurado y sé que es hombre incapaz de traicionar su propia sensibilidad. Un juicio favorable sobre mi trabajo, emitido por él, me satisface.

Así desbaratado el cronista en su nada oculta intención, cambió inmediatamente de tema. Es de notar que la entrevista a Rivera va ilustrada con una máscara-caricatura de Pedro Henríquez Ureña que está de acuerdo con la campaña que *El Universal* había iniciado el año anterior contra el ilustre dominicano, llamándolo 'negrito haitiano".

El año 1921 fue, como se ha visto, de variada e intensa actividad en la acción y obra de Pedro Henríquez Ureña en México. Además de ser director de la Escuela de Verano y catedrático en ella de Gramática y de Literatura Mexicana, de acompañar a los estudiantes a excursiones artísticas por la ciudad y los alrededores de México, de dar conferencias y de publicar en los periódicos una serie de notas sobre variados temas bajo el título general de "En la orilla" (parte de estos trabajos pasaron a integrar el libro *En la Orilla. Mi España* (1922), tuvo a su cargo la cátedra de Filosofía: Ética e Historia de las Doctrinas Filosóficas en la Facultad de Altos Estudios, y fue uno de los miembros organizadores del Grupo Solidario del Movimiento Obrero, base de la Universidad Obrera y punto de contacto con la CROM, que tantos disturbios provocó poco después en los ámbitos universitarios, como veremos más adelante.

Lo que más sorprende fue, sin duda, la impresión que Pedro Henríquez Ureña causaba a todos aquéllos con quienes tomaba contacto, sobre todo a los estudiantes que visitaron México con motivo del Congreso Internacional. Uno de dichos visitantes, el argentino Arnaldo Orfila Reynal, nos ha dejado un vívido testimonio de este momento:

El 21 de septiembre de 1921 llegábamos a México cinco jóvenes argentinos que llevábamos la representación de nuestro país al Congreso Internacional de Estudiantes que debió dar nacimiento a la Primera Internacional Estudiantil cuya creación resultó después malograda.

En el brillante paisaje espiritual del México de esos días, un hecho sorprendente nos atrajo y nos sedujo: entre el centenar de delegados de cuarenta naciones, había uno que estaba por sobre todos los demás en su personalidad inconfundible. Más maduro que nosotros, que la mayoría de todos, no podíamos percibir cómo era posible que un hombre tan evidentemente sobresaliente por su sabiduría, por su prodigiosa cultura, pudiera ocupar, al lado nuestro, los escaños de la Escuela Preparatoria, compartiendo los debates, conviviendo la hirviente inquietud estudiantil de aquellos días tan esperanzados del mundo de postguerra. Ocurría que él era también un estudiante inquieto y animoso como los demás; estudiante-maestro como lo había sido desde su adolescencia y lo sería hasta su muerte; estudiante de todo lo universal y humano, maestro de todas las sabidurías.

Veinticuatro horas después de nuestro arribo, cuando se producían los primeros contactos con ese vigoroso conjunto de jóvenes americanos, europeos, asiáticos, que integraban la asamblea, aquel hombre extraordinario nos dio la sorpresa más honda, más conmovedora: se acercó a los argentinos con un interés extraño, con una afectuosidad tan pulcra pero tan desusada, que nos sorprendió, emocionándonos. Todos los momentos liberados de tareas, los teníamos consagrados a extender, a profundizar, esa amistad nueva que había de ser, desde entonces, sólo interrumpida por la muerte. Pedro Henríquez Ureña vivía con nosotros, discutía, paseaba, cantaba, inquiría, enseñaba a nuestra curiosidad insaciable. Cuando, finalizado el Congreso, el Ministerio de Vasconcelos distinguió a los argentinos con una invitación para recorrer el país en un tren especial, fue la compañía de Pedro, con la de Don Ramón del Valle Inclán, de Daniel Cosío Villegas y de Julio Torri, la que hizo que aquellos treinta días de andanzas por valles, montes, playas y pueblos de aquel gran país que estaba viviendo un nuevo renacimiento, se transformaran en un itinerario de fantasía.

Y en otra ocasión el mismo Orfila Reynal nos ha hecho, a propósito de esos mismos viajes y conversaciones de 1921, una pintura de la personalidad *insólita* de Pedro Henríquez Ureña que no deseamos dejar traspapelada. Dice así:

Pedro Henríquez Ureña[138]

Entre aquel paisaje-nación (se refiere a México) descubrimos un hecho humano insólito: descubrimos la existencia de Pedro Henríquez Ureña. Insólito, dije, y no me rectifico aunque proteste su familia: era un hecho humano distinto a los demás. Cuando preguntábamos su nombre, al verle por primera vez en las filas del Congreso Internacional de Estudiantes (septiembre de 1921)

---

[138] Tomado de: *México en la cultura*, órgano del Instituto Cultural Argentino-Mexicano de Buenos Aires, No. 22. enero-febrero-marzo. 1957. p. 9. [Palabras de despedida con motivo del viaje a E.E.U.U. de P.H.U. en 1940. Publicación de la Universidad Popular Alejandro Korn].

que nos había congregado, se nos decía en voz baja, que era uno de los hombres más cultos de hablo española.

Era un erudito. Sabía griego y latín. Era doctor en filosofía. Dirigía una rama del proceso de transformación educacional de Vasconcelos. Había sido maestro del grupo renovador del México antiporfirista, anticientífico.

Había sido profesor de Universidad yanqui. Trataba a las grandes figuras intelectuales de Francia y España como si fueran de su intimidad. Tocaba el órgano en las iglesias cerradas que encontrábamos en un itinerario curioso que cumplimos junto a don Ramón del Valle Inclán. Comía con fruición, previas explicaciones técnicas sobre el contenido y elaboración, cuanta cosa rara nos ofrecían en las calles o en las estaciones. Se extasiaba ante una buena fuente de mole de guajolote picante, con el mismo respeto con que escuchaba la Novena Sinfonía. Dinstinguía como erudito el valor de los vinos y la arquitectura de las iglesias, y le parecía tan importante gastar el tiempo en una investigación filológica, como en la contemplación activa de una mujer elegante, sobre todo, inteligente. Nos daba su opinión sobre los inquietantes problemas sociales y se enfadaba con nosotros porque no sabíamos entonar con discreción las canciones populares que nos cantaban en los caminos.

Resultado de esos viajes, y acaso por el contacto personal con quien desde ese momento fuera uno de sus mejores amigos, el licenciado Daniel Cosío Villegas (autor de *Miniaturas mexicanas*, 1922), son una serie de cuadros descriptivo-poemáticos de ciudades y paisajes de México que en 1922 dio a luz en la revista *Nosotros*, de Buenos Aires, con el título precisamente de "Miniaturas mexicanas". Damos, como muestra, las miniaturas I, II y IX, tituladas, respectivamente "La triple México", "La supervivencia de Tenochtitlán" y "Arráncame los ojos"...

I

La triple México

Para quien tenga ojos, cualquier viaje será viaje a Italia. En México no cabe duda: sus ciudades antiguas tienen el encanto de las continuas sorpresas. Y su capital ofrece al espectador, como Roma, tres ciudades sucesivas, vivientes aún: la ciudad triple sobre las capas de ciudades sepultas. En Roma, coexisten arquitectónicamente la urbe de los Césares, la ciudad de las basílicas cristianas y la corte de los Papas del Renacimiento, que alcanza su áureo mediodía en San Pedro, y su fastuoso crepúsculo barroco, en las fachadas y las fuentes del Bernini. Pero la unidad se impone; basta mirar a la mujer romana, aristocrática o plebeya: el busto tiene todavía las amplias líneas marmóreas de Livia y de Julia; la cara es todavía el óvalo rafaélico.

Así, México ofrece, si no los veinte siglos de Roma, al menos el compendio de cuatro centurias: La Tenochtitlán lacustre de los emperadores aztecas, la corte de los virreyes españoles, la atormentada capital independiente, republicana con eclipses monárquicos. Y la unidad (en la dualidad, si queréis) se impone también: en 1921, como en 1521, transitan por las calles el español que combate a las órdenes de Cortés o de Iturbide, y el indio que combate a las órdenes de Cuauhtémoc o de Morelos.

II

La supervivencia de Tenochtitlán

Sobre las ciudades sepultadas en que se asienta México, la Tenochtitlán de los aztecas persiste todavía a flor de tierra. Se desciende o se cava, uno o dos metros, en las inmediaciones de la Catedral, y se tropieza con edificaciones piramidales y con grandes ídolos y frisos simbólicos. A veces, Tenochtitlán sube y se muestra, como en la formidable cabeza de serpiente que sirve de piedra angular a la casa de los Condes de Calimaya; y la Piedra del Sol es todavía monumento público, que a través del patio del Museo atrae los ojos del transeúnte de la calle. Y si no con el Museo, y si no con el azteca viviente, con su tipo étnico y su lengua nativa, nos convenceríamos de la persistencia de Tenochtitlán yendo a visitar una de sus antiguas dependencias: yendo, por el canal que abrieron los indios, a Xochimilco, rústico resto de las Venecias indígenas que en otro tiempo se desparramaban por todo el valle de Anáhuac, Arcadia lacustre donde el hombre piensa sólo en las flores y los frutos que cultiva, entre columnatas de sauces verticales, émulos de los chopos del Mediterráneo.

IX

Arráncame los ojos. . .

En camino hacia ruinas indias de Uxmal, de noche. Va atestado el tren oficial, y hasta lleva músicos en la comitiva: cantores que se acompañan con guitarras. La juventud pide canciones, y comienza la interminable serie de aires del trópico, con quejas y arrullos incomparables, de donde nacerá la maravilla musical del futuro.

Pero al día siguiente hay que estar en pie desde temprano, y recorrer leguas a caballo, y subir a pie colinas y pirámides. Queremos dormir. El invitado de honor, más que todos. Comienza a dormitar; pero bien pronto lo despierta una nueva canción. Los cantores han iniciado la serie colombiana, llena de imágenes fúnebres. . . Dormita la víctima de nuevo, y nuevos cantores le turban el sueño a intervalos frecuentes: cantares absurdos que hablan del rosal enfermo que muere por falta de amor, como el corazón del poeta, y de la espina clavada en el corazón, y de la niña que hizo florecer la madera de la caja en que la llevaban a enterrar, y de la niña que murió entre flores de mayo y dejó el alma volando entre ellas: de las cosas más tétricas que pueden dar de sí la imaginación y el sentimiento enfermizos.

Y cuando la víctima, desesperada por la vigilia impuesta a sus ojos pesados de sueño, pide morir o matar a sus verdugos, y se llena de ideas de muerte, los implacables cantores entonan con voz aguda:

—"¡Arráncame los ojos cuando muera!"

El año de 1922 habría de ser para Pedro Henríquez Ureña el comienzo de vicisitudes nada gratas, en las que se mezclaron acontecimientos de muy diversa índole, especialmente políticos.

IV. La España de Henríquez Ureña

Dos libros de Pedro Henríquez Ureña aparecieron ese año: la edición, con prólogo y notas, de *Los favores del mundo* de Juan Ruiz de Alarcón, y *En la orilla. Mi España*; el primero editado por la Editorial Cultura (T. 16, No. 4) y el segundo editado por la revista *México Moderno*, cuya redacción compartía con su futuro yerno Vicente Lombardo Toledano, director de la revista.

La crítica recibió ambas publicaciones con elogios. Daniel Cosío Villegas se encargó de reseñar la primera en la *Revista de Filología Española* (Madrid, 1923, pp. 192-193), y la segunda, en la revista vanguardista *Ser*, de Puebla (noviembre 15 de 1922). La primera reseña es fácilmente accesible; en cambio, la segunda, resulta hoy una rareza bibliográfica, por lo que la transcribimos completa:

Mi España

Ultimo libro de Pedro Henríquez Ureña

Acaba de publicarse por la editorial México Moderno, *Mi España*, libro último de Pedro Henríquez Ureña.

No obstante que Pedro Henríquez Ureña ha publicado trabajos de pura literatura, en realidad su reputación es como crítico de primer orden, pero sólo como crítico. Quienes lo conocemos de cerca, sentíamos la necesidad de que publicase un libro de creación literaria, para que el público se diera cuenta del escritor clarísimo y de un sentimiento cálido admirable que hay en Pedro Henríquez Ureña.

Mi España es un libro compuesto de artículos (uno de los cuales reproducimos) escrito hace ya tiempo. Los hay del año de 1910. Otros, como la "Antología de la Ciudad", han sido escritos recientemente. En todos ellos el español es de primera calidad, y en los últimos, de modo especial, el fino sentimiento literario, la observación delicada y una ideología magnífica, hacen de Pedro Henríquez Ureña, sin discusión alguna, uno de los primeros escritores en lengua castellana.

Compañero y amigo íntimo de Antonio Caso, de Alfonso Reyes, de José Vasconcelos, de Diego Rivera y de Julio Torri, tal vez la mejor generación intelectual de México, ha hecho por la cultura del país los mejores esfuerzos. El es, por ejemplo, el verdadero fundador del Ateneo de Méjico, en que se dieron aquellas magníficas conferencias sobre la filosofía moral de Hostos, sobre Gabino Barreda, sobre Sor Juana Inés de la Cruz, publicadas más tarde en un pequeño volumen, desgraciadamente poco conocido.

En 1914 salió de México haciendo un largo viaje por Europa y Estados Unidos, habiendo sido catedrático de literatura española en la Universidad de Minnesota, una de las de mayor reputación de los Estados Unidos. El año pasado regresó a México encargándose del Departamento de Intercambio Universitario de la Universidad Nacional y de una clase de literatura universal en la Escuela Preparatoria y de otra de literatura castellana en la Escuela de Altos Estudios.

Otro de sus discípulos, Jesús Zavala, aprovecha la oportunidad de reseñar *En la Orilla. Mi España* para ensalzar también al maestro que en esos momentos estaba dictando en la Escuela de Altos Estudios un seminario de Investigación sobre la Lengua y la Literatura Españolas. El trabajo de Jesús Zavala se titula "La España de Pedro Henríquez Ureña" (con igual título publicó otro artículo Adolfo Salazar) y apareció el domingo 24 de junio de 1923 en la sección "Letras y Arte" de *Revista de Revistas* de México (p. 37). Su texto es el siguiente:

> Dominicano por nacimiento, pero mexicano por la erudición, la sobriedad y el sentimiento, Pedro Henríquez Ureña es algo nuestro, muy nuestro. Al menos, creemos que entre nosotros ha germinado y florecido lo más gallardo de su pensamiento. Como en los albores de su exuberante primavera, continúa imperturbable aquilatando valores y desentrañando misterios. Su erudición es asombrosa.
>
> Alfonso Reyes le debe iniciación y enseñanza. Y como Reyes otros muchos en quienes ha sabido despertar el amor a la investigación y a la crítica. Antonio Caso, refiriéndose a él, nos ha dicho: "Es un Sócrates". Y como Sócrates, nos ha enseñado a pensar, a investigar, y a justipreciar los valores literarios sobre todo.

Bajo su dirección, en la cátedra de Investigación sobre la Lengua y la Literatura Españolas, que en la actualidad sustenta en nuestra Escuela Nacional de Altos Estudios, se han llevado a cabo investigaciones de la mayor importancia. Estas investigaciones son una prueba inequívoca de lo que Pedro Henríquez Ureña es capaz de realizar entre nosotros. Y aunque no han faltado quienes —tal vez por envidia o por despecho— aconsejen a la juventud que huya de su vera, ésta continúa inmutable escuchando sus enseñanzas.

En los presentes momentos, Pedro Henríquez Ureña es entre nosotros lo que Enrique Díez Canedo es en España.

* * *

En la Orilla. Mi España llámase su último libro. En este libro, Pedro Henríquez Ureña ha reunido una serie de artículos en los que se refleja con toda precisión su visión clara de España. La España variada y única del momento actual, la España artística y literaria de nuestros días y la España gloriosa del Renacimiento.

Refiriéndose a la España del momento actual, Henríquez Ureña manifiesta que no cree en su decadencia, en su incurable decadencia. No es escéptico ni pesimista. No duda de su genialidad, de su espiritualidad, ni mucho menos cree en su irremediable fracaso. Para él, España vive, crea, y, por consiguiente es capaz aún de progresar, de dirigir sus pasos hacia adelante.

Pero para alcanzar esta convicción menester es ver a España, como él la ha visto, de cerca y en conjunto. Seguramente hay cosas malas en España; pero esto no quiere decir que en España todas las cosas sean malas. Es mala, por ejemplo, la organización de los poderes gubernativos; pero de aquí a que todo en ella sea malo media una distancia inmensa.

Una inquietud intelectual asocia y divide a la vez a los habitantes de Madrid; más allá de Madrid el espíritu de confraternidad, el don de simpatía, une a las gentes sencillas. "El pueblo bajo" tiene genio. Este pueblo es el que, como ayer prestó canciones a la lírica y al teatro, hoy crea el canto y la danza.

No. España no es un pueblo decrépito y senil. España tiene vida y crea. No carece de espíritu, lo tiene en demasía. Sólo que es necesario que preste mayor atención a las cosas materiales. Su olvido de las cosas materiales es la causa de su aparente decadencia. En España la deficiencia de las técnicas y la insuficiencia de las máquinas son ostensibles.

El pesimismo sobre las cosas de España es característico de los mismos españoles. Este pesimismo obedece en rigor a su exagerado espíritu crítico aplicado a las obras ajenas y conclusas y no a las propias, procurando enfrenar su tradicional espíritu de improvisación. España es, por excelencia, el país de la improvisación.

En la segunda parte del libro, Henríquez Ureña ocúpase de la España artística y literaria de nuestros días. Constituyen esta parte una serie de artículos sobre Adolfo Salazar y la vida musical en España, "Goyescas" de Enrique Granados, José Moreno Villa, la obra de Juan Ramón Jiménez y "Los Valores Literarios" de Azorín. ¿Cuál de estos artículos es mejor que los otros? ¿Cuál de ellos es más interesante? Difícil es contestar a estas preguntas. Para los que admiramos la erudición, el espíritu crítico y la prosa exquisita y castiza de Henríquez Ureña, a decir verdad carecemos de preferencias.

Los colocamos en el mismo plano.

En la tercera parte del libro, nos habla del Renacimiento en España. ¿Existe el Renacimiento en España? He aquí una pregunta en torno de la cual se han expresado las más variadas opiniones. Pedro Henríquez Ureña la contesta afirmativamente: "Si por Renacimiento —nos dice— se entiende un movimiento semejante al de Italia, en España no lo hay; pero sí existen allí manifestaciones que tienen el "carácter Renacimiento", sobre todo en la época de Carlos V. Al estudiar el Renacimiento en la literatura española, pues, creo que hay que estudiar, no una época, sino un estilo: así como hay creaciones españolas de estilo Renacimiento en la arquitectura, las hay en las letras. *La Celestina* es el primer ejemplo, aunque no en todas sus partes. Boscán, Garcilaso, Valdés, son ejemplos también. Los hay en géneros enteros: la novela pastoril, la épica artificial, buena parte de la poesía lírica. Y aun en géneros muy nacionales, como la comedia de los siglos de oro, hay ocasión de estudiar qué elementos renacentistas entraron; y otros géneros, por fin, como la novela picaresca, frutos de la vida española, podrían estudiarse como ejemplos de contraste".

En esta parte, Henríquez Ureña, no alcanza a desarrollar y comprobar plenamente su tesis. Apenas la esboza. Esta tesis habrá de ser motivo de un libro que desde hace años se ha propuesto escribir. Sólo que, como él mismo lo dice, los años pasan y únicamente dos estudios ha podido escribir: uno breve sobre "Rioja y el sentimiento de las flores" y otro extenso sobre "El maestro Hernán Pérez de Oliva", que se hallan incluidos en el libro. Al lado de estos estudios se hallan algunos apuntes sobre "Los poetas líricos", "Cervantes y Alarcón en el teatro español".

Esta tesis ha sido motivo también de un curso especial que Henríquez Ureña sustentó, durante el año próximo pasado, en la cátedra de Investigación sobre la Lengua y Literatura Españolas, en nuestra Escuela Nacional de Altos Estudios.

Seguramente, la primera y la tercera partes del libro, por la originalidad y la trascendencia de los temas en ellas tratados, son las más interesantes. Nosotros creemos, al menos, que son las más importantes. Esto no quiere decir, como ya lo hemos asentado, que menospreciemos la segunda.

En la Orilla. Mi España es un libro indiscutiblemente bello y de positivo valor. Bello y de positivo valor para quienes, por su erudición o por su amor a la investigación y a la crítica, sean capaces de comprenderlo, y para quienes el idioma español no esconda sus secretos. Pedro Henríquez Ureña, además de ser un erudito y un crítico artista, es un escritor hecho. Un escritor a quien muchos envidiamos la sobriedad, la exquisitez y la pureza de su estilo.

Otro juicio sobre el mencionado libro que debe salvarse del olvido es el de Samuel Ramos. Se publicó en *El Heraldo de México,* el 10 de junio de 1923. Dice así:

Al margen de un buen libro

La Revolución de Independencia americana no trató solamente de efectuar nuestra emancipación de España en lo temporal. La América independiente, luchó durante todo el siglo pasado por desligarse de la metrópoli también en lo espiritual. Y no fue difícil conseguirlo, puesto que a ello concurrían el rencor aún fresco contra el dominio colonial y el espectáculo del evidente rezago de España con respecto a otros países cultos de Europa. Y no contentos aún los hispanoamericanos con que espontáneamente brotara la hispanofobia, la cultivaron en la escuela como una forma de patriotismo. De todo esto resultó no sólo un desdén efectivo por todo lo que fuera español, antiguo o moderno, sino además un intento que hoy juzgamos pueril, de renegar nuestra filiación hispánica. Fue necesario que conociéramos las leyes de herencia biológica, para darnos cuenta de que la fuerza inmanente y fatal de esas leyes, nos hacía inconscientemente españoles a despecho de nuestros resentimientos y pretendidas consideraciones, sobre la decadencia española. Los hispanoamericanos de hoy han rectificado unánimemente ese error de la insurgencia romántica, y todos reconocen en el pasado de España los primeros capítulos de la historia de América. Todos consideran como un deber incorporarnos con el estudio, la tradición de España, para adquirir la partícula de su espíritu que la herencia no ha podido infundirnos por adentro. Del amor, del interés que sienten los escritores de América por las cosas de España da una muestra significativa, el último libro de Pedro Henríquez Ureña. Nos presenta una España vista no solamente desde esta orilla del mar y a través de su arte y su literatura, sino también, en parte, "d'aprés nature". El autor no pretende seguramente que eso sea España, o, mejor dicho, toda España. Entendemos que para parar esta idea del lector, le ha dado a su libro el título modesto de *Mi España.* ¿Pero cuál puede ser la España de Henríquez Ureña, —sospecho que me dirían los que le tienen por un erudito—, si no la España representada en signos ortográficos y contenida en las hojas de los libros? Pero, no obstante que buena parte del libro es consagrada a la literatura española, está en él una España vista directamente y, lo que es más, pronto lo comprobaremos, sin criterio libresco. No sólo sino que, Henríquez Ureña, emplea el tecnicismo profesional del erudito como un recurso literario y en transposiciones elegantes. Ahí está, por ejemplo "La Antología de la ciudad" que para Henríquez

Ureña, no es un libro en que se amontona literatura local. Es un cuadro ideal
que contiene todos los rasgos concretos y vivos de una ciudad, de los que vemos desprenderse un mismo espíritu. Esta unidad no sólo está en la música,
en la literatura y en la pintura, sino en el paisaje que la rodea, en costumbres
y jardines, en el trazo de sus calles, en sus edificios y. . . ¡hasta en su dulce!
¡también en las artes menores imprime la ciudad española su carácter! Henríquez Ureña no sabe el servicio que hace a la causa de España en América
señalando estas minucias. Permite a los mexicanos que ignoramos a España,
corroborar nuestro carácter español, donde menos pensábamos. ¡Acordaos de
los guayabates de Morelia, de los camotes de Puebla, de las cajetas de Celaya!
Esto no es una exageración meridional. Tan útil es conocer las semejanzas
entre América y España, que también a Henríquez Ureña, le sirvieron para
reconciliarse con ese país. Confiesa que llegó a España predispuesto contra
ella. "La historia del dominio Español en América no se ha limpiado aún de
toda pasión" y agrega que es por culpa del español de América "de necesidad
luchador", y "obligado a enseñar las garras". Más adelante dice que "la llegada a tierra española desarma en seguida. Si llegamos, sobre todo, de países
en que dominan otra lengua y otra civilización, —aunque sea de Francia—,
creemos estar de regreso en la patria: Cádiz y Santo Domingo son para la imaginación excitada una misma ciudad; los muelles de Barcelona se confunden
con los de La Habana o sus avenidas con las de México; el Mediterráneo es,
para el deseo visionario, el Caribe; . . ." Y ahora Henríquez Ureña, está dispuesto a creer en España: "He aquí un pueblo, dice, que realizó grandes cosas, que trata de realizarlas todavía, que conserva una capacidad sorprendente,
en desproporción con sus medios, con sus recursos de acción. Por mi raza ha
hablado el espíritu; por mi raza hablará de nuevo: todo está en que vuelva
a dominar todos los medios de expresión". Desde este momento se empeña
en defenderse contra toda influencia adversa a su fe en el porvenir español,
como sucede con "el pesimismo sobre las cosas de España, característico de
sus hijos". Para librarse de él, trata de explicarlo por "una exageración de la tendencia crítica, hija del Mediterráneo. Sobre los pueblos de tradición latina,
se alza siempre, y para toda cosa, como paradigma platónico, la idea de perfección. Desde que Roma quedó fascinada por los inmarcesibles arquetipos
de Grecia, el espíritu crítico de los pueblos latinos exige siempre en toda obra,
aquella perfección cuyo secreto se revelaba a los griegos, como verdad co-
tidiana".

Al fin el escritor dominicano cede provisionalmente a la afirmación de los
españoles de que las cosas en su país están mal. Pero entonces, se pregunta
¿por qué están mal? Y para dar su opinión sobre este problema hace uno de
los estudios más sólidos y excelentes de su libro. Enfoca la cuestión desde un
punto de vista original, o, mejor dicho, desde un doble punto de vista. El mal
debe encontrarse, piensa él, en el "espíritu" o en las "máquinas".

En este admirable artículo sobre España, es en el que mejor puede comprobarse el amplio sentido humano del autor. Nada de las limitaciones profesionales de criterio que algunos le han atribuído. De esas líneas no trasciende el más tenue olor a biblioteca y a papel impreso. "La letra, dice, no tiene para mí valor mágico. La letra es sólo un signo de que el hombre está en camino de aprender, que hay formas de vida superiores a las suyas y medios de llegar a esas formas superiores". A un espíritu libresco exclusivo se le hubiera escapado quizá la observación que Henríquez Ureña pudo hacer a pesar de la literatura. Los españoles, dice, tienen el defecto de vivir en medio de generalidades: son especialistas en "alma española", y no se fijan en los problemas concretos de la vida.

Aquí está la causa de sus males. Pudiera decirse que el espíritu en ellos está bien "La imperfección está en las máquinas". . . los intereses ideales son los mayores, los supremos, pero hay que atender a la buena maquinaria, a la eficacia técnica, porque sin ella el espíritu no se manifiesta en plenitud. El espíritu debe interesarnos más que el progreso en el orden material o mecánico; pero el progreso en tales órdenes debe ser garantía de la integridad del espíritu. Henríquez Ureña recuerda a los españoles el ejemplo de Japón. Su evolución hacia la cultura europea sin perder su espíritu peculiar, es modelo que debe imitarse en el caso de España. Y yo diría también que en el caso de América. Sobre todo ella no debe perderlos de vista un solo instante. España tiene ya su espíritu hecho y fortificado por una larga tradición. Y gracias a esto, cuando introduzca todos los elementos necesarios para su organización material, se puede asegurar que su espíritu saldrá intacto. No así en América donde no encontramos aún nuestra alma específica. Y corremos riesgo de no encontrarla nunca, si no sabemos evitar la deformación que bien pudiera producirse bajo el peso de la civilización material que recibimos de fuera.

Madrid, dice Henríquez Ureña en otro artículo, no es como comúnmente se cree, una ciudad inmóvil. Dentro de su lentitud existe un movimiento de renovación. Conserva sus preocupaciones ideales. El interés por la literatura, la pintura y sobre todo por la música, es allí muy vivo. El gremio de los literatos profesionales, puede considerarse organizado en una clase con varias subdivisiones, de características bien definidas, si se las observa con "sentido de la estrategia literaria". Ese mundo literario tiene sus jerarquías a cuya cabeza está la "aristocracia cerrada de la literatura española", descrita con gran finura en uno de los párrafos del libro. Los artículos de crítica sobre modernos que vienen después, se refieren justamente a algunas figuras de literatos aristócratas, como Juan Ramón Jiménez, Moreno Villa y Azorín.

Por último, queremos reproducir otro juicio publicado en *El Heraldo de México* (domingo 4 de febrero de 1923), aparecido en la sección "Dominguerías", que llevaba el profesor Mariano Silva Aceves, y que en este caso se titula:

Lecturas. Pedro Henríquez Ureña

Considero como una fortuna para el México actual que todavía hospede a este ilustre dominicano, consagrado a la cultura universal del espíritu, maestro del estilo castellano y capaz de percibir en nuestro ambiente y expresarlos con acierto, aspectos y matices que a otro tal vez escaparían aún siendo mexicano.

No es que yo quiera sumarme al coro de sus discípulos: Pedro Henríquez ha sido para mí, antes que un maestro de influencia personal o un amigo cuya compañía se eche de menos, un escritor envidiable que debía pasarse resueltamente la vida escribiendo libros, más bien que dilapidando en una cátedra sus tesoros de erudición en Escuelas sin Humanidades, o fomentando paradoja en cenáculos que son nidos de pedantería.

Leyendo sus libros cualquiera que aprecie la cultura y el talento, tendrá que sentir estimación por este escritor, simpático a muy pocos, y a quien muchos han hecho sufrir con injustas y mordaces sátiras, porque no lo conocen en la belleza espiritual, fecunda en sugestiones y enseñanzas, que reflejan sus libros.

Un desconocimiento —no raro por cierto— de sí mismo, es el que tal vez ha orientado las actividades fundamentales de Pedro Henríquez a campos como el de la pedagogía o el de la erudición que aunque estimables en sí son estrechos para las visiones que él puede alcanzar y en los que, a nuestro parecer, ha adquirido ese "paludismo anémico" que lo mantiene en una esterilidad casi constante.

Todo esto discurro después de leer su reciente libro que se llama: *En la Orilla. Mi España*, en el que ha reunido artículos escritos desde 1910.

Todo tiene en él un valor, y no hay estudio en que la agilidad de pensamiento y la agudeza de observación no nos hagan muy provechosa su lectura. Un estilo límpido, descargado de toda pesadez retórica, aun en los temas que tienen como fondo la erudición hace de cada una de las páginas de este libro un modelo del buen decir a que se llega cuando a través de todas las lecturas, por abundantes que sean, la personalidad del escritor logra imponerse.

Si tuviera que definir la actividad literaria de Henríquez Ureña lo haría diciendo que es "ensayista" antes que crítico. Sus ideas sobre España tienen el valor de una fórmula exacta y vienen a renovar lo mucho que se ha dicho acerca de la fuerza o debilidad del "alma española", y a rectificar no poco de ello; pero nada tan inteligente y tan literario como la "Antología de la Ciudad".

En sus estudios literarios sobre el crítico musical Adolfo Salazar; sobre los libros del poeta y crítico de arte Moreno Villa, o sobre Juan Ramón Jiménez, hace gala de perspicacia y buen gusto, más bien que ostentación de sabiduría, que a él ningún trabajo había de costearle. Con una autoridad que se siente irrecursable, discurre, en otras partes del libro, por los anchurosos campos de las letras castellanas, tratando siempre de descubrir nuevos puntos de vista, como el sentimiento de las flores en Rioja, o la supremacía de la lírica, o Don Quijote "maestro de energía y de independencia", o la ponderada "discreción mexicana" en el teatro de Juan Ruiz de Alarcón.

Estos artículos que son tan breves como jugosos, tienen la virtud, quizás por su propio equilibrio, de poner en actividad el espíritu del lector invitándolo a la familiaridad con esos temas. Por esto creemos que la verdadera fuerza docente de Pedro Heríquez más que en su palabra, está en sus escritos, y por esto también la juventud debe acudir a ellos.

Sería muy interesante que Pedro Henríquez Ureña, olvidando un poco su vocación pedagógica y abandonando otro tanto a sus discípulos a sí mismos, se diera con amor a la tarea de escribir en alguno de nuestros diarios sobre temas que la cultura mexicana requiere, en cualquier orden de ideas. Nos parece lastimoso que un espíritu tan preparado para sembrar buenos pensamientos permanezca inactivo, o en el infructuoso dominio de unos cuantos. Los hombres cultos, que en otros países no desdeñan agitar las ideas de su pueblo, no se parecen a los sabios ni a los filósofos mexicanos que sólo se levantan de su silla poltrona para ir a la Academia o a la velada insubstancial, en donde disertan sobre temas envejecidos, con una oratoria que hace pasar el rato. Después vuelven a su oficina a firmar oficios y a repetir en la clase las lecciones de siempre. . .

La vida cultural no se contenta con esas parsimonias, y está pidiendo a gritos mayores actividades.

V. Cátedras Universitarias

Aunque la Escuela Preparatoria, de acuerdo con el nuevo plan que surgió con motivo de la creación de la Secretaría de Educación Pública, formaba parte de la Universidad, consideraremos aquí sólo las cátedras en la Escuela de Altos Estudios, donde Pedro Henríquez Ureña realiza una extraordinaria labor. El profesor Julio Jiménez Rueda, que fue su alumno en 1914 y su discípulo y colega en 1921 y 1922, opina:

Al asumir la Rectoría de la Universidad primero y la Secretaría de Educación después, don José Vasconcelos en el año de 1920 [sic], Pedro Henríquez Ureña vuelve a México, para fundar la Escuela de Verano, que tanta importancia ha tenido para el conocimiento de México en los Estados Unidos particularmente. Se rodea de un profesorado capaz y entusiasta. Incorpora a sus discípulos a la enseñanza. Implanta nuevos métodos en la docencia y en la investigación universitaria. En la Escuela de Altos Estudios, ahora Facultad de Filosofía y Letras, inicia un seminario de letras españolas, uno de los primeros cursos de este tipo que se dieron en la Universidad. Sigue desempeñando su cátedra de Literatura Comparada. [. . .] Su enseñanza dejó en mí hondas huellas. Me enseñó a trabajar en la investigación de temas literarios. Cooperé con él como maestro en la Escuela de Verano y seguí sus huellas como Director de este Instituto en 1928. Le sucedí en la cátedra de literatura española en la Facultad de Altos Estudios cuando salió del país. Soy, pues, testigo de la importancia de la obra realizada por el maestro dominicano en nuestro país.[139]

Y otro mexicano, el profesor Luis Leal, nos informa:

Por aquellos años ya había surgido una nueva generación —Antonio Castro Leal, Alfonso Caso, Gómez Morín, Toussaint, Cosío Villegas, Lombardo Toledano, José Gorostiza formada en las aulas de la Universidad Nacional, bajo el influjo decisivo de Antonio Caso y Pedro Henríquez Ureña. El órgano oficial del grupo era la revista *México Moderno,* que antes dirigiera el poeta González Martínez y entre cuyos directores encontramos el nombre de don Pedro. Allí publicó, en 1922, sus "Notas sobre literatura mexicana".[140]

El mismo Pedro Henríquez Ureña se ha referido a este momento del desarrollo de la cultura en México:

Hacia 1920 se hace franco cambio de orientación en la enseñanza de la sociología, la economía política y el derecho. Esta transformación se debe a hombres todavía más jóvenes que nosotros, hombres que apenas alcanzan ahora (1925) los treinta años: Manuel Gómez Morín, a quien se debe en su mayor parte la nueva coordinación del plan de estudios jurídicos en la Universidad; Vicente Lombardo Toledano, cuyas *Definiciones de derecho público,* se inspiran en la escuela de Duguit; Daniel Cosío Villegas, cuyo intento de hacer sociología aplicada al país (apuntes de *Sociología mexicana*) despierta franco interés; Alfonso Caso, Daniel Quiroz y otros. . .

La renovación filosófica, como hemos visto, ya se había hecho desde 1906; la búsqueda y definición de los caracteres de la mexicanidad con el Ateneo de México y las conferencias en la librería General de Gamoneda; la afirmación de estos hallazgos, con la generación de 1915, según afirman Gómez Morín y Daniel Cosío. La reforma de la enseñanza en la literatura se había iniciado, en gran parte, con el plan presentado, según sugerencias de Pedro Henríquez Ureña, en 1912, para

---

[139] En *Revista Iberoamericana,* No. 141-142. Totalmente dedicado a P.H.U.
[140] *Idem.*

la Escuela Preparatoria. El mismo Pedro Henríquez Ureña había propiciado un nuevo sistema de enseñanza, sobre la base de la investigación, tipo seminario, tal como se practicaba en universidades europeas y de Estados Unidos. Pero eso no era suficiente. Era preciso terminar con los profesores que repetían manuales o que propiciaban una falsa comunicación entre profesor y estudiantes, con fines políticos. El seminario que dirigió en la Escuela de Altos Estudios en 1912 y 1913 para formar la Antología de las cien mejores poesías mexicanas, que compusieron sus discípulos Antonio Castro Leal, Manuel Toussaint y Alberto Vázquez del Mercado, fue modelo de rigor, sobriedad y gusto.

Dado el éxito obtenido en dicha clase-seminario, se esperó con gran interés y se dió especial publicidad al nuevo seminario establecido para el año 1922. El diario *El Universal* trae en uno de sus anuncios del mes de marzo de 1922 el siguiente:

Las Clases del "Seminario" van a establecerse.

Hemos sido informados que la Dirección de Altos Estudios, ha autorizado al señor Pedro Enriquez [sic] Ureña, para que dé en el presente año los cursos de "Seminario".

Se nos dijo que esta será la primera vez que dichos cursos se imparten en las enseñanzas superiores en México, y que conforme al programa que se desarrollará, se espera que los resultados sean altamente provechosos para los estudiantes.

Los cursos de seminario se darán semanariamente, comprendiendo interesantes puntos de investigación respecto a la lengua y literatura hispanoamericana.

Según el programa que se desarrollará en el curso, cada alumno escogerá un tema nuevo que investigará y estudiará durante todo el año, debiendo recibir tres horas de clase, para conocer los resultados que se obtengan.

Además de los temas que podrán ser señalados por el alumno, si éstos están de acuerdo con el programa correspondiente, el señor Enriquez [sic] Ureña, presentará a la elección de los estudiantes algunos otros, tales como investigación de la Lengua Española —Pronunciación de las Consonantes en México—. Significado de los Tiempos del Verbo en la Lengua Popular de México—. El Lenguaje Popular del Río de la Plata en los Dramas de Florencio Sánchez.

Serán presentados además los siguientes temas literarios: Técnica de la Prosa en Santa Teresa de Jesús y en Gracián, etc. Las Ideas Morales en la Poesía de los Siglos de Oro—. La Poesía Mexicana en los siglos XVI, XVII y XVIII y algunos otros más o menos interesantes.

Pedro Henríquez Ureña nos ha dejado, en una página manuscrita, la nómina de estudiantes y los temas en que trabajaron durante el Curso de investigación (Proseminario) de lengua y literatura españolas de 1922. Damos primero la lista de los estudiantes regulares y luego la de los oyentes:

1. Daniel Cosío Villegas: El "hombre recto" en La poesía de los siglos de oro y El seudo español antiguo en *Los jueces de Castilla* [hemos visto parte de "La teoría del hombre recto publicada en la *Revista de la Escuela N. Preparatoria,* Vol. 1, pp. 115-118].
2. Ofelia Garza: La influencia de las consonantes del náhuatl en la pronunciación española de la ciudad de México y la novela morisca.
3. Carlos Gutiérrez Cruz: Antología de prosadores hispano-americanos y el significado de los tiempos del verbo en la lengua popular de México.
4. Porfirio Hernández: Tablas cronológicas de la literatura hispano-americana y Las palabras americanas en *La villana de Vallecas.*
5. José Gorostiza Alcalá: El *ars amandi* en la poesía medieval.
6. Arturo Martínez Adame: La técnica de la prosa moderna: Justo Sierra y Gutiérrez Nájera.
7. Ciro Méndez, Jr.: La técnica de la novela española antigua.
8. Carlos Pellicer Cámara: El texto de las poesías de Sor Juana Inés de la Cruz.
9. César Pellicer y Sánchez Mármol: El estilo en la novela del siglo XIX y El seudo español antiguo en Rojas Zorrilla.
10. Samuel Ramos: El pensamiento mexicano desde la Reforma hasta nuestros días y El español en *Las famosas asturianas.*
11. Salomón de la Selva: Las utopías en la literatura de los siglos de oro.
12. Humberto Tejera: Antología de poetas hispano-americanos.
13. Eduardo Villaseñor: La litertatura mexicana en el siglo XVI y El Segudo español antiguo en los romances o La concurrencia de vocales en la pronunciación mexicana.
14. Jesús Zavala: Las influencias españolas en la poesía de Rubén Darío y Arcaísmos en México.
15. Palma Guillén: El Condenado por desconfiado.
16. Julio Jiménez Rueda: El teatro de Florencio Sánchez y La lengua de Florencio Sánchez.

Como oyentes figuraron en dicho curso: Julio Torri, Jaime Torres Bodet, Manuel Soussaint y Ritter, Enrique Delhumeau. Juan Alarcón (quien trabajó sobre la literatura mexicana en el siglo XVII o sobre Valle Inclán), Bernardo del Aguila, Manuel F. Cestero, Manuel M. Morillo, Kurt Doehner, Laura Méndez de Cuenca, Moisés Vincenzi, Manuel Segura, Manuel de la Parra, Consuelo Delgado, Eva Arce Vda. de Rivera Mutio, Raimundo Alvarez (cuyo tema fue La poesía mexicana en el siglo XVIII), María Canales (sobre La sintaxis de Fray Luis de León), María Luisa Chagoyán (sobre Tipos de prosa: Castelar y Azorín).

De todos estos trabajos propuestos, ya hemos visto que se publicó el de Cosío

Villegas; Porfirio Hernández, muy conocido por su seudónimo "Fígaro" en las lides del periodismo, colaboró en la preparación de las Tablas cronológicas de la literatura hispano-americana, siguiendo el modelo del libro del propio Pedro Henríquez Ureña *Tablas cronológicas de la literatura española*, publicado por la Universidad Popular Mexicana en 1913. Samuel Ramos echó las bases de su futura *Historia de la filosofía en México*. Humberto Tejera publicó, con el seudónimo de "José Silvano", en *El Heraldo de México* (23 de junio de 1923), en la sección "Tópicos del día", la nota titulada "La herencia de Rubén Darío", en la que, haciendo referencia a la mencionada "Antología poética hispanoamericana", dice:

Como era natural, Rubén Darío no dejó dineros. Hartos disgustos pasó en vida por la escasez de su bolsa. Ni su inmensa y tempestuosa consagración en el mundo cervantino, ni los altibajos de su amistad con gobernantes y déspotas centroamericanos, ni siquiera su amor filial por las pampas ubérrimas australes, fueron bastante para que saliese de menudos enredos económicos. Cuando estaba en vida, con alguna frecuencia leíamos crónicas en que se hablaba de sus torturas, producidas por desahucios, cobros y miserias. Sin tener preparado su ataúd de oro, como el poeta-condottiero de Italia, sufrió al igual de este "persecuciones de la justicia", atizadas por alguaciles y corchetes.

Y en contraste con todo eso, la obra literaria de Rubén Darío representa ahora un filón riquísimo para herederos y editores, más o menos devotos o fraudulentos.

Ya se han editado sus *Obras completas*, estirándolas como hule, para que alcancen más de la veintena de volúmenes. Estas obras completas, a las cuales cada día se les descubre lo incompletas que son, constituyen, además, un abuso para la paciencia del lector. Y para su bolsillo. Lo que falta hacer con Rubén Darío es una selección justa y esmerada; de la cual, naturalmente, debe encargarse a alguna persona de competencia y no de simple afición. Para aficiones, ya tenemos unos cuantos tomos en que no campea ni la escrupulosidad ni el criterio.

En una proyectada "Antología poética hispanoamericana", que tiene inédita el Departamento Editorial de la Secretaría de Educación, y que dirigió el admirado "sabidor" don Pedro Henríquez Ureña, el tomo que se dedica al Modernismo está en una tercera parte integrado por versos de Darío; esa selección, reducida a un tamaño compatible con las proporciones de la obra, y seguida con un criterio evolutivo y cronológico, desde *Primeras notas* hasta los dispersos trenos de las vísperas de la Guerra Mundial, pasando por *Prosas profanas*, *Cantos de vida y esperanza*, y el estupendo himno del presente y del porvenir que es el "Canto a la Argentina", constituye, en nuestro concepto, el más claro y vasto esfuerzo antológico realizado sobre la selva de maravilla del altísimo poeta. Naturalmente, es necesario completar esa selección poética con otra de las prosas del maestro, que introdujo tan vibrante renovación en el idioma. El señor Henríquez Ureña haría un gran bien con realizar esa segunda parte, ya que llevó a cabo la primera. [. . .]: [el resto habla de la variedad asombrosa de la obra de Darío].

Acaso el trabajo más importante realizado en este seminario fue el de Jesús Zavala sobre "Rubén Darío y la literatura española", cuyos aspectos más importantes fueron publicados en la *Revista de Revistas* de México en 1923, trabajo admirable por su método y rigor, que consigna las principales influencias de la literatura española en la obra de Rubén Darío, frente a quienes creyeron que eran fundamentalmente influencias francesas. Por la época en que el trabajo fue hecho y por los resultados obtenidos, marca un hito en la bibliografía crítica del rubendarismo: el de la hispanidad esencial del gran nicaragüense, tan brillantemente desarrollada después en la tesis de Arturo Torres Rioseco, *Rubén Darío, casticismo y americanismo*, presentada a la Universidad de Minnesota para optar al título de Doctor, y publicada por la Universidad de Harvard, en 1931.

Como es costumbre en los cursos de seminario, estos fueron continuados en el año 1923. El seminario de este año, incluído en el curso de Literatura general y comparada de la Escuela de Altos Estudios, se centró en torno a La poesía épica y lírica popular. Contó con la asistencia de 24 estudiantes, de los cuales 14 fueron alumnos regulares y 10 fueron oyentes. He aquí la nómina en ambos *cursos*:

Alumnos regulares:

1. Octavio Bandala
2. María Canales
3. Daniel Cosío Villegas
4. Luis Chávez Orozco
5. Manuel García Pérez
6. Ofelia Garza
7. Blanca Otero y de la Torre
8. Angela Pérez de León
9. Emma Salinas
10. Salomón de la Selva
11. Daniel Urencio
12. Bertram D. Wolfe
13. Ella G. Wolfe
14. Jesús Zavala

Oyentes:

1. Estefanía Castañeda
2. María Luisa Chagoyán

3. Mauricio Fix
4. Manuel González Ramírez
5. María C. Ladrón de Guevara
6. Laura Méndez de Cuenca
7. Clotilde Evelia Quirarte
8. Galeno Valencia
9. Eduardo Villaseñor
10. Frances Weinburg

De estos estudiantes, Daniel Cosío Villegas, después notable ensayista e historiador de México, y Jesús Zavala, continuaron y terminaron los trabajos iniciados
en el seminario anterior. Bertram D. Wolfe se aplicó al estudio de los elementos
populares en la literatura hispanoamericana, y en especial en la de México, que
dio como resultado el trabajo, "Romances tradicionales en México", firmado por
Pedro Henríquez Ureña y Bertram D. Wolfe y que se publicó en el *Homenaje ofrecido a Menéndez Pidal* (Madrid, Tomo II, 1925, pp. 375-390).

Según Vicente T. Mendoza (*Folklore Americas*, Vol. XVII, No. 2, diciembre 1957,
p. 5), ". . .don Pedro Henríquez Ureña impartió una cátedra de folklore en la Escuela de Altos Estudios, por los años 1913, 1914 y 1915, que despertó inquietudes
en alguno de sus alumnos, como Antonio Castro Leal, Manuel Toussaint y Alberto
Vázquez del Mercado; pero que derivaron solamente hacia el romance y otros aspectos históricos y literarios". En otro lugar (*El romance español y el corrido mexicano*, México, 1929, pp. 61-62), don Vicente T. Mendoza asegura que dichos estudios
"fueron hechos hará unos 15 años, hacia 1922, cuando era ministro de Educación
el Lic. D. José Vasconcelos y tenía como colaborador a D. Pedro Henríquez Ureña.
En su obra *Indología*, el Lic. Vasconcelos dice que proyectaba publicar un *Romancero*; dicha obra no llegó a editarse —ignoro las causas—, ni sé tampoco si se inten-
taba que fuese solamente español o debía contener versiones mexicanas; me inclino
a creer que fuese esto último, porque en el *Homenaje a Menéndez Pidal*, T. II, el
señor Henríquez Ureña presenta diversas versiones recogidas entre personas conocidas de México y presumo que estaban destinadas a publicarse por la Secretaría
de Educación. Como hasta ahora es éste el úncio trabajo de consideración que se
ha llevado a término en este sentido, me ha sido valiosa su consulta e incluyo en
mi obra dicha documentación". Lo cierto es que estos estudios comenzaron con
mucha anterioridad, como señala Salvador Novo en su trabajo "Literatura del pueblo", aparecido en *Excélsior* en 1928 y recogido en su libro *En defensa de lo usado*
(México: Editorial Polis, 1938), donde vemos que ésa fue una corriente general en
toda Hispanoamérica, derivada del impulso que a los estudios del romancero y de
la poesía popular dieron en España, entre otros, Menéndez Pidal y sus discípulos.
Antes que Vasconcelos incluyera en su vasto programa de educación y cultura mexicanas, lo popular y lo indígena, ya Pedro Henríquez Ureña había propuesto a los
miembros del Ateneo de México dicho estudio y lo había realizado en su cátedra

de la Escuela de Altos Estudios. Resultado de las investigaciones en los cursos de 1912, 1913 y 1914 son el trabajo de Antonio Castro Leal "Dos romances tradicionales", publicado en *Cuba Contemporánea* (T. VI, 1914, pp. 237-244) y el propio de Pedro Henríquez Ureña "El romance español en los Estados Unidos" (*Novedades*, New York, 18 de noriembre de 1914) y "Romances de América" (*Cuba Contemporánea*, noviembre-diciembre de 1913). En 1922 se intensificaron estos estudios, tanto en la literatura como en las artes plásticas, como lo prueba el libro del Doctor Atl titulado *Artes populares en México*, en cuyo tomo II, según Salvador Novo, concede a los *Corridos* mexicanos "un apresurado capítulo". Importa, pues, destacar el carácter de iniciador de estos estudios a Pedro Henríquez Ureña, quien, además, dio la orientación y el método para que se recogieran los cantos populares mexicanos en una paridad de valores con los romances y cantares heredados de la vieja España. Dejemos la palabra al propio Pedro Henríquez Ureña, las mismas que sirven de introducción al ya mencionado trabajo que publicó en colaboración con su discípulo Bertram D. Wolfe:

Uno de los estudiantes [del seminario de 1923], Mr. Bertram D. Wolfe, tomó a su cargo la tarea de coleccionar romances y *corridos*. Juntando sus esfuerzos y los míos hemos logrado reunir los romances que van a continuación. Todos son tradicionales o pudieran serlo: aunque el cantar francés de *Malbrú* circula en los países españoles como especie de romance desde el siglo XVIII. El único enteramente mejicano, al parecer, es el de *Doña Elena*, pero creemos que cabe considerarlo como elaboración mejicana de viejos elementos españoles.

No es grande, en nuestros días, la popularidad del romance tradicional en México; al contrario de lo que ocurre en las Antillas, donde se le descubre "a flor de tierra", aunque no en gran abundancia, aquí cuesta trabajo seguir la pista, y a veces, como en el caso de "La doncella que fue a la guerra", hay que contentarse con las huellas que ha dejado tras sí. Y es que el romance tradicional ha sido sepultado por la enorme y constante floración, que en vez de disminuir aumenta con los años, de la poesía popular en México, de las canciones y de los *corridos* o *trigedias* para las cuales existen hasta casas editoras especiales, dedicadas al excelente negocio del pliego suelto, como las de Venegas Arroyo y Eduardo Guerrero, en la ciudad de México; Nieto, en Puebla; Núñez, en Teziutlán, y Agredano, en Guadalajara. El señor Wolfe tiene coleccionados unos cien *corridos* y prepara estudios sobre ellos.

Dentro de este programa del fomento y recuperación de las artes populares debemos incluir el Plan de Dibujos y Trabajos Manuales de la Secretaría de Educación Pública que Vasconcelos encomendó a don Francisco Orozco Muñoz, conocido entonces en los círculos artísticos de México. Orozco Muñoz organizó un festival patrocinado por la dirección a su cargo, con el concurso de maestros y profesores de escuelas primarias y secundarias, teniendo como base el libro de Adolfo Best Maugard titulado *El método de dibujo, tradición, resurgimiento y evolución del arte mexicano*, que por su originalidad y seriedad científica, hizo época. Pedro Henríquez Ureña, en varias ocasiones, escribió sobre los descubrimientos acerca de la técnica del dibujo mexicano de Best Maugard. Así lo recuerda el señor Francisco Orozco Muñoz en el discurso de apertura del mencionado festival, realizado en 1922, cuyo parágrafo pertinente transcribimos:

> *El método de dibujo, tradición, resurgimiento y evolución del arte mexicano*, por Adolfo Best Maugard, es una obra de inestimable valor para la enseñanza del dibujo netamente nacional; está precedida de un conceptuoso estudio sobre la función social del arte, por José Juan Tablada, el gran poeta y maestro de la juventud que quiere para su país un arte propio, guiado por una "crítica afirmativa". Cierra la obra un trabajo denominado "Arte mexicano", en el que su autor, el conocido crítico Pedro Henríquez Ureña, analiza el *método*, lo valoriza con su reconocida perspicacia y sabiduría, en un lenguaje claro, preciso y sintético, impregnado de un gran amor por lo nuestro, que desea que crezca, que tal vez lo desea más que muchos de nosotros.

Efectivamente, Pedro Henríquez Ureña analizó los 7 elementos lineales del método "Best" al final del texto de la obra de Maugard, y se dio a la tarea de popularizarlo en periódicos y revistas de la época, unas veces con su firma y otras con el seudónimo de "León Roch", tomando de la novela galdosiana. Tal es el caso del artículo publicado en *El Mundo*, de México, en mayo de 1922. Lo consideramos de sumo interés y por eso lo transcribimos completo:

Arte Mexicano

Estamos, en México, en la era del arte nacionalista, y los esfuerzos de los devotos de este movimiento merecen elogios siempre por la intención; por los resultados, unas veces sí, y mucho; otras veces, poco; y otras veces, en fin, conviene advertirles que van descarriados o que no ponen cuidado necesario para llevar sus propósitos a buen término.

Hemos comenzado por afirmar que estamos en la era nacionalista; pero debemos observar que no es justa la afirmación, frecuentísima entre los devotos del nacionalismo, de que antes de ellos no ha habido nacionalistas en México; sí los ha habido y no han sido pocos, ni han sido mediocres. Antes de la interesante literatura *mexicanista* de hoy, antes de los aciertos de Ramón López Velarde, ha habido en México poetas y prosadores que trataron asuntos nacionales. ¡Desde el *Periquillo Sarniento*! y los temas indígenas no están en boga ahora por la primera vez: poesía *indigenista* la hay en México durante todo el siglo XIX.

Y si en música y en artes plásticas el mexicanismo nunca había sido tan activo como hoy, no por eso dejaban de hacerse ensayos meritorios. No acusemos a nuestros antepasados, entre los cuales hubo tantos mexicanistas sinceros y ardientes, de haberlo imitado todo de París o de Madrid.

Vamos a referirnos a un caso reciente: En el Museo Nacional se celebró, el viernes, una fiesta de música y danza nacional. La concurrencia fue enorme; no sólo fue enorme, sino que entre los presentes había personas de mucha significación, y especialmente extranjeros interesados en conocer la música mexicana: así vimos, por ejemplo, al gran violoncelista Nicastro, del Uruguay. Pero la fiesta estuvo deplorablemente organizada. Digámoslo de una vez: lo único que en esa resultó cosa de primer orden fue la serie de danzas yaquis, especialmente la admirable danza cinegética. ¡Sólo lo salvaje estuvo bien! Aun eso, sin embargo, sufrió por la mala organización: el escenario no estaba debidamente preparado: un piano tapaba una parte de la danza para buen número de espectadores, y las alfombras estaban tan empolvadas que el zapateo de los yaquis levantó nubes de polvo.

De lo demás, debe decirse que no hubo un solo número a la altura debida. El señor Castro Padilla, que ha revelado grandes dotes como compositor capaz de sorprender los secretos del alma popular, pronunció una conferencia (breve, eso sí: no tuvo nada de "lata") en que se limitó a abogar por el nacionalismo, incurriendo en las archi-repetidas acusaciones de parisianismo y hasta de *fifismo* contra la mayoría de los artistas mexicanos, y en vez de explicarnos con precisión lo que significaban las obras musicales que formaron el programa, se limitó a dedicarles frases literarias.

El programa no fue satisfactorio: de Yucatán sólo se cantaron canciones no realmente populares, sino "vulgares", es decir, de las que hace el vulgo, no el pueblo, imitando aires semi-cultos y con letra tejida de ripios poéticos. El número de Chiapas, que estuvo mejor, tenía desgraciadamente algo de virtuosismo: podría definirse como variaciones sobre la "sandunga" ejecutadas en marimba.

Los números de la Altiplanicie y del Norte fueron cosas de las más conocidas: "El desterrado", "La palma", "A la orilla del palmar". Los que se cantaron, fueron cantados en estilo de ópera italiana. La cantante no sabía bien "El desterrado", y le suprimió, por lo menos, una frase. Y el jarabe final estuvo lleno de fantasías de zarzuela, enteramente ajenas a la danza popular.

La película cinematográfica que inició el acto era defectuosa; con frecuencia los bailarines de Chalma se escapaban del foco de la cámara; a veces las figuras se movían mitad en el sol y mitad en la sombra, y por el contraste resultaban invisibles las de la parte sombría. Y para completar la imperfección, los rótulos estaban escritos con mala ortografía.

Amigos nacionalistas: o hacer las cosas bien, o dejar el arte nacional para mejores tiempos. No basta tener entusiasmo: hay que poner cuidado y atención en la labor.

El interés de Pedro Henríquez Ureña por el arte popular mexicano, y sobre todo por la aplicación, mediante el dibujo, a la enseñanza en las escuelas, siguiendo el método "Best", fue tan firme que cuando se realizó en Argentina la exposición de Rodríguez Lozano y Julio Castellanos bajo el título de "Dibujos y pinturas de las nuevas tendencias artísticas mexicanas" (Buenos Aires y La Plata, mayo y julio de 1925, según catálogos de la Asociación "Amigos del arte" y Museo de Bellas Artes de la Provincia de Buenos Aires, respectivamente), ante la incomprensión de la crítica argentina, don Pedro puso de relieve los signos favorables de "Nuestra crítica de arte", en la prestigiosa revista *Valoraciones* (La Plata, No. 7, septiembre de 1925, pp. 92-93). Dice así:

Vale la pena recoger los signos favorables que surgen en el poco estrellado firmamento de nuestra crítica de arte. Mientras el magisterio de *La Nación* envejece y se acartona cada vez más, *La Prensa* se rejuvenece: entre otras cosas, revelan buen discernimiento, a veces, sus informaciones sobre el movimiento artístico en Europa. Comparemos tomando ejemplos: cuando la exposición mexicana en la Asociación de Amigos del Arte (trabajos de niños y cuadros de los pintores Rodríguez Lozano y Castellanos), la actitud de *La Nación* fue. . . hacer historia (con errores, naturalmente) y declarar (Como el año anterior en el caso de la exposición de Pettoruti) que nada nuevo le toma de sorpresa, para terminar regateando la novedad del "método Best" con la afirmación que aquí, y en otras partes, se ha ensayado de tiempo atrás la práctica de permitir a los niños expresarse con espontaneidad. Naturalmente, el "método Best" no estriba en eso, sino en la definición de los siete elementos lineales y las reglas de su empleo que se derivan del estudio minucioso de las artes plásticas genuinas de México. *La Prensa* hizo también historia (con errores), pero su esfuerzo de comprensión y apreciación fue sincero y digno de estima.

Claro está que los laudables esfuerzos de *La Prensa* no bastarían para justificar nuestro anuncio de signos favorables en el firmamento. El suceso principal que nos regocija es otro: dos críticos de arte dignos de tal nombre, Julio Rinaldini y Alberto Prebisch, ofrecen regularmente sus opiniones al público, desde hace poco, en las páginas de dos revistas. *El Hogar* y *Martín Fierro*. Rinaldini, conocido ya por colaboraciones en *La Nación* y *Nosotros*, se presenta con criterio renovado y depurado. Prebisch, arquitecto de ideas nuevas, hasta ayer desconocido en nuestro mundo intelectual, se presenta con una estética definida, una dialéctica y una cultura sólida, hombre capaz de una campaña sistemática que revolucione el criterio ambiente. En *Martín Fierro* hay, además, notas sobre arte debidas a otras plumas (señalemos las D. Pedro Figari). Desde luego, los criterios no siempre coinciden: si Rinaldini, respetuoso con el largo esfuerzo que representa la obra escultórica de Irurtia, no le opuso ningún reparo a su exposición reciente, Prebisch redujo su comentario a los re-

paros que ella le sugería. En cambio, ante la vaporosa escultura literaria de
Zonza Briano, coincidieron perfectamente *El Hogar* y *Martín Fierro*.

VI. La Universidad Obrera

Como hemos dicho anteriormente, hacia 1921 Pedro Henríquez Ureña ingresa
como miembro del Grupo Solidario del Movimiento Obrero. Dicho movimiento,
al parecer, tenía por objeto realizar actos en los cuales se estrecharan vínculos, no
sólo entre la clase obrera, sino entre los grupos obreros y los estudiantes en sus diversas categorías: primaria, secundaria, universitaria. Por este último motivo, la Secretaría de Educación Pública empezó a tomar contacto con diferentes
organizaciones que de alguna manera se vinculaban a los movimientos obreros. Es
posible que el nombramiento de Vicente Lombardo Toledano como Director del
Departamento de Bibliotecas de la Secretaría de Educación tuviese como fin el de
estrechar estos contactos. Lo cierto es que, ya en 1922, leemos en los periódicos
anuncios como el siguiente: "Las asociaciones 'Cultura Cívica', 'Cultural Femi-
nista' y 'Grupo Solidario del Movimiento Obrero', han hecho circular entre numerosas familias las invitaciones al sexto festival que, patrocinado por la Secretaría
de Educación Pública, han organizado en honor de la clase obrera, y el cual se efec-
tuará hoy a las 10, en el Cine Rialto (antes Granat), situado en la esquina de la avenida Pino Suárez y San Miguel". A continuación se da el programa que se
desarrollará en tal festival: Música de Schumann, Saint Sáenz, ejecutada al piano
por la Srita. María Alva; canciones populares cantadas por la Sra. Fanny Anitua;
recitados de poesías de Gutiérrez Nájera por la Srita. María Cristina Contla; cantos
a dos voces por el Centro de Orfeón "Antonio Gómez", dependiente de la Dirección General de Cultura Estética; vistas cinematográficas, y, por último una conferencia sobre "Relación entre intelectuales y obreros", a cargo de el Sr. Marcelino
Domingo, el cual fue presentado por el "Compañero del Grupo Solidario del Movimiento Obrero, don Pedro Henríquez Ureña". Este Grupo Solidario del Movimiento
Obrero estuvo apoyado, tanto en México como en otros países, especialmente de
la América Central, por importantes intelectuales libres y catedráticos universitarios. De Centro América vino a México Moisés Vincenzi, quien, como hemos visto, fue alumno oyente del Proseminario sobre lengua y literatura española dictado
por Pedro Henríquez Ureña en la Escuela de Altos Estudios ese año de 1922. Vincenzi tomó parte también en la Escuela de Obreros o Universidad Obrera Libre
que dirigió Ciro Méndez y que estuvo apoyada por Vicente Lombardo Toledano,
Alfonso Caso, Salomón de la Selva, Palma Guillén, la secretaria de Gabriela Mistral, y el propio Pedro Henríquez Ureña. En una carta de Vincenzi publicada en
el *Repertorio Americano* y fechada en Escasú, el 26 de junio de 1922, elogia la labor
de la Escuela de Obreros y da noticias interesantes sobre el núcleo artístico e intelectual que entonces lo apoyaba en México. La parte pertinente de la carta dice así:

Conocí a Pedro Henríquez Ureña, a Salomón de la Selva, a Manuel F. Cestero y a algunos otros, entre los extranjeros de privilegio moral e intelectual que menciono; y entre los mexicanos, a José Vasconcelos, Antonio Caso, Julio Torri, Diego Rivera, Daniel Cosío Villegas, José Gorostiza, Carlos Pellicer, Roberto Montenegro y otros muchos, no pocos de ellos entre los jóvenes universitarios de porvenir. Los conocí y me entregué reflexiva y orgullosamente a sus grandes deseos de cultura trascendental y de actividad trascendental.

A los pocos días me llevaron a la Escuela Obrera que ellos tenían organizada y en donde dan sus lecciones con un desinterés propio de los grandes propósitos. Y recordé cómo en Costa Rica había visto explotar para asuntos políticos al obrero costarricense. (Hay que recordar, a la vez, que las elecciones para diputados se verifican cada dos años en mi país). Después me di cuenta de la intervención que ellos tienen en las dificultades que surgen entre el trabajador y el capitalista, por medio de esa escuela y el profesorado; de las comisiones que por cuenta propia van a diversos lugares del país con objeto de hacer entrar en arreglos a los jefes de minas y de fábricas, con los obreros, de un modo proporcional a las necesidades y derechos de estos últimos. En esa escuela conocí a Ciro Méndez, joven acomodado y de alta posición social, cuyas inquietudes en la Dirección de la Escuela, son las de ayudar, a veces de parte de su propio peculio, al obrero menesteroso o al intelecual desvalido.

Poco tiempo después me llevó el eminente Henríquez Ureña a una curiosa reunión integrada por Vicente Lombardo Toledano, Alfonso Caso, el generoso espíritu de Salomón de la Selva, Ciro Méndez, Palma Guillén. Todos sentados en el piso, absolutamente despojado de muebles, los cuales eran sustituidos por libros y periódicos. Allí se trataba de los centroamericanos, se trataba de reunirlos por cuenta del grupo, excluyendo a todo grosero elemento que no estuviese de acuerdo en pensar en el porvenir de la Raza, conservándose a sí propio dentro de una moralidad intachable. Y allí se hablaba de quienes deberían ser incluidos. No se quería que llegasen elementos descastados, veletas propicias al girar de todos los vientos; ni se quería a pretenciosos desconyuntados de toda graciosa y firme flexibilidad de espíritu. Allí era necesario que llegasen *centroamericanos* de verdad, deseosos de una cultura verdaderamente dinámica, verdaderamente moderna.

Por otro lado, el incomparable Vasconcelos proponía en esos días infinitas cosas. Hacía dar al aire libre, en el Bosque de Chapultepec, tragedia griega; continuaba la publicación de los clásicos universales a la vez que trabajaba por la reconstrucción de los viejos monumentos coloniales e indígenas; daba a la enseñanza de la pintura un color nacional, un color vigorosamente mexicano, atrayéndose a los artistas de más valía; hacía poner atento el oído a la percepción de los cantos criollos; encendía como un látigo de bronce incandescente su verbo contra las tiranías nacionales e internacionales, de tiranuelos y detestables países metalizados y envilecidos por la diplomacia sin antesala del oro. Hacía crecer para México las simpatías de cuantos hispano-americanos aptos llegaban atraídos por el bullicio de la gran Metrópoli; y, como si estuviese en un medio griego, este hombre admirable, tenía para todo un movimento genial de águila mexicana. Sinceridad, profunda sinceridad; desinterés, exquisito desinterés por los asuntos de porvenir de la patria y de la Raza.

Tantas cosas encontré en la hermana República, que he de esperar otra oportunidad de enumeración. Temo ocupar demasiado espacio en el *Repertorio*. Sí, estimado amigo, continuaré en carta próxima esta crónica y este comentario a vista rápida, para analizar después los actos y reducirlos a capítulos de programa.

Al presente acépteme como su devoto amigo y S.S.

El Heraldo de México del 20 de marzo de 1922 comenta la conferencia de Marcelino Domingo y la transcribe casi completa. A la misma asistieron, según el periódico, el Secretario de Educación Pública (lo llama "Ministro de Educación") José Vasconcelos, a quienes acompañaban los señores Carlos M. Peralta y Jaime Torres Bodet. Luego del acto, que se celebró a las 10.30 de la mañana, hubo una comida en Chapultepec, que el señor Vincenzi califica de "comida inolvidable" en la nota que le dedica en el *Repertorio Americano*, del 14 de septiembre de 1922. Dice el señor Vincenzi:

> Preparaba yo el viaje de retorno a mi patria, y esperaba, sentado en uno de los pasadizos de la Universidad Nacional, a que pasara Vasconcelos de su oficina para despedirme de él y manifestarle la inmensa gratitud que sentía, y siento hoy, por las distinciones con que su seriedad habitual me recibiera y me atendiera, en diversas aunque muy cortas ocasiones, cuando apareció el filósofo. Le dije cuanto había que decirle y él contestó con excitarme a que les avisara a Pedro Henríquez Ureña y Julio Torri que les invitaba a que comiésemos juntos y para lo cual habíamos de encontrarnos, en determinado punto, a la una de la tarde.
>
> A la hora indicada, Henríquez Ureña, este gran intelecto que une a las galas de su comprensibilidad y enorme cultura, un corazón finísimo, fue a llamar a Vasconcelos. Los tres tomamos el automóvil (Torri no pudo asistir). Atravesamos la ciudad hasta llegar al magnífico bosque de Chapultepec... Esperamos algunos momentos la preparación de la mesa, en el jardín; Vasconcelos quiso que se alistase el comedor en el corredor fronterizo del hotel, frente a los árboles y las lagunas.

Entre otras conferencias y actos realizados por el mencionado Grupo Obrero, es preciso mencionar un ciclo de conferencias dadas por radio, en el mes de agosto, en el que tomaron parte Carlos Pellicer, el actor Manuel París, Director de la Compañía María Tubau, que actuaba en el teatro Colón, el pianista Carlos Chávez Ramírez y Pedro Heríquez Ureña, cuya conferencia versó sobre el tema "Concepto de civilización".

El Grupo Solidario del Movimiento Obrero organizó también unos cursos nocturnos dedicados a los obreros que quisieran adquirir una cultura general en cuestiones sociales. Estos cursos estaban auspiciados por la Escuela Libre de Estudios Sociales y se dictaban de 19 a 21 horas en el aula "Justo Sierra" de la Escuela Nacional Preparatoria. Según el programa publicado por la revista *Vida Mexicana* (número 2, marzo de 1923), las materias y los profesores que las dictaron fueron los siguientes:

> Nociones generales de Derecho, especialmente Derecho Público, por Alfonso Caso; Economía Política, por Vicente Lombardo Toledano; Geografía General, por Pedro Henríquez Ureña; Historia General, por J. Ramírez Cabañas; Historia de la Literatura, por Salomón de la Selva; Inglés, por Tomás Montaño; Francés por Ciro Méndez; Derecho Administrativo por M. Gómez Morín; Historia de los Sistemas Económicos, por Daniel Cosío; Historia general, por Palma Guillén; Historia patria, por Agustín Loera y Chávez; Derecho Industrial, por E. Delhumeau; Conferencias sobre Arte, por Diego Rivera; Práctica de composición oral y escrita, por J. Romano Muñoz.

Este grupo, especialmente formado por profesores de la Universidad Nacional, tuvo como órgano de difusión la revista *Vida Mexicana* y, durante la dirección de Lombardo Toledano, también la revista *México Moderno*. En el número 1 de la revista *Vida Mexicana* (1922), leemos la lista de los colaboradores:

> Colaborarán en ella, desde luego en México, Diego Rivera, pintor mexicano que significa un punto culminante en el arte contemporáneo. Decora actualmente el anfiteatro de la Escuela N. Preparatoria; Guillermo Toussaint, dibujante; Antonio Caso, ilustre profesor de Filosofía y hoy Rector de la Universidad Nacional; Jean Charlot, joven pintor francés que decora la Preparatoria; Elena Torres, profesora normal; José Gorostiza, poeta; Alberto Cañas, profesor de lengua castellana de la Universidad; Elena Landazuri, bachiller en Filosofía en la Universidad de Chicago; Manuel Gomez Morín, abogado y profesor de derecho público de la Universidad; Palma Guillén, profesora de Filosofía de la Universidad Nacional; Joaquín Ramírez Cabañas, autor de *Remanso de silencio* su segundo libro de versos, publicado hace poco tiempo; José Romano Muñoz, profesor de Etica de la Universidad Nacional; Pedro Henríquez Ureña, tal vez el más distinguido escritor de América; Samuel Ramos, profesor de Lógica de la Universidad Nacional; Julio Torri, autor del libro *Ensayos y Poemas*; Jorge Crepso de la Serna, profesor de Dibujo; el Doctor Atl, pintor y director de la revista *Acción de Arte*; Alfonso Caso, profesor de Epistemología en la Facultad de Altos Estudios; O. G. Barreda, profesor de Inglés

de la Universidad Nacional; Salvador Novo, profesor de Literatura Mexicana de la Universidad Nacional; Xavier Villaurrutia, conferencista de Extensión Universitaria, y José H. Retinger, doctor en lettres de la Universidad de París.

Otros mexicanos distinguidos colaborarán en *Vida Mexicana*. En el extranjero cuenta esta revista con elementos valiosos: Walter Pach, considerado como el crítico de arte más serio de los Estados Unidos. Es, además, un distinguido agua-fuertista y posee, por su amistad íntima con los pintores franceses, los datos más preciosos sobre ellos; Héctor Ripa Alberdi, profesor de Literatura Española de la Universidad de la Plata, Argentina; Joaquín García Monge, editor del *Repertorio Americano*, de San José, Costa Rica; Carl Sanburg, poeta norteamericano; Alberto Masferrer, novelista, de El Salvador; Alfonso Reyes, gran poeta y prosista mexicano que reside en Madrid; Antonio Castro Leal, mexicano también, profesor que fue de Literatura Española en la Universidad Nacional, y que reside en Santiago de Chile; Max Henríquez Ureña, escritor dominicano y uno de los editores de la revista *Cuba Contemporánea*; Félix C. Lizaso, distinguido hombre de letras de Cuba; y Don Ramón del Valle Inclán, tal vez el escritor más fuerte de habla castellana.

El Cuerpo Directivo de *Vida Mexicana* lo integran Daniel Cosío, director de la *Revista de Ciencias Sociales*, profesor de Sociología de la Universidad Nacional, autor del libro *Miniaturas Mexicanas*; Enrique Delhumea, abogado, profesor de Derecho de la Universidad Nacional; Vicente Lombardo Toledano, profesor de Filosofía de la Universidad Nacional, abogado, autor de los libros *Etica* y *Definiciones de Derecho*; Salomón de la Selva, profesor de Literatura General y de Literatura Española de la Universidad Nacional; y Eduardo Villaseñor, profesor de Ciencias Sociales de la Universidad Nacional.

Por esa época visitó la Universidad Nacional de México, en carácter de huésped de honor, el presidente del Ateneo de Nicaragua, y gran amigo de Rubén Darío —quien lo elogió en un soneto— Dr. Manuel Maldonado. Pedro Henríquez Ureña tuvo a su cargo la presentación oficial en una velada realizada en su honor por la Universidad Nacional de México. Transcribimos a continuación las palabras pronunciadas por Pedro Henríquez Ureña:

Palabras pronunciadas por Pedro Henríquez Ureña en la velada del Dr. Maldonado

Cábeme la honra de presentar, en nombre de la Universidad Nacional de México, ante el público aquí reunido, al Doctor Don Manuel Maldonado, presidente del Ateneo de Nicaragua. Es el Doctor Maldonado viejo amigo de México, como lo probó al donar el terreno en que deberá levantarse el edificio de la Legación Mexicana en Nicaragua, pero hasta ahora no había logrado realizar su deseo de visitar este país y de presentar su obra a este público.

Pertenece el Doctor Maldonado a la generación de escritores nicaragüenses cuyo representante mejor conocido en todo el mundo es Rubén Darío. Y Rubén Darío es precisamente quien ha hecho el mejor elogio de su amigo y compañero, en un soneto que oiréis esta noche.

El Doctor Maldonado goza fama de orador fogoso y brillante en la América Central. No he tenido la fortuna de escucharle en la tribuna, pero sí he podido conocer tres de sus mejores discursos: uno, sobre la Corte de Cartago, valiente alocución en que ataca la funesta ingerencia del Norte en los asuntos de nuestra América; otro sobre José de la Cruz Mena, el compositor nicaragüense infatigable en la obra a pesar del mal extraño que lo consumía; otro, sobre José Leonard, el maestro desterrado de Polonia que fue en Nicaragua apóstol revolucionario y que inició a Rubén Darío en el amplio conocimiento de la literatura francesa.

Pero no como orador va a presentarse ante este público el Doctor Maldonado, sino como poeta. Es el distinguido nicaragüense poeta singular, que despierta nuestra atención, más que por la forma, por sus temas, especialmente por el de la filosofía esotérica. No es de aquellos a quienes contenta el mundo como representación, como apariencia, el mundo exterior siempre esplendoroso y cambiante, sino de aquellos que detrás de toda apariencia buscan el sentido oculto. De sus obras poéticas, la más característica es el *Prometeo libertado*: en él, el titán rebelde es el símbolo de todos los impulsos de libertad, de civilización, del triunfo del espíritu sobre las limitaciones del mundo material.

Tiene la palabra el Doctor Don Manuel Maldonado, huésped de honor de la Universidad Nacional de México.

VII. Consejo Universitario y ataques de *El Universal*

En su carácter de Director de la Escuela de Verano, de profesor de la Escuela de Altos Estudios y de la Escuela Nacional Preparatoria, Pedro Henríquez Ureña era en 1922 miembro del Consejo Universitario. En tal capacidad se vio envuelto, sin desearlo desde luego, en un desagradable incidente universitario. Hacia principios de mayo, aproximadamente, el señor Félix F. Palavicini, que había estado vinculado a José Vasconcelos y a Pedro Henríquez Ureña desde los tiempos del *Anti-reeleccionista,* y que ahora era Director-gerente de una importante empresa periodística que regenteaba *El Universal, El Universal Gráfico* y *El Universal Ilustrado,* fue propuesto como candidato al título de Doctor Honoris Causa de la Universidad Nacional de México, por dos miembros del mencionado Consejo: Genaro Fernández McGregor y Alejandro Quijano. El día 12 de mayo de 1922 *El Universal* publica en la primera sección, página 6, ocupando toda la plana, la resolución del Consejo, según la cual los grados universitarios deben concederse por la votación unánime del Consejo. En esa oportunidad se dice que Vicente Lombardo Toledano, a la sazón Director de la Escuela Nacional Preparatoria y miembro del Consejo, trató de impedir que se concediera tal título al señor Palavicini, debido a que *El Universal Gráfico*, uno de los diarios de la Compañía Periodística Nacional, S. A., de la que era gerente el señor Palavicini, publicó cierto documento para probar que Lombardo Toledano había recibido, indebidamente, la suma de $950.00 cuando ocupaba el puesto de Oficial Mayor del Gobierno del Distrito. Al final de dicho artículo periodístico se publica una carta del licenciado Antonio Caso, Rector de la Universidad, por la que se comunica la antes aludida resolución del Consejo: los títulos de Doctor Honoris Causa sólo se darán a personas que sean propuestas por los miembros del Consejo Universitario y reciban la aprobación unánime del mismo. Firman el acta que aprueba tal resolución las siguientes personas: Antonio Caso, Ezequiel A. Chávez, Guillermo Parra, Manuel Puga y Acal, J. González Ureña, Donaciano González Morales, F. Zárraga, F. Gamboa, J. Torri, G. Aguilera, Henríquez Ureña, V. Lombardo Toledano, F. César Morales, L. Porragas, Martel, Bustamante, A. Orozco, Gómez Morín y Calderón Caso. El mismo día aparece en *El Universal* (p. 8, col. 6), una declaración del señor Palavicini aprobando la resolución tomada "por eminentes hombres de letras y por los más conspicuos miembros del Consejo Universitario". Pero al día siguiente, varios periódicos, entre ellos *El Demócrata* y *El Universal*, publican dos noticias diferentes pero conectadas la una con la otra: *El Universal* (13 de mayo, p. 3, col. 7), bajo el título de "El cuartelazo universitario. Explicación del huertista Puga y Acal", luego de comentar desfavorablemente el "boletín dado a la prensa" por el mencionado Puga y Acal, en su carácter de secretario del Consejo Universitario, dice que éste no reúne las condiciones académicas para ocupar el cargo de consejero. Y extiende sus ataques a otros miembros del Consejo Universitario, especialmente contra Lombardo Toledano y Pedro Henríquez Ureña. El texto es el siguiente:

En cuanto a que la prohijara [la resolución del Consejo] el señor Lombardo Toledano, se explica por la información de que ya se ha hecho mérito, quedando este señor sin ninguna autoridad moral, mientras la justicia aclare su conducta. En lo que toca al señor Enriquez [sic] Ureña, ignoramos con qué derecho figura en el Consejo Universitario, pues su calidad de extranjero le priva del derecho que indebidamente está usando, y hasta de título profesional, pues el mismo Consejo Universitario, acordó recientemente que no sería revalidado ningún título extranjero sin examen en una escuela nacional.

La otra noticia, que aparece como editorial en la página 3 de la edición del mismo 13 de mayo, se refiere a la manifestación estudiantil en contra de *El Universal*, y se acusa a Lombardo Toledano de prostituir a los estudiantes de los cursos inferiores de la Escuela Nacional Preparatoria, utilizándolos en una maniobra en su defensa y en contra del mencionado diario. Desde ese momento la atención de *El*

Universal (o por lo menos de su Director), parece concentrarse especialmente en ataques al Director de la Preparatoria y a Pedro Henríquez Ureña. El 16 de mayo *El Universal* dedica grandes titulares a la "cuarta comida literaria" con que ese periódico reunía a importantes personalidades; más que con fines culturales con los de una disimulada política que hasta llegó a poner en primer término, como candidato a la futura presidencia de la república, al mismo señor Palavicini, miembro, según él mismo, del partido de los "intelectuales en acción". En dicha comida habló el Cónsul General Argentino, Sr. Blanco Vilalta, sobre el tema "No sabemos pensar". Al día siguiente, el editorial de *El Universal* se titulaba precisamente "No sabemos pensar", y, aprovechando un tópico del discurso del diplomático argentino, se glosó éste en forma que justificara la presencia de malos profesores universitarios. La tesis del editorial es la siguiente:

No pudiendo existir en nuestros paises verdaderos profesores universitarios, dedicados completa y definitivamente a la enseñanza, por los mezquinos sueldos, se consideran las "clases", amables granjerías en las que, cualquiera cosa que se haga o que se enseñe, valdrá siempre más que el sueldo que paga el gobierno. Y como no se deciden a solicitar las clases los altos espíritus, que se encierran obstinadamente en despachos particulares y consultorios, asalta las nóminas de la Universidad, con muy honrosas excepciones de jóvenes entusiastas y sabios, una turbamulta que sólo ve en la cátedra el medio de completar un presupuesto, y que constituye un verdadero aquelarre oficial de inquietud en el que danzan, como profesores de literatura y como Secretario de la Universidad, negros de Haití y hasta bachilleres fracasados...

Desde ese momento, la insistencia en llamar, sin nombrarlo, a Pedro Henríquez Ureña "negro haitiano", "bachiller fracasado", "extranjero que se aprovecha del presupuesto", "perdona sin título", etc., será la parte más infame de la campaña del Señor Palavicini. El 24 de junio, en otro editorial (página 3), titulado "Negros y apaches", insiste en su calumnias. El 18 de mayo de 1922 (p. 4, col. 6), explica, a su modo, "por qué renuncia a sus cargos de la Universidad el Sr. Enrique [sic] Ureña:

Ayer fuimos informados que no es cierto que el señor Pedro Enríquez [sic] Ureña vaya a renunciar de las clases que tiene en la Universidad Nacional y a la Jefatura del Departamento que está bajo su dirección en la misma, empleos que le producen más de dos mil doscientos pesos al mes, dizque porque carece de título profesional o universitario [sic].

Las renuncias del señor Enriquez [sic] Ureña, quien es de nacionalidad haitiano [sic], de estos bien remunerados empleos, es debido a que integra la comitiva que lleva el señor licenciado Vasconcelos en su viaje a Brasil, aun cuando no podrá llevar al señor Enriquez [sic] en ningún cargo oficial porque existiendo en México jóvenes universitarios e intelectuales de altos vuelos, sería ridículo que el Gobierno de México mandara en su representación a extranjeros, que hasta por su físico no acreditarían a la raza predominante en México. El señor Enriquez [sic] Ureña probablemente irá como Secretario particular del Embajador.

Con motivo del rechazo de la candidatura del señor Palavicini al título de Doctor Honoris Causa, los consejeros Alejandro Quijano y Fernández MacGregor, presentaron su renuncia (*El Universal*, 20 de mayo de 1922, p. 3, cols. 1 y 2). El licenciado José Vasconcelos aceptó dichas renuncias. Como el señor Quijano era Director de la Escuela de Jurisprudencia, se nombró en su reemplazo al ex-Secretario de Hacienda y profesor de la Escuela, licenciado Manuel Gómez Morín. Esto trajo como consecuencia que la ira del señor Palavicini se desatara también contra el Secretario de Educación Pública, licenciado José Vasconcelos. El 24 de mayo de 1922 *El Universal* publica en la primera sección (p. 3, col. 6): "es reaccionario el Consejo de Vasconcelos". El editorialista dice que "Porfiristas y huertistas aprisionan en una malla de acero al Ministro Revolucionario". Y da los nombres de las personas que colaboraron con Porfirio Díaz y con De la Huerta: Ezequiel A. Chávez, Federico Gamboa, Antonio Caso, Manuel Puga y Acal, Julio Torri, Guillermo Parra, etc. En cuanto a Pedro Enriquez [sic] Ureña, dice:

> Pedro Enriquez [sic] Ureña, literato fracasado, carece de título profesional [sic], ciudadano de Haití [sic] uno de los numerosos extranjeros que han merecido el favor oficial, lo que no sería censurable, si se dedicasen a ganar para comer, pero que son utilizados por los reaccionarios para atacar a hombres de ideas nuevas surgidos después de la dictadura.

Y volviendo al proyectado viaje de la delegación oficial al Brasil, el editorial del 26 de mayo de 1922, (1a. sección, p. 3), titulado "Lo que irá de México al Brasil", comenta:

> Las altas personalidades que van a la cabeza de las Embajadas, por su misma jerarquía, se hallan en un discreto aislamiento que puede disimular ineptitudes y mediocridades; en tanto que las comparadas, que bullen y se agitan más fácilmente entre la multitud, pueden poner en peligro el éxito de la Embajada.
>
> Y no es irrazonable la desconfianza a este respecto. Cuando se han visto como Secretartios a gentes que comen admirablemente con el cuchillo, sin cortarse los labios, y que no gustan de rasurarse a diario, y que, en imitación de raras habilidades de Ministros, quisieran ensayar el dirigir cerezas a los escotes de las damas; y cuando, con aflicción y con rubor, hemos visto que pretende hablar por el espíritu de negrillos haitianos la sabiduría y la conciencia

de la raza, no es de extranar que abunden los escépticos acerca de la debida composición de nuestra Embajada en Río.

No obstante esta camapaña calumniosa de *El Universal,* Pedro Henríquez Ureña formó parte de la delegación oficial que fue al Brasil presidida por Vasconcelos. A su regreso, en diciembre del mismo año, ya los ataques de *El Universal* fueron menos directos, y más bien se utilizaron antiguas fricciones de grupos literarios para mantener cierta atmósfera de oposición al profesor y erudito, tomados ahora estos calificativos como despectivos cada vez que se aplicaba a la persona de Pedro Henríquez Ureña. Según nos hemos informado, ya desde 1912 algunos profesores de literatura de la Preparatoria y de la Escuela Normal de Maestros, que a su vez eran poetas y capitaneaban grupos que no gozaban de la simpatía del círculo a que pertenecía Pedro Henríquez Ureña, cuando éste iba a ser confirmado en sus cátedras, al volver de su viaje a la América del Sur, se movilizaron aquéllos ocultos enemigos para que el nombramiento no se consumara. De hecho había el antiguo resentimiento de Erasmo Castellanos Quinto y del propio Rafael López, nombrado profesor por Justo Sierra y Director del Archivo General de la Nación desde 1920. Desde 1917 Rafael López era asiduo colaborador de *El Universal* y de *El Universal Ilustrado.* En este periódico publicó, en diciembre de 1922, según veo en el reciente libro de Antonio Acevedo Escobedo, *Letras de los 20's,* el siguiente ex abrupto, como justamente lo califica el propio Acevedo Escobedo:

> Veo con verdadera melancolía el dinero que la nación gasta en sostener a Pedro Henríquez Ureña, un escritor sin èl aliento de vida y de belleza, sin el divino impulso creador. Se concreta a repetir lo que otros han dicho ya de modo perfecto, y nos hace odiar la obra de arte interpretada por él. Es frío, seco, lleno de sombra. Yo aconsejo a la juventud: "Huid de Henríquez Ureña como de la peste".

El ex abrupto provocó reacciones entre catedráticos tan respetables como don Mariano Silva y Aceves y en poetas jóvenes precisamente vinculados mucho más a Rafael López que a Pedro Henríquez Ureña, como Francisco González Guerrero, según hemos visto en textos anteriores.

VIII. Viaje a Brasil y Argentina

También a principios de mayo de 1922 el gobierno de Brasil invitó a México a que participara en la Exposición Internacional de Río de Janeiro. El gobierno de México aceptó tal honrosa invitación y designó al Secretario de Educación y Bellas Artes, licenciado José Vasconcelos para que lo representara oficialmente y llevara en obsequio cuatro puertas de cedro labradas en el taller de carpintería de Coria e Hijos, según informó *El Universal* (14 de mayo de 1922, segunda sección, p. 8, cols. 4, 5 y 6) en la primera noticia sobre este tema titulada, "Una hermosa obra de arte mexicano para la exposición de Río de Janeiro". Vasconcelos integró dicha comisión con distinguidos artistas e intelectuales mexicanos como el poeta Carlos Pellicer, el escritor y catedrático Julio Torri, el pintor Montenegro y el crítico literario Ricardo Gómez Robelo. Vasconcelos debía salir el 22 de julio, pero postergó su viaje debido a la llegada de Gabriela Mistral, hasta el día 25. Por tanto viajaron por separado Vasconcelos y Julio Torri, que fueron juntos, vía Nueva York, hasta Río de Janeiro, por un lado, y por otro Pedro Henríquez Ureña, Gómez Robelo, y Pellicer, que salieron el 21 de julio de México, en tren, para Veracruz, donde permanecieron una semana, antes de embarcarse para Río. Pedro Henríquez Ureña ha conservado, en un cuaderno manuscrito, todos los detalles de dicho viaje. Como pensamos escribir, en otra oportunidad, acerca del Viaje y de la permanencia de Pedro Henríquez Ureña en la Argentina y otros países de América del Sur, dejamos para entonces los detalles consignados en dicho viaje. Pero no podemos pasar por alto lo ocurrido en Río de Janeiro entre el jefe de la delegación y Pedro Henríquez Ureña, según la narración que hace José Vasconcelos, muy *pro domo sua,* en la parte de su autobiografía titulada *El desastre,* al recordar desavenencias que sobrevinieron durante los violentos disturbios estudiantiles ocurridos en la Preparatoria en 1923, como veremos luego. La parte pertinente a las relaciones entre Pedro Henríquez Ureña y Vasconcelos, la transcribimos de la edición de *Obras completas* (Libreros Mexicanos Unidos, 1957, T. I, pp. 1347-1351). Vasconcelos se está refiriendo a las divergencias que surgieron con motivo del nombramiento de Vicente Lombardo Toledano como Director de la Preparatoria, que justifica así:

Habíamos puesto a Antonio Caso en la Rectoría, y en general designábamos para los cargos universitarios a los recomendados del Rector. En algunos casos fue tan notorio el fracaso, que en un momento de desesperación había decidido convertirme en el Director, y, al efecto, me trasladé dos horas por la mañana a la Dirección de la Preparatoria. Apoyando a los muchachos laboriosos en contra de los grupos de estudiantes políticos, pude establecer la disciplina a cambio de media docena de expulsiones. Pero Caso se resintió. ¿En qué situación quedaba él, nos dijo, si uno de sus directores era el ministro, a quién no podía dar órdenes?

—Deme sus órdenes como rector —le contesté—, que yo las obedeceré como director, no como ministro.

Pero ni daba órdenes ni nunca las había dado, y eso era lo grave. Su posición de rector la servía muy decorosamente; más aún: ceremoniosamente. Nadie como él para decir un discurso académico y para presidir un cónclave literario; pero sus capacidades administrativas eran nulas. Y no se dejaba ayudar. Rodeado de pequeños aduladores que le incitaban a los celos conmigo, lentamente nuestras relaciones amistosas se fueron agriando. Para no romper con él me había retirado de la dirección de la Preparatoria, y de común acuerdo habíamos designado director a un favorecido de Caso: el señor Lombardo Toledano. Tiene Caso la debilidad de los parientes. A Lombardo lo recomendó porque un hermano de Caso había contraído matrimonio con una de las hermanas de Lombardo. Otra hermana de Lombardo estaba por casarse con Pedro Henríquez Ureña, que tenía también influencia en el ministerio. Creí, pues, que el ingreso de Lombardo a la dirección de la Preparatoria conciliaría intereses, me uniría de nuevo con mis colaboradores de primera categoría: Caso y Henríquez Ureña.

Pues mis relaciones con Henríquez Ureña también se habían enturbiado. Por deseos suyos lo llevé a la excursión diplomática de la América del Sur. Este viaje le sirvió para entablar relaciones con las universidades argentinas. Proyectaba desde entonces establecerse en Sudamérica, porque los periódicos de la capital de México lo molestaban bajamente; le criticaban su nacionalidad dominicana, su tipo amulatado, su carácter atrabiliario, nervioso. Aunque su capacidad nunca la pudieron negar. Y varias veces le había dicho:

—No hagas caso de lo que diga esa gentuza de los diarios; todos ellos fueron huertistas; después, carrancistas; están siempre con todo lo más puerco, si se trata de gobiernos de fuerza; necesitan del látigo. En cambio, atacaron a Madero y nos atacan a nosotros porque no nos ocupamos de ellos.

Pero en el ánimo de Pedro había algo más que susceptibilidad por los ataques de prensa. Me lo descubrió él mismo; le molestaban mis éxitos. Acababa de salir una edición madrileña de un viejo libro mío que ya no me importaba: los *Estudios Indostánicos*; por su parte, Blanco Fombona, también en Madrid, me había pedido autorización para una edición española del *Prometeo vencedor* y otros ensayos. Comentando estas ediciones, Pedro me dijo:

—¿Y tú crees que te publican todo eso porque eres escritor. . .? Te lo publican porque eres ministro.

Respondí:

—Quizá tengas razón, Pedro; no me interesa ser o no escritor; en resumen y en lo mundano, lo único que me interesa es ganar el pan de mis hijos, y eso puedo hacerlo porque sé trabajar.

—Bueno, bueno; pero no te creas que eres escritor; no sabes escribir; son muy malos tus libros. . .

Y al rato:

—También esto del Ministerio, no creas que lo estás haciendo bien; eres muy arbitrario.

Y me criticó la acción de un grupo que no le rendía acatamiento.

—Ya no te acuerdas, —decía Pedro— de cuando conspirábamos contra Porfirio Díaz.

Las conspiraciones de Pedro se habían reducido a visitarme en el *Antirree-*

leccionista; después, bajo Huerta, siguió en México, y aun creo que tuvo alguna clase, pero ya me empezaba a negar a mí hasta lo revolucionario.

—Mira —le dije un día a Pedro— yo comprendo que quizá les resulte a ustedes, a Caso, a tí, un poco molesto. ¡Un compañero que de pronto les resulta jefe, y lo que es peor, jefe de la intelectualidad del país! Pero ¿qué quieres?; algo había de ser; y ¿acaso no es mejor que el puesto directivo lo tenga un amigo de ustedes, y no un enemigo? En el caso particular tuyo, debo reconocer que tengo sobre tí una ventaja en este medio; la ventaja es que soy del país. ¿Por qué no te haces tú mexicano? Y si no quieres hacerte mexicano porque tu país es pequeño y no te resuelves a dejarlo, entonces renuncia a toda ambición política; dedícate a la literatura. Si tienes ambición política, vete a tu país y allí serás enseguida ministro, lo mismo que yo.

Después de estas disputas recibía una carta de Pedro pidiendo que lo dispensara; reconocía que a menudo era injusto conmigo. Y a la excursión del Sur lo llevé para rehabilitarlo en la opinión, para darles en la cabeza a los que lo atacaban a él y me atacaban a mí por proteger "extranjeros".

Sin embargo, en Río de Janeiro tuvimos una seria desavenencia. Sucedió que la prensa de México tenía el ojo puesto sobre nuestra delegación, a la que acusaba de mojiganga. Llevaba yo la responsabilidad de un numeroso contingente de militares, marinos, profesores, músicos, cantantes. Y a la delegación se había añadido por su cuenta el deportista Cuéllar, que, entre otras cosas, se dedicó a lucir por la capital brasileña el traje charro mexicano. Con ímpetu de joven hacía declaraciones a los diarios, disponía formar en tal cortejo, participar en tal otra fiesta. El traje charro, la buena presencia y nuestra compañía le abrían todas las puertas, y aunque siempre se portó como caballero, sus indiscreciones comenzaron a alarmarme. Hablé a Cuéllar en tiempos del maderismo; su señora madre era esposa del querido amigo Camilo Arriaga; le tenía, pues, afecto. Y Cuéllar, por su parte, se mostraba siempre cortés y deferente. Pero Pedro había hecho su circulito y en él estaba Cuéllar. Yo era un tirano; yo no los dejaba obrar.

Dos días antes del desfile oficial, mi *attaché* militar brasileño me contó que Cuéllar había pedido autorización para formar, vestido de charro, a la zaga de no sé qué corporación militar. El protocolo brasileño deseaba saber si eso entraba en nuestros planes. Me indigné, y pedí que, enseguida, por teléfono, avisara que Cuéllar no tenía autorización mía ni representación oficial alguna. La verdad era que Cuéllar pagaba sus propios gastos, salvo el transporte, que se le obsequió en el barco mexicano *Coahuila*. Por mi parte, mandé averiguar lo que había en el caso y me dijeron: Alega Cuéllar que no tiene usted por qué preocuparse de este asunto, porque él ha obtenido, directamente, del **Ministerio de la Guerra brasileño**, la autorización para representar a los charros mexicanos. Entonces llamé a Pérez Treviño, el jefe militar de nuestra expedición. Faltaban dos días para la ceremonia del desfile, y Cuéllar se hospedaba a bordo del *Coahuila*.

—Arréstelo —le dije— esta noche, cuando se presente a dormir, y téngalo preso los días de las ceremonias con desfiles.

Así se hizo, con gran enojo de Pedro, que llegó a las dos de la mañana a mi hotel, se metió adonde dormía yo, forzando antes el sueño de Julio Torri, que ocupaba la habitación contigua. Y paseándose por el cuarto, me amenazó, me vilipendió: Yo era un tirano peor que Huerta, porque era un tirano hipócrita.

—¿En qué ley te fundas para mandar arrestar a un mexicano en tierra extranjera? Cuéllar no es militar; no toleraré tus abusos; me quedaré en Buenos Aires; no regresaré contigo.

Lo dejé desahogarse sin decir palabra; luego, así que hizo una pausa, rogué:

—Mira, Pedro: tú mañana te puedes levantar a cualquier hora; pero yo tengo que estar ya de frac y desayunado, a las diez; así es que te suplico que me dejes dormir.

Y dando media vuelta en la cama, volví la almohada. Julio Torri, que había presenciado toda la escena, sacó a Pedro de la alcoba; luego regresó y me dijo:

—Admiro tu paciencia, Pepe—

Sí; cometí una arbitrariedad, pero México no se puso en ridículo. También a los del Colegio Militar les mandé tirar de las orejas porque les entró la vena del discurso en una función que les dedicó un teatro de revistas, y se pusieron a pedir la libertad de los cadetes brasileños presos por esos días, porque las pobres palomitas habían deshonrado su colegio poniéndose al servicio de una sonada militarista recién sofocada por el gobierno civil. Pues, como dijo Pérez Treviño en informe privado que mandó a México: "Aquí los militares no cuentan". Con todos sus defectos, el gobierno del Brasil era profunda y efectivamente civilista. Y así lo es también el pueblo, como que es un pueblo culto.

Tan justa había sido mi decisión de asegurarme de la persona de Cuéllar en previsión de su desobediencia, que cuando regresé a México, nadie me echó en cara el incidente, y cuando salí del Ministerio, dos años después, un día me encontré a Cuéllar cara a cara en una refresquería de la ciudad. Y lo que hizo fue venirse hacia mí con los brazos abiertos para decirme con toda nobleza:

—He esperado a que ya no fuera usted ministro, para decirle que no le guardo rencor.

Pedro sí me lo guardó. Su amigo íntimo, el poeta De la Selva, asociado a Lombardo Toledano, se afilió con Morones, el jefe de la CROM obrera y mi enemigo latente, puesto que era callista al rojo. Exigía Pedro que le diera el cese a Torres Bodet, que capitaneaba un grupo de poetas adverso a los poetas del corro de De la Selva. No lo consiguió y separó a De la Selva de la Secretaría. Reapareció De la Selva en gira por Centroamérica, contando a los países del Sur las excelencias del moronismo. Lombardo había renunciado un puesto que tenía con Gasca, el gobernador del Distrito, miembro de la CROM y amigo mío. Para compensar a Lombardo lo autorizamos para que habitara con su familia un departamento interior del edificio de la Preparatoria. Y le dije al entregarle la escuela:

—Le doy seis meses para que haga lo que quiera, pida los recursos que necesite y desarrolle su programa: confío en su éxito.

De lo que vino después, hablaremos más adelante. Lombardo Toledano, aunque se propuso hacer lo que quería en la Escuela Preparatoria, no pudo. Fuerzas políticas, ocultas pero no disimuladas, se mezclaron para producir en la Preparatoria toda clase de incidentes: expulsión de estudiantes, separación de profesores, renuncia de Pedro Henríquez Ureña y del propio Rector Antonio Caso. Ahora queremos dar por terminado el viaje a la América del Sur, con la recepción que los argentinos ofrecieron a la delegación mexicana, acto en el cual pronunció un discurso Pedro Henríquez Ureña, que transcribimos de la revista *Nosotros*, de Buenos Aires.

Debo aclarar, como Vasconcelos, que esoy entregado en estos momentos a la felicidad de estar en la Argentina. Para mí, —el Dr. Ingenieros lo sabe, porque de eso hablamos hace seis años en Nueva York—, era una vieja ilusión venir a la Argentina. Tuve siempre el presentimiento, y ahora lo he podido confirmar, de que la Argentina, a pesar de la propaganda periodística que lo pinta como país "muy europeo", es en verdad un país muy americano, es decir, muy hispano-americano; de que el tipo de civilización, y hasta el tipo de ciudad, que aquí está desarrollándose, tienen caracteres propios, y, sin perder el sentido de universalidad, la amplitud en que cabe todo lo humano, tienen sabor genuino y arraigo en la tierra que los sustentó.

Como mi dedicación principal es la literatura, y dentro de la literatura, más que producir cosas mías, admirar las ajenas, desde muchos años admiro las obras argentinas, y puedo decir que a través de ellas he admirado siempre el ímpetu y el brillo del espíritu argentino y este ímpetu, que desde hace años se manifiesta en el florecimiento económico e intelectual, es una característica permanente, y no una consecuencia accidental de aquel florecimiento. Cuando era la Argentina un país con pocos habitantes y sin significación internacional, tenían sus hombres el mismo ímpetu orgulloso que mueve toda la vida nacional; ése es el que animaba las páginas de Sarmiento o los versos de Andrade. Muy americano es, y debe serlo, este orgullo de las cosas nuestras, este orgullo que la Universidad Mexicana ha convertido en un lema que yo desearía, —como todos los que pertenecemos a aquella institución—, se difundiera por toda nuestra América.

La misión de nuestra raza, de nuestra América, es una misión espiritual, como lo acaban de recordar Ingenieros y Vasconcelos. Aun a riesgo de parecer contagiado de aquella ingenuidad que en los tiempos de la colonia daba el nombre de Atenas a las ciudades cultas del Nuevo Mundo, yo me atrevo a expresar, —y el maravilloso esplendor de nuestra moderna poesía pudiera ya comenzar a justificarlo— que nos toque devolver a la civilización el sentido espiritual que le dieron a la Grecia clásica y las repúblicas italianas desde Dante hasta Leonardo. Pero hasta los pesimistas me permitirán que invoque el ejemplo de Grecia y de Italia para recordar a nuestra América que la desunión es el desastre. Yo veo la significación de nuestro viaje en las palabras que hace poco dijo nuestro compañero de la Universidad, aquí presente, Ricardo Gómez Robelo: Bolivar dijo que quien pretendiera unir a los pueblos de la América española araría el mar; y bien: lo que hubiera parecido milagro se está realizando; nuestros barcos vienen arando en el mar. La salvación de nuestra América, para que llegue pura y fuerte a cumplir su misión espiritual, está en la unión, y yo deseo que la Argentina se afirme cada vez más y más en su papel de guía, para que en el futuro no lejano sea una realidad el lema de la Universidad de México: "Por mi raza hablará el espíritu".

Otro de los actos en que tomó parte Pedro Henríquez Ureña fue en el homenaje al pintor Roberto Montenegro. Según la crónica de los periódicos, en la comida que el grupo de los amigos artentinos que Montenegro había hecho en París y con los cuales se volvía a encontrar en Buenos Aires, ofrecida en el restaurant "Julien", hablaron el poeta y crítico de arte Fernán Félix de Amador, el ministro de México en Argentina, el poeta Enrique González Martínez, y en nombre de la Universidad de México, Pedro Henríquez Ureña. Dice *La Época* (18 de octubre de 1922):

El señor Pedro Henríquez Ureña, que habló en nombre de la Universidad de México, se refirió a su vez a la evolución más reciente de la obra de Montenegro, orientada hoy en forma decidida hacia un renacimiento del arte autóctono americano, en el que México ha tenido tanta importancia. La hermosa disertación del señor Ureña fue muy aplaudida por la concurrencia.

IX. Profesor y Jurado en la Preparatoria. Incidentes estudiantiles. Renuncia

Pedro Henríquez Ureña fue designado profesor de Literatura General en la Escuela Preparatoria en 1922. Además, fue el jefe de las clases de Literatura General y profesor titular de Literatura y de Lengua Castellana, según vemos al pie de unas

"Breves nociones de Filología", que publicó en la *Revista de la Escuela N. Preparatoria*, (Vol. 1, diciembre de 1922, pp, 20-26). En tal carácter formó parte de los jurados que se reunieron dicho año para la selección del nuevo plantel de profesores en las siguientes materias: Lengua Castellana. Jurado: Dr. Pedro Henríquez Ureña, profesor Rafael Sierra, profesor Carlos González Peña. Se cubrieron dos Vacantes; resultaron electos Raymundo Sánchez y Luis Chavéz Orozco. Literatura General. Jurado: Dr. Pedro Heríquez Ureña, LIcenciado Julio Torri, C. Manuel Toussaint. Resultó triunfante el señor Oscar Menéndez. Literatura Castellana. Jurado: los mismos del anterior. Resultó electo Julio Jiménez Rueda (datos tomados de la *Revista de la Escuela N. Preparatoria*, diciembre 1922, p. 4).

A comienzos del año lectivo de 1922, Vicente Lombardo Toledano, que en 1921 había sido designado Director del Departamento de Bibliotecas de la Secretaría de Educación, pasa a ocupar la Dirección de la Escuela Nacional Preparatoria. Bien pronto, debido a los ataques de *El Universal*, se movilizan estudiantes, unos para protestar en favor del Director de la Escuela, y otros en su contra. Los periódicos *Excelsior, El Mundo* (dirigido por Martín Luis Guzmán), *El Heraldo de México, El Demócrata, El Universal*, y las revistas estudiantiles *Prometeo, Argos, Don Juan* y *Acción Estudiantil*, registran con puntualidad los hechos ocurridos, en los cuales la política, tanto obrera, como la derivada de las candidaturas a la presidencia, tuvo parte principal, así como las fricciones de grupos académicos, poéticos, intelectuales, etc. Aunque hemos seguido en los diarios y revistas mencionados, día a día, todo lo ocurrido, sería difícil dar una síntesis objetiva. Por lo cual sólo mencionaremos aquéllos acontecimientos que hacen a nuestra historia. Ante todo hay que recordar que de acuerdo con el bando que creó la Secretaría de Educación Pública, la Escuela Preparatoria, así como la Universidad, de la que era parte, dependían de la mencionada Secretaría: no eran entidades autónomas. Una parte del conflicto tuvo por objeto tender a la emancipación de la Universidad de la Secretaría de Educación. Por otra parte, se propuso en esos momentos un plan tan radical de reforma, que según *El Universal* (6 de abril, 2a. sección, p. 1, col. 3), "El caos de la Escuela Preparatoria" se debió a lo siguiente:

> . . .al cambiarse el programa de estudios de la Preparatoria, se invirtió el orden en que antes se enseñaban las materias, y así ha venido a resultar que hay alumnos de años superiores que tengan que concurrir a cursos de los inferiores, y alumnos de estos cursos que tienen clases en los más adelantados.

El 17 de abril (p. 1, cols. 5, 6 y 7), *El Universal*, bajo el título de "Reformas trascendentales en el sistema universitario de México", da cuenta de que se pretende dividir la Preparatoria en dos carreras: las profesionales y el bachillerato. Esto habría producido gran descontento entre estudiantes y profesores y sería causa del malestar reinante. Un tercer motivo sería el de las facciones entre los mismos estudiantes. En lugar de la Federación de Estudiantes Universitarios, ahora se venían a establecer una serie de sociedades estudiantiles que, según el *Informe* que publica la *Revista de la Escuela Nacional Preparatoria* (V. I, p. 2), solamente en la Preparatoria se habían constituído los siguientes "centros": Centro de Debates de la Escuela Nacional Preparatoria; Centro de Intercambio Escolar de la Escuela Nacional Preparatoria; Centro de Deportes de la Escuela Nacional Preparatoria; además de un comité Representativo de la Escuela Nacional Preparatoria; una Sociedad Recreativa de la Escuela Nacional Preparatoria; una Sociedad de Conferencias y Conciertos de la Escuela Nacional Preparatoria y un Ateneo de la Escuela Nacional Preparatoria. Todos estos centros estaban ligados a distintas facciones políticas y apoyaban distintas direcciones o candidaturas a la presidencia. Por ejemplo el 17 de agosto *El Universal* publica la renuncia de Calles, para postular a la presidencia; los estudiantes del Partido Revolucionario de México disputan el apoyo a su candidatura. También Huerta hace renuncia a su ministerio para postular a la presidencia por esa misma fecha. Por su parte, Vasconcelos cuenta la historia de este conflicto de otra manera. Lombardo Toledano habría inmiscuído en su función estrictamente académica a los obreros de la Confederación Regional Obrera Mexicana (CROM) con propósitos políticos, y por tal motivo, no pudiendo mantener orden y disciplina, lo habría declarado cesante. Esto coincidiría con lo que dice *El Universal* (23 de agosto de 1923, p. 10, cols. 5 y 6): "La Confederación Regional Obrera aboga por el Lic. Lombardo Toledano". *Excelsior* (23 de agosto de 1923, p. 1, col. 6), bajo el título de "Una intromisión que se rechaza", dice que Eduardo Moneda, Secretario de la Confederación Regional Obrera se dirige a Vasconcelos para reprocharle el cese de Lombardo Toledano. Vasconcelos rechaza ese reproche como una intromisión de los obreros en las jurisdicciones educativas. El mismo diario, (25 de agosto, p. 1, col. 1), bajo el título de "Comunistas y estudiantes van a chocar. Los obreros preparan una manifestación contra el ministro Vasconcelos, y aquéllos la impedirán", aclara esta intromisión y este conflicto, que terminó en los sangrientos sucesos que costó la vida a un oficial de gendarmes, a un estudiante, con muchos heridos; la destitución de los profesores Alfonso Caso, Agustín Loera y Chávez y Schultz, con la renuncia definitiva de Alfonso Caso. Bien: en todo esto, según nos han informado testigos presenciales, como el mismo Alfonso Caso, Manuel Gómez Morín, el Dr. Octavio Bandala y el Lic. Salvador Azuela, participantes directos en aquéllos acontecimientos, Pedro Henríquez Ureña fue de total abstinencia con anterioridad a los sucesos de agosto, y de retiro absoluto, después de su renuncia, por lógica solidaridad con Alfonso Caso y Lombardo Toledano.

Como último acto de participación académica de Pedro Henríquez Ureña, el diario *Excelsior* (16 de agosto, p. 5, cols. 4, 5 y 6), registra un "Hermoso festival en honor de los alumnos de los cursos de verano en la Secretaría de Educación Pública", con motivo de la terminación de los cursos al día siguiente. Hacen uso de la palabra Vasconcelos y Pedro Henríquez Ureña, para despedir a los estudiantes extranjeros. El día 21 de agosto los diarios *El Mundo* (p. 1. col. 2) y *El Heraldo* (p. 2, col. 5) publican simultáneamente la renuncia de Pedro Henríquez Ureña, concebida en los siguientes términos:

Renunció a su puesto el Lic. Pedro Henríquez Ureña

El señor licenciado Pedro Henríquez Ureña, que tenía a su cargo la Jefatura del Departamento de Intercambio de la Universidad con la dirección de los cursos de verano, presentó hoy la dimisión de su puesto, ante la Secretaría de Educación Pública.

El señor Henríquez Ureña es hermano político del licenciado Vicente Lombardo Toledano, que recientemente renunciara a la Dirección de la Escuela Nacional Preparatoria.

Ningún otro diario registra tal noticia, ni hemos encontrado la aceptación de la renuncia.

Efectivamente, el parentesco de Pedro Henríquez Ureña con Vicente Lombardo Toledano, había quedado legalizado el jueves 24 de mayo de 1923, a las 11 de la mañana, en la iglesia de San Cosme, de la ciudad donde "se celebró el matrimonio de la Srita. Isabel Lombardo Toledano con el Dr. Don Pedro Henríquez Ureña", según leemos en la crónica social de un diario mexicano del 25 de mayo de ese año. Mejor dicho, la legalización fue un día antes, el día 23, con el matrimonio civil. En la ceremonia civil, fueron testigos José Vasconcelos, Secretario de Educación Pública; Antonio Caso, catedrático y Rector de la Universidad; Daniel Cosío Villegas, Xavier Icaza y Eduardo Villaseñor. En la ceremonia religiosa fueron padrinos, por parte de la novia el Lic. Vicente Lombardo Toledano, director de la Escuela Preparatoria, y su esposa doña Rosa María Otero de Lombardo, y por el novio, el Dr. Francisco Henríquez y Carbajal, ex-presidente de la República Dominicana, representado por el Dr. Antonio Caso, y la Srita. Ramona Ureña (datos tomados de *El Mundo*, México, 24 de mayo de 1923).

Ese año de 1923 Pedro Henríquez Ureña tomó parte en la fundación del P.E.N Club de México. He aquí la lista completa de los miembros fundadores del P.E.N. Club. Centro de México. Diciembre de 1923: 1. Carlos Barrera, 2. Rafael Cabrera, 3. Antonio Castro Leal, 4. Eduardo Colín, 5. Daniel Cosío, 6. Alfonso Cravioto, 7. Ezequiel A. Chávez, 8. Carlos Díaz Dufoo, Jr., 9. Genaro Estrada, 10. Enrique Fernández Ledesma, 11. Genaro Fernández MacGregor, 12. Federico Gamboa, 13. Manuel Gómez Morín, 14. Enrique González Martínez, 15. Carlos González Peña, 16. Fernando González Roa, 17. José Gorostiza, 18. Martín Luis Guzmán, 19. Pedro Henríquez Ureña, 20. Alba Herrera y Ogazón, 21. Francisco A. de Icaza, 22. Xavier Icaza, Jr., 23. Vicente Lombardo Toledano, 24. María Enriqueta C. de Pereyra, 25. Francisco Monterde y García Icazbalceta, 26. Pablo Martínez del Río, 27. Rafael Nieto, 28. José de J. Núñez y Domínguez, 29. Francisco Orozco Muñoz, 30. Carlos Pellicer, 31. Carlos Pereyra, 32. Alejandro Quijano, 33. Luis Quintanilla, Jr., 34. Joaquín Ramírez Cabañas, 35. Alfonso Reyes, 36. Manuel Romero de Terreros, 37. Mariano Silva y Aceves, 38. José Juan Tablada, 39. Alfonso Teja Zabre, 40. Julio Torri, 41. Manuel Toussaint, 42. Luis G. Urbina, 43. José Vasconcelos, 44. Eduardo Villaseñor.

Entre otras participaciones culturales de Pedro Henríquez Ureña que hemos visto en los periódicos de 1923, se hallan las siguientes:

Acto de recibo, agasajo y participación en veladas con Jacinto Benavente, además de la publicación de un artículo sobre el dramaturgo español, titulado "Benavente", en *El Mundo* (febrero de 1923); participación en la conferencia que en la Universidad dio el sociólogo chileno Augusto Venturino, presentado por Daniel Cosío Villegas, profesor de Sociología. (*El Universal*, 11 de abril de 1923, p. 8, cols. 6 y 7); participación en el acto en el cual el P.E.N. Club nombró miembros a Francisco A. de Icaza y Salvador Díaz Mirón (*El Mundo*, México. abril de 1923); conferencia sobre historia de la pintura auspiciada por la Liga Higienista y Cultural, presidida por el profesor Daniel Schultz, el 7 de agosto de 1923, en la Escuela Nacional Preparatoria (*El Universal*, 8 de agosto de 1923); participación en la recepción diplomática del Embajador del Brasil, Dr. Raúl Regis d'Oliveira (*El Universal*, 29 de junio de 1923); homenaje al poeta argentino César Ripa Alberdi, con motivo de su fallecimiento, en la Escuela Nacional Preparatoria, el 30 de noviembre de 1923, donde pronunció el discurso titulado "Poeta y luchador", que se reprodujo en el *Repertorio Americano* y que sirvió de base al estudio que aparece en *Seis ensayos en busca de nuestra expresión*; una curiosa entrevista acerca de la derrota del boxeador Firpo por el norteamericano Dempsey hecha por Aldebarán (Febronio Ortega), en *El Universal Ilustrado*, (Año VII, No. 331, 13 de septiembre de 1923, p. 55). Y por último, sus publicaciones como cronista de *El Mundo*, diario en el cual, su amigo el novelista Martín Luis Guzmán le encomendó las crónicas musicales y teatrales, que Pedro Henríquez Ureña fue publicanod desde abril a noviembre de 1923. Son notables sus comentarios a los conciertos del pianista Rubinstein, y a la compañía de ópera rusa. También publicó en *El Mundo* algunas notas de carácter político, como "La doctrina peligrosa" (3 de septiembre) y "El hermano definidor", que ya hemos comentado.

El 10 de diciembre de 1923 tomó posesión como gobernador del Estado de Puebla el licenciado Vicente Lombardo Toledano. Entre sus calaboradores llevó a Pedro Henríquez Ureña, a quien le confió la Dirección de Educación; a Alfonso Caso lo nombró abogado consultor; a Agustín Loera y Chávez encargado de las investigaciones sociales; Salvador Azuela, Aguilón Guzmán y otros destacados estudiantes de Jurisprudencia y Medicina, ocuparon cargos en dicha administración. Lombardo Toledano, en una entrevista que comentó 20 años más tarde, el 9 de septiembre de 1944, un tal "Lucas" en el diario *La Opinión*, recordaba con orgullo que aquél "fue un gobierno fantástico, integrado sólo por intelectuales; una especie de areópago". El gobierno de Lombardo Toledano, y, por supuesto, el de toda su comitiva duró muy poco. El 20 de marzo de 1924, los periódicos de Puebla publican, a grandes titulares, "El licenciado Vicente Lombardo Toledo se retira del gobierno de Puebla", con un "Manifiesto a los habitantes del Estado", firmado por el mismo señor Lombardo Toledano, justificando ese retiro, de acuerdo con el Partido Laborista Mexicano, al cual pertenecía. Los comentarios de la prensa y de personas que hemos consultado en Puebla fue, en general, adversa a la presencia del señor Toledano en Puebla. La labor realizada en tan breve tiempo, sin embargo, fue fructífera en el orden cultural. Por ejemplo, la Agrupación de Estudiantes de las Escuelas Profesionales y Anexas del Colegio del Estado, con el apoyo del señor licenciado Vicente Lombardo Toledano, gobernador de Puebla, fundaron la Universidad del Obrero, constituída por cinco centros de educación superior y cinco secciones de educación elemental, con fines de iniciar una intensa campaña de "desanalfabetización del pueblo". Según el *Boletín del Gobernador del Estado Libre y Soberano de Puebla* (T. I, No. 8, del 9 de febrero de 1924), dicho gobernador estableció un Museo de Historia, Arqueología y Etnografía en la ciudad de Puebla, base de las futuras investigaciones de las culturas indígenas del Estado. Cabe recordar que dicho Boletín era redactado por Pedro Henríquez Ureña, y que en él se consignan todas las labores educacionales y culturales del Estado durante este período. Una de las medidas de mayor trascendencia de dicho gobierno fue la de la Reforma de la Ley de Instrucción Secundaria y Profesional del 20 de junio de 1918. Por dicha reforma se establecía un nuevo plan para el Estado, que seguía, en parte, el modelo de la Escuela Preparatoria y de la Escuela de Altos Estudios de la Universidad Nacional de México, en la que tanta participación había tenido Pedro Henríquez Ureña. El plan, muy minucioso, comprende tanto las Humanidades, como las disciplinas liberales, comerciales y prácticas. El artículo 6o. está dedicado a detallar los estudios de Lengua Castellana y Literatura, el 7o. a las lenguas extranjeras y el 8o. a las disciplinas filosóficas. Transcribimos la parte pertinente:

Artículo 6o. La serie de Lengua Castellana y Literatura estará constituída por las asignaturas siguientes:

a.) Primer curso de Lengua Castellana, incluyendo lo que se designa en la ley con el nombre de Lectura expresiva, curso de 6 horas, en el primer año.

b.) Curso segundo de Lengua Castellana, con ejercicios de Composición oral y escrita, curso de 6 horas, en el segundo año.

c.) Tercer curso de Lengua Castellana, con ejercicios de Composición oral y escrita, estudio de las Raíces Latinas y Griegas y breves nociones de los procesos filológicos que explican sus derivaciones castellanas, curso de 3 horas, en el tercer año.

d.) Curso de Literatura Española y Patria, 3 horas, en el cuarto año.

e.) Curso de Literatura General, 3 horas en el quinto año.

En los cursos de Literatura no se enseñará preceptiva; se desarrollarán históricamente, y se obligará a los alumnos en cada uno de ellos a leer completasunas doce o quince obras maestras, tales como la *Ilíada*, una obra dramática de Esquilo, Shakespeare, Lope, Calderón, etc.

Artículo 7o. El grupo de Lenguas Extranjeras estará constituído por dos cursos de Francés, en el primero y el segundo años, y dos cursos de Inglés, en el tercero y el cuarto años.

Artículo 8o. El grupo de Disciplinas Filosóficas estará constituído por las asignaturas siguientes:

a) Curso de Psicología, 3 horas, en el quinto año.

b) Curso de Lógica, 3 horas, en el quinto año.

c) Curso de Ética, 3 horas, en el quinto año.

Como es de suponer, Pedro Henríquez Ureña intervino también en la reforma de los métodos de enseñanza en algunas cátedras de literatura que se dictaban entonces en el Colegio del Estado, hoy Universidad de Puebla. Desde 1919 el profesor de preceptiva literaria había sido el licenciado Miguel Marín. Pedro Henríquez Ureña tomó dicho curso a comienzos de 1924. Enseguida cambió el nombre de la materia: la llamó Literatura Universal, y así cambió la teoría y nomenclatura por la lectura directa de los textos. Comenzó con Homero (*La Ilíada*), a fin de fijar los caracteres de la épica clásica, su evolución, la teoría de los géneros y de las especies, versificación, etc. Siguió con autores griegos, especialmente con Platón. El propio profesor Marín me ha informado, personalmente, que aceptó complacido el cambio y que hasta la fecha (25 de julio de 1958, día en que lo entrevisté) sigue enseñando literatura universal (o general) según el método que aprendió de Pedro Henríquez Ureña. El señor Enrique Cordero Torres (autor de una *Historia del periodismo en Puebla* y miembro del grupo de la revista *Bohemia poblana*) me ha informado que Pedro Henríquez Ureña fue invitado por la Academia de Bellas Artes de Puebla a dar dos conferencias, una sobre "Las finalidades de la estética", y otra sobre "La utilidad del arte en el pueblo", en las cuales el disertante hizo una "erudita, profunda y clara exposición de los fundamentos de la estética y las relaciones del arte con el pueblo". El señor Roberto A. Rojas, director de la Academia, que lo presentó, me ha confirmado esta opinión del señor Cordero.

Con el séquito de Lombardo Toledano fueron a Puebla algunos poetas de vanguardia, entre ellos el líder del estridentismo Germán List Arzubide, vinculado a la revista *Ser*, vocero de los vanguardistas de Puebla. Con este grupo se unieron los miembros del Instituto José Manzo para realizar actos culturales, artísticos, y a veces políticos, como la velada del 25 de enero de 1924, dedicada a la memoria del mártir revolucionario Felipe Carrillo Puerto, en la que tomaron parte List Arzubide, Lombardo Toledano y se ofrecieron números musicales de Chopin, Mozart y Rossini.

Pero la obra más notable que Pedro Henríquez Ureña realizó en Puebla fue la de un estudio poco menos que exhaustivo de la situación en que se encontraba la educación pública del Estado. En el archivo de la Dirección de Educación de Puebla hemos encontrado un estudio de la historia de los diversos presupuestos presentados para la educación del Estado, de puño y letra de Pedro Henríquez Ureña, al final del cual hay una propuesta de nuevo presupuesto para el año cuyo ejercicio debía iniciarse. Y a pesar de toda esta labor, no faltó tiempo para recorrer los pueblos del Estado y de otros Estados vecinos. Pedro Henríquez Ureña ha dejado muchas notas sobre lo que observó en esos viajes. Sobre todo recogió canciones populares, vocabularios, elementos de pronunciación, que dieron lugar a estudios posteriores sobre el español en México y sobre su habla, su música, sus artes populares.

X. Epílogo. Dos adioses

Según refiere Rafael Alberto Arrieta en su trabajo "Pedro Henríquez Ureña, profesor en la Argentina" (*Revista Iberoamericana*, Núms. 41-42, p. 88):

> Los acontecimientos políticos de México arrasaron enseguida con la situación de aquel momento, y Henríquez Ureña perdió su cargo en el Instituto de Intercambio Universitario. Me escribió una carta angustiosa; recién casado, quedaba sin apoyo económico, en un medio hostil y con sus amigos también desalojados y desvalidos. Necesitaba salir de México y pensaba con más vehemencia que nunca en la Argentina. Pero ¿cómo vivir en ella? ¿Podría conseguir algún puesto público, alguna cátedra para contar con un sostén inicial?
>
> Felizmente estábamos empeñados en la reforma del plan de estudios del Colegio Nacional Platense y yo formaba parte del Consejo Superior Universitario. El presidente de la Universidad, doctor Benito Nazar Anchorena, y el rector de aquel establecimiento, mi ex alumno doctor Luis H. Sommariva, acogieron mi pedido con simpatía y recta comprensión: El humanista dominicano podía ser un colaborador valioso. Tuve, pues, la alegría de ofrecer a mi lejano amigo tres cátedras secundarias de lengua castellana.

De esta manera, Pedro Henríquez Ureña pudo trasladarse a la Argentina. A fines de junio de 1924 llegó a Buenos Aires con su esposa y su hijita Natacha. Según me informó su esposa, Genaro estrada le facilitó dinero para poderse trasladar. Arrieta corrobora ese estado de pobreza, que revela la honradez de Pedro Henríquez Ureña, quien dejó en México todo lo que pudo de su saber y de su espíritu, sin llevarse ninguno de los centavos que, según sus acusadores, obtenía a manos llenas de los sacos oficiales. Dice Arrieta:

> Pedro había gastado en el largo y costoso viaje todo su dinero y se vió obligado a afrontar, durante los primeros meses, una situación penosa, sobre todo por su delicadeza moral. Deseaba instalarse en alguna pensión familiar, y la buscamos juntos. Se decidió por una situada en la calle Bernardo de Irigoyen,

bastante próxima a la estación Constitución, y empezó a viajar diariamente; algunas veces lo hacíamos en el mismo tren. Fue recibido con gentileza por las autoridades del colegio, pero varios profesores de la misma asignatura que él enseñaba, mostraron cierto desapego hacia el nuevo colega: tal vez encono para el "extranjero" recién venido que había logrado una posición envidiable, no alcanzada por ellos en largos años de ejercicio docente; quizás la sequedad un poco hosca del companero ilustre, que debieron de interpretar como signo de superioridad despectiva, cuando no era sino reserva natural y hasta apocamiento en el trato social.

Pedro Henríquez Ureña se fue de México y no tengo noticias de que haya vuelto alguna vez. Pero sus huellas quedan todavía imborrables y su saber y su ejemplo se mantienen vivos en respetables figuras de la vida nacional mexicana. Los más ilustres hombres de su tiempo, desde Vasconcelos y Alfonso Reyes y los que no alcanzaron posiciones tan altas, han seguido hablando de él como el maestro de toda una generación y como el faro guiador de los lustros que le siguieron, hasta hoy. La que podríamos llamar "segunda generación" o, como diría Gómez Morín, la generación de 1915, que en realidad actuó más directamente en la vida pública durante los años de la influencia de Vasconcelos en la Secretaría de Educación —grupo de la segunda época de *México Moderno* (1922, 1923, dirigida por Lombardo Toledano, Pedro Henríquez Ureña, Daniel Cosío Villegas, José Gorostiza, Manuel Gómez Morín, Manuel Toussaint) y de *Vida Mexicana* (con los mismos y otros colaboradores nuevos), habla con respeto y veneración del maestro ejemplar, sabio y generoso. Ya hemos visto que hubo también algunos dardos venenosos; pero poco cuentan, cuando las plumas de Gómez Robelo, González Peña, Vasconcelos, Alfonso Reyes, Diego Rivera, Salvador Novo, Samuel Ramos, Martín Luis Guzmán, Antonio y Alfonso Caso, Julio Jiménez Rueda y Francisco Monterde, Salvador Azuela, Luis Lara Pardo, Vicente Lombardo Toledano, Andrés Iduarte, Antonio Castro Leal, Francisco González Guerrero, Leopoldo Zea, José Luis Martínez, Jaime Torres Bodet, Xavier Villaurrutia, Alejandro Quijano, Daniel Cosío Villegas, Luis Leal y tantos otros, se unen y cantan en coro la gloria inmarcesible de este hombre callado y simple, hondo y sincero, sabio y gentil, que lo dió todo para los demás, con generosa imprudencia, ingenuidad sin cálculo, y que hasta produjo el equívoco de resultar pedante y académico, los dos males de la cultura hispanoamericana que él combatió con más entereza.

Se fue de México, pero sólo físicamente. Como afirma Castro Leal:

El magisterio de Pedro Henríquez Ureña en México termina en 1924, año en que decide pasar a la Argentina. Mas esto no indica que deje de pensar o escribir sobre México. Al año siguiente de su llegada a Buenos Aires da a la *Revista de filosofía* su estudio "La revolución y la cultura en México", esquemática síntesis de la cultura mexicana, la primera del autor, que había de ampliar en obras como la *Historia de la cultura en la América hispánica* (México, 1947). Otros de sus estudios sobre temas y autores mexicanos los recogió en su libro, —uno de los que más fama le han dado— *Seis ensayos en busca de nuestra expresión* (1928); 3 de los 6 estudios versan sobre la personalidad y las obras de autores mexicanos: Ruiz de Alarcón, Alfonso Reyes, González Martínez; ensayos, los tres, de capital importancia para el estudio de las letras mexicanas, y a los cuales hay que volver siempre.

En Buenos Aires, debido a la influencia del filólogo Amado Alonso, renace en don Pedro el interés por las investigaciones lingüísticas. Dos son las fuentes que utiliza para sus estudios de español en México, estudios indispensables sobre la materia: sus observaciones personales del habla popular y su inmensa erudición. Las bibliografías que antepuso a la obra *El español en Méjico, los Estados Unidos y la América Central* (Buenos Aires, 1938), obra publicada con cuatro años de retraso a pesar de su empeño, son el mejor ejemplo de su prodigiosa erudición. La "Introducción", al mismo tiempo, es un enjundioso estudio sobre el español de esas regiones, y sus "Datos para el habla popular de Méjico" (pp. 277-324) aportan un insuperable modelo a los estudios de esta naturaleza y, a la vez, demuestran el dominio que el autor poseía de la materia.

Hay, por fin, un aspecto de las actividades del maestro dominicano —el aspecto de su vida más difícil de captar— que es preciso mencionar: trátase de su obra no escrita. No hay duda de que, mientras vivió, hizo un gran esfuerzo por dar lo mejor a sus amigos, tanto en la conversación como en la enseñanza. En México creó ambiente intelectual. Entre sus discípulos encontramos a las mejores inteligencias del siglo. Los que mañana lean sus obras, dice Alfonso Reyes, apenas conocerán la mitad de su contenido humano y quién sabe si todavía menos. "Todo lo dejaba, todo, para acudir a los demás, y en ello gastó gran parte de su vida. Somos legión los responsables de que no haya dado cima a muchos más libros proyectados. Y no sólo hacía suyas nuestras empresas literarias: también nuestros enojos prácticos y nuestras vicisitudes morales. Un día, cuando más pobre estaba, hizo entrega de sus parvos ahorros en manos de uno a quien quería ver inconmovible en su apartada dignidad cívica" (*Grata compañía*, p. 208).

En conclusión, podríamos decir que las principales aportaciones de don Pedro a la cultura mexicana son: en el campo de las letras, la revalorización de Ruiz de Alarcón, los estudios sorjuanísticos, los importantísimos estudios de revalorización del siglo XVIII, la *Antología del Centenario*, la valorización de las obras de Alfonso Reyes y González Martínez, y sus trabajos filológicos; en el campo de las ideas: la ayuda que dio a la lucha contra el positivismo, la orientación de los jóvenes que formaron el Ateneo de la Juventud y, más tarde, al grupo llamado generación de 1915; en la educación: su colaboración en la organización de la Universidad Popular y la reorganización de la Escuela de Altos Estudios, hoy Universidad Nacional; y, en fin, en el campo de las

relaciones humanas: su ayuda a todos los jóvenes que se le acercaban a pedir-
la, ya fuera intelectual, moral o material. Con razón Alfonso Reyes, quien mejor
lo conoció, ha dicho: "México reclama el derecho de llorarlo, por suyo. Pocos, sean propios o extraños, han hecho tanto en bien de México. Aquí trans-
currió su juventud. . . aquí enseñó entre sus iguales, sus menores y sus mayores;
y en corto plazo, hizo toda la carrera y ganó el título de abogado. Aquí gober-
naba con intimidad y sin rumor aquellas diminutas y sucesivas pléyades, cuyas imágenes van convirtiéndose ya en focos orientadores a los ojos de la
mocedad más promisora. Aquí se incorporó en las trascendentales reformas
de la educación pública. Aquí fundó su hogar. Y, al cabo, nos ayudó a entender y, por mucho, a descubrir a México. Nuestro país era siempre el plano
de fondo en su paisaje vital, la alusión secreta y constante de todas sus medi-
taciones" (*Grata compañía*, p. 206).

Desde la Argentina mantuvo un constante cambio de correspondencia con su
gran amigo Alfonso Reyes, con sus discípulos Castro Leal, Jiménez Rueda, Cosío
Villegas, Eduardo Villaseñor y muchos más. Cuando se den a conocer esas cartas
se podrá comprobar cuan grande fue el amor de Pedro a su México ideal, profundo
y definidor. Cuando llegó a la Argentina, lo primero que hizo fue participar en un
homenaje que la Facultad de Derecho de la Universidad de La Plata rindió a México. Me contaba el doctor Sislán Rodríguez que el homenaje a México se hizo, claro, por México, pero también por saber de México a través de Pedro Henríquez
Ureña. *El Argentino*, de La Plata, del 28 de septiembre de 1924, trae un extracto
de la conferencia del doctor Pedro Henríquez Ureña, que es todo un legado de su
comprensión mexicana:

> El conferenciante trató el tema de "la influencia de la revolución en la
> vida intelectual de Méjico", y dijo que la Revolución mejicana o sea el proce-
> so de transformación social iniciado en 1910 ha influído en todos los órdenes
> de actividad de aquel país, y por lo tanto en el intelectual. La nueva fe carac-
> terística del movimiento es la fe en la educación popular: la creencia en que
> todo el mundo debe ir a la escuela, lo cual representa una actitud nueva ante
> el problema, pues antes estaba muy difundida la teoría de la educación popu-
> lar como base de una democracia, pero no acababa nunca de llevarse a la
> práctica.
> Dijo después que en el orden de la cultura superior, Méjico había comen-
> zado a no aceptar sin discusión la influencia europea y a buscar orientaciones
> propias. Recordó que este movimiento se inicia en el grupo juvenil que desde
> 1906 ataca a la ideología oficial del gobierno de Porfirio Díaz: liberalismo en
> política y economía, positivismo en filosofía, parisianismo en literatura, aca-
> demicismo en arte. A ese grupo pertenecían Antonio Caso, Alfonso Reyes,

José Vasconcelos, Diego Rivera y muchos otros. El grupo tuvo éxito, y al caer el gobierno de Díaz toda la orientación intelectual del país comenzó a variar. La influencia de Caso en el sentido de la libertad filosófica fué enorme. En arte se comezó a ver la tierra nativa. En 1911, el grupo fundó la Universidad Popular, en cuyos estatutos figuraba la condición de no recibir nunca ayuda gubernativa, y que duró diez años con gran actividad. En 1913, de aquel grupo salieron los organizadores de las facultades de humanidades y de ciencias de la Universidad, a donde fueron a enseñar gratuitamente para fundar aquellos estudios. Más adelante se inicia la reforma de la enseñanza de la sociología, la economía política y el derecho, orientada hoy en sentido avanzado.

Méjico se ha decidido a tener fe en su propia capacidad, en su propia originalidad.

Habló del impulso que había tomado la pintura mural tratando temas mejicanos; la nueva arquitectura que se apoya en la tradición colonial y llena de magníficos edificios los nuevos barrios de la ciudad de Méjico, desde que en 1913 Acevedo y Mariscal inician el estudio de la arquitectura hispano-mejicana que floreció en multitud de templos y palacios suntuosísimos durante tres siglos; de los intentos que se realizan en música, los cuales no alcanzan la enorme importancia que los trabajos de pintura, pero sí anuncian algo nuevo y original, desde los ensayos tímidos de Ponce que comienza a estudiar el canto popular hacia 1910, hasta los estudios de Chávez Ramírez, que ataca el problema en su base tonal.

También es Méjico la república de América donde el problema social se afronta más intensamente, con un criterio renovador de justicia y de solidaridad. Paralelamente, está realizando una labor cultural vasta y profunda, en lucha heroica contra el analfabetismo y con un alto concepto de educación integral que abarca el pensamiento, el arte y el trabajo. Por último, Méjico es el primero de los países latinoamericanos donde surge y se encarna un sentimiento colectivo iberoamericanista y la aspiración a crear una cultura propia de nuestra raza, ideal que ha concretado en la divisa "Por mi raza hablará el espíritu" adoptada para el escudo de su universidad; lema que debemos hacer nuestro, esforzándonos en que se torne realidad.

Larga sería la lista de discursos, conferencias, escritos, publicaciones, siempre documentadas en los diarios de Argentina, en que Pedro Henríquez Ureña sintió y pensó a México. México fue su obsesión, porque fue su "hermano definidor". Veía a Argentina demasiado alejada de Hispanoamérica para tomarla como modelo de nuestros ideales novomundanos. Argentina era más Europa que América. México era la América integral, o, por lo menos, integrante e integradora: la América que no excluía la posibilidad de una síntesis que incluyese también las aportaciones de la "otra América". El 28 de septiembre de 1924 el diario *La Prensa* registra una conferencia de Pedro Henríquez Ureña sobre la evolución cultural de México, que Sislán Rodríguez, profesor de la Universidad de La Plata, sintetiza en el diario *El Argentino* (29 de septiembre de 1924), bajo el título de "El ideal Latinoamericano". El diario *Crítica* de Buenos Aires, registra el 19 de junio de 1925, otra intervención de Pedro Henríquez Ureña en favor de México, a propósito de ciertas presiones norteamericanas relativas al reconocimiento de su nuevo presidente. El 22 de agosto de 1928 *La Vanguardia* de Buenos Aires, publica una entrevista relacionada con el asesinato del general Alvaro Obregón y el problema religioso en México. Y así sucesivamente. Pedro Henríquez Ureña siguió hablando de Juan Ruiz de Alarcón, de Sor Juana, del barroco en México, de su pintura, de su música, de su evolución social y política, de su comercio, de sus productos naturales, de su clima, de su flora y de su fauna, de sus minerales, del problema del petróleo, etc., etc.

Don Pedro editó a los autores mexicanos en la colección que dirigía en la Editorial Losada de Buenos Aires, y a Pedro Henríquez Ureña se debe, como es sabido, el planeamiento y la organización definitiva de la "Biblioteca Americana" que está editando el Fondo de Cultura Económica de México. Y, sin duda, muchas cosas más, que ahora escapan a mi memoria y que vendrán apareciendo a medida que los hechos y las circunstancias se presenten.

México correspondió a Pedro Henríquez Ureña como se lo merecía. Si hubo algún ofendido, algún resentido, algún desplazado, algún rencoroso, no hay que olvidar de que hay de todo en el género humano y que nadie está exento de críticas, mal entendidos, ataques e incomprensiones. Tampoco, nadie es perfecto, y es natural que algunos de los actos de Pedro Henríquez Ureña fueran considerados al estilo de Rafael López y de otros como él. La juventud de México lo amó, lo respetó y hoy, ya en la madurez de una vida proba y señera, lo recuerdan como el Sócrates americano. Prueba de ello es que, en el año de 1946, como atestigua *El Universal* (2 de septiembre), el diario que más lo combatió, cuando la juventud mexicana se propuso elegir a su maestro ideal, el nombre de Pedro Henríquez Ureña estuvo en primera fila, al lado de Vasconcelos y otros constructores del México moderno. Pedro Henríquez Ureña no estaba en México, y su nombre fue elegido junto a otros grandes extranjeros, como Max Scheler y Ortega y Gasset, "porque encarnan una idea que forma parte de nuestra verdad, o por su amor a México". Este reconocimiento es, creemos, el mejor homenaje que la juventud mexicana pudo haberle rendido al gran humanista de América.

Por lo demás, la muerte de Pedro Henríquez Ureña avivó en México los sentimientos más sinceros de gratitud y aprecio que se le hayan tributado a un maestro en este país. Casi por la misma fecha moría Antonio Caso. Hemos recorrido los periódicos y hemos hecho el cómputo innecesariamente comparativo y hemos podido comprobar que el saldo pone a Pedro Henríquez Ureña por encima del magisterio de Caso. Lo mismo podemos decir con respecto a Vasconcelos. Bastaría con transcribir a continuación, no ya los telegramas oficiales o las notas periodísticas de rutina, sino fragmentos selectos de firmas responsables para dar una idea de cuánto se le estimaba, se le debía, se le reconocía y ahora cuánto se valoraba definitivamente al maestro dominicano. *El Universal* (mayo 14 de 1946, 1a. sección, p. 10), no dice simplemente "falleció Pedro Henríquez Ureña", sino que por la pluma de J. L. Tapia, estampa a dos columnas "Con Henríquez Ureña desaparecen un gran crítico y un gran corazón"; y de inmediato encarga a Francisco González Guerrero que honre la memoria del maestro (18 de mayo de 1946, p. 3) y como·si esto no fuera poco, acoge posteriormente 3 artículos de Salomón de la Selva "In memorian P.H.U." (7 de junio, 14 de junio, y 21 de junio de 1946). *Excélsior* (13 de mayo de 1946); no sólo lo llama "famoso hombre de letras y filósofo muy conocido", sino que lamenta que con él desaparezca uno de los hombres más ilustres del mundo contemporáneo y encarga a Don R. Heliodoro Valle para que escriba "Consternación por la muerte de un sabio. Pedro Henríquez Ureña era uno de los grandes valores de América Latina" (13 de mayo de 1946, 1a. sección, cols. 6, 7, y 8) y al Dr. Luis Lara Pardo para que le honre oficialmente como "Sabio hombre de letras, gloria de toda América", (16 de mayo de 1946, p. 4). *Novedades* encarga a Salvador Novo (14 de mayo de 1946, p. 4) el homenaje póstumo, y Novo lo hizo con el corazón abierto de humana comprensión y profundo agradecimiento. Luego publica "La España de Pedro Henríquez Ureña", de Adolfo Salazar, (17 de mayo de 1946, p. 9, cols. 1 y 2). Y, en fin, *El Nacional*, dice, por intermedio de Humberto Tejera, la historia mexicana del maestro "indoibero" Pedro Henríquez Ureña (19 de mayo de 1946, p. 6). La Secretaría de Educación Pública, a cargo entonces del poeta y crítico Jaime Torres Bodet, se aprestó a rendirle un homenaje, que se llevó a cabo en el Palacio de Bellas Artes el 31 de mayo de 1946, a las 19 horas. Allí hablaron Alfonso Reyes, José Luis Martínez, Samuel Ramos, Ángel Zárraga y Ceferino Cano. Y muchos homenajes vinieron después: el diario *Novedades* (1o. de junio de 1946), *La Gaceta* del Fondo de Cultura Económica de México (21 de mayo de 1956), *Letras de México* (No. 125, 15 de julio de 1946), otra vez *Novedades* (3 de junio de 1956), *Siempre* (junio 1 de 1966), *Revista de la Universidad de México* (junio de 1966), sin contar con los numerosos artículos en distintas épocas, en diarios y revistas, referencias en libros y, sobre todo, en la conversación de todos los círculos responsables de la cultura mexicana.

De Pedro Henríquez Ureña podríamos decir: vino a México para encontrar a México, y lo encontró: halló su esencia, su mexicanidad, con sus claridades y sus repliegues. Se dio a su aire de región transparente y a sus hombres de heroica voluntad para ser. Pedro Henríquez Ureña se *halló* en México y *fue* con México. No en vano los mexicanos más ilustres lo reclaman como mexicano. Y si en algunas oportunidad se usó el adjetivo "extranjero" para negarle lo que se le había dado, sólo fue por intereses creados de algún desplazado o malevolente. Otras cosas peores he oído decir y aplicársele a mexicanos ilustres. Hace más de diez años que convivo con mexicanos; (esto fue escrito en 1967) y la verdad es que nunca he oído contra Pedro Henríquez Ureña las terribles cosas y las injusticias que se han dicho de Vasconcelos y de Alfonso Reyes. En esto México no ha violado su tradición de hospitalidad. Los años han pasado, pero ciertos nombres quedan brillando en la frente despejada y franca de México; entre esos nombres, el primero será siempre el de Pedro Henríquez Ureña.

Índice onomástico

278

290

294

Índice general

298

Rafael Altamira. Defensa de José Santos Chocano. Las conferencias del Ateneo.

VII. Nuevos Libros: *Antología del Centenario* y *Horas de Estudio*

Recepción favorable a la *Antología* en México y el extranjero. Las reseñas a *Horas de estudio.*

VIII. Escuelas de Altos Estudios, Nacional Preparatoria y de Jurisprudencia

Reestructuración de la Universidad Nacional. Estudios de Henríquez Ureña en Derecho. Profesor de la Universidad. La Escuela de Altos Estudios: cursos impartidos. Polémica en torno a las labores docentes de Henríquez Ureña. Propuestas de reforma a los estudios de literatura.

300

302

Pedro Henríquez Ureña en México, editado por la Secretaría de Extensión Académica de la Facultad de Filosofía y Letras de la UNAM, se acabó de imprimir en el mes noviembre de 1989 en los talleres de la editorial Libros de México., S. A. en Avenida Coyoacán 1035, México, D. F. El tiraje consta de 2000 ejemplares. El diseño estuvo a cargo de Rosa María Torres y cuidó la edición Cuauhtémoc Medina.